Auf geht's!

beginning German language and culture
fourth edition

live oak multimedia

created by:
Lee Forester and David Antoniuk

research, writing, and production by:
Lee Forester
David Antoniuk
Tin Wegel
Sara Budarz
Jacob Douma

photography by:
David Antoniuk

distributor:
evia learning

Book to be used in conjunction with companion online Interactive.
Access can be purchased at: **www.aufgehts.com**

Auf geht's!

Copyright © 2005, 2009, 2015, and 2018 by Live Oak Multimedia, Inc.

First edition, 2005.
Second edition, 2009.
Third edition, 2015.
Fourth edition, 2018.

Published by:
Live Oak Multimedia, Inc.

Distributed by:
Evia Learning, Inc.
www.evialearning.com

Photographs copyright © 2005, 2009, 2015, and 2018 by David Antoniuk, except for the following photographs (and other realia) as noted:

pp. 30, 54, 307, 405, 407: Unknown photographers. **pp. 207(h), 342:** agency-x, Wolfgang Moreis. **p. 214:** text; www.mitfahren.de. **p. 240:** text; adapted from www.waldorfschule.de. **pp. 279-280, 282:** texts; adapted from http://europa.eu. **p. 294:** 2015 © EDA, PRS / Quellen (2014): Bundesamt für Sta tistik (BFS). **p. 295:** text; information from www.bern.ch. **p. 322:** text; information from www.bmg.bund.de. **p. 338:** nurTV, Gong Verlag GmbH. **p. 374:** texts; Deutsches Rotes Kreuz e.V.; WWF Deutschland; Habitat for Humanity, Deutschland e.V. **p. 391:** text; Achim Schmidtmann. **p. 401:** NARA, ARC_535562. **p. 403:** Ernst Haas, Getty Images. **p. 404:** NARA, 260-MGG-1061-1. **p. 407:** text; adapted from www.bundespraesident.de. **p. 410:** NARA, ARC_541692. **p. 411:** text; information from www.dhm.de.

Auf geht's! is sponsored in part by the Fund for the Improvement of Postsecondary Education (FIPSE), U.S. Department of Education.

ISBN 978-1-886553-72-9

9 8 7 6 5 4 3 2 1

Printed in China

Cover photograph: Kunsthistorisches Museum, Wien, AT

Hall in Tirol, AT

An dieser Stelle möchten wir ganz herzlich den vielen Beteiligten danken, die bei der Informationssammlung mitgeholfen und insbesondere an den Interviews teilgenommen haben. Ohne diese freundliche Unterstützung wäre ein solches Projekt gar nicht möglich gewesen.

Special thanks to those who've contributed with texts, comments, testing, and encouragement:

Eva Meilaender
Nick Ostrau
Pennylyn Dykstra-Pruim
Samantha Riley
Andrea Dortmann
Jim Danell
Richard Langston
Brigitte Rossbacher
Joseph Magedanz
Hartmut Rastalsky
Patience Graybill

Greta Wirtz
Brian Gibbs
Jiri Burgerstein
Barbara Gügold
Giselher Klose
Federica Guccini
Sandra Günther
Diana Rosenhagen
Charlotte Werrmann
Julia von Bodelschwingh
Jill Gabrielsen-Forester

Helene Zimmer-Loew
Donna Van Handle
Bob Fischer
Karin Schuerch
Andrea Larson
Annemarie Wegel
Helmut Wegel
Theodor Rathgeber
UNC Chapel Hill TAs

And we remain indebted to the people at FIPSE for their support and encouragement with the 1st edition (2001-2004), though some have now moved on: Mike Nugent, Frank Frankfort, and the rest of the staff.

Unit 2 Familie und Freunde

Unit 3 Wohnen

Unit 4 Ausgehen

Unit 5 Quer durch Deutschland

Unit 6 In der Stadt

Unit 8 Europa

Unit 9 Unser Alltag

Unit 10 Unterhaltung

Unit 11 Reisen

Unit 12 Erinnerungen

An introduction to *Auf geht's!*

Welcome to *Auf geht's!* We are excited to have you with us!

Auf geht's! has two overarching goals: **cultural proficiency** and **language proficiency.** We hold both goals as equally important for foreign language courses. We hope students finish this first year with a basic proficiency in German, but we also hope they come away with a working knowledge of the German-speaking world, able to connect on a personal level with native speakers (even if it be in English!).

Auf geht's! is a **content-based curriculum**, meaning that cultural topics are the organizing factor of the course sequence. Language instruction serves the purpose of equipping students with the linguistic tools necessary to interact around cultural topics; grammar is not the focus of the course. Cultural topics begin with the individual and what is immediate to students (family and friends, student life and pastimes), moving outward to the community and city (restaurants and night life, work and health) and to the nation and world (celebrations and stereotypes, traveling at home and abroad). Students will be asked to share opinions and experiences, write reactions and essays, do all sorts of language tasks, but always around specific cultural content.

Where does this cultural content come from? **Hundreds of hours of interviews** with individuals from around the German-speaking world provide the cultural content for *Auf geht's!*. On a daily basis, students will work with these interview texts, both in written and audio forms, analyzing and negotiating content and exploring the use of language. These interviews not only provide a wealth of cultural information but also serve as rich sources of linguistic input for the language learner.

Our language proficiency goal for this first-year course is the **intermediate-low level according to the ACTFL proficiency guidelines (2012)**. What this means is that by the end of the year-long course, students should be able to "express personal meaning by combining and recombining what they know (...) into short statements and discrete sentences" on topics related to "basic personal information (...) and some immediate needs." This goal is achieved in *Auf geht's!* through task-based activities that require students to express themselves in German in relation to a cultural topic and by providing a variety of models that serve as aids to student production.

Auf geht's! also includes **professional photographs** from our own bank of over 80,000 photos taken expressly for this project, capturing moments of everyday life in the German-speaking world. Simply by thumbing through the *Lernbuch*, users can appreciate the content and the quality of these photographs. Instructors will also find these visuals instrumental for classroom conversations or activities.

Our greatest hope is that this course be a **life-changing experience** for students and instructors. First-year German!? Life-changing!? Exactly. For us, beginning German is not merely a "service course" to meet core graduation requirements. We believe that by engaging the cultures, as well as the language, students will have transformative experiences in the classroom. Whether students choose to continue in German or not, we hope that the cultural and language formation they receive through *Auf geht's!* allows them to appreciate and value the German-speaking cultures and gracefully navigate intercultural interactions.

München

For Students – how to use *Auf geht's!*

The goal of *Auf geht's!* is to motivate and equip you to make real connections with the people and cultures of the German-speaking world. It's not just to help you learn how to conjugate verbs in German. Learning grammar and vocabulary is a means to the goal! The cultures where German is spoken are fascinating—we want to pass on that cultural richness while helping you become proficient in German.

Here are three recommendations for making the most of your German learning.

Embrace the experience. Commit yourself to learning about the German-speaking cultures. Be open to meeting new people through your cultural and language learning. Consider traveling and even a study experience in a German-speaking country.

Take risks. Language learning in real life is messy. Learning to understand others and express yourself in a new language only happens via repeated failing. Work hard to express your ideas in German and understand what you hear and read. Don't be shy—participate fully in class and learn by doing, and don't be afraid to make mistakes when trying to say something new.

Make connections. Find ways to connect what you are learning culturally and linguistically to the world around you. Try out your German on German speakers you know. Tell your current friends and family what you are learning. Make the content of this course a part of your life, not just something to check off a list.

For Instructors – how is *Auf geht's!* different

Auf geht's! differs from traditional textbooks in a number of ways. *Auf geht's!* focuses on using German to learn about German-speaking cultures. Grammar instruction plays an important but secondary role. What does this mean for the day-to-day role of instructors using *Auf geht's!*?

Facilitate class activities. *Auf geht's!* is full of partner and small-group activities, each of which has an interpersonal, intercultural or entertaining objective. Very few activities focus specifically on structures; rather, they integrate structural practice into interpersonal and intercultural activities, often in a playful or engaging way. Students will make mistakes; it's part of the language learning process. They need lots of **input**, from you, the instructor, the materials and each other. And they need lots of opportunities for **output**, to express real and personal meaning. One key role for the instructor is facilitating these interactions.

Elaborate on culture. In addition to providing comprehensible input, instructors are key in helping connect students with culture. Talk to students about your own cultural learning and what motivated you to become a German instructor. Extend what they are learning about culture by sharing your own lived experiences. Fill in the gaps that the materials leave and make sure that students encounter authentic and real cultural artifacts and learning. Instructors are the gatekeepers of such experiences.

Flow of structures. *Auf geht's!* begins with a great deal of grammatical instruction but moves to review near the end of the course. Once students know basic grammar, students require practice and time to progress to advanced topics. For this reason, *Auf geht's!* focuses more on review and recycling later in the course, building student proficiency.

With *Auf geht's!*, students can jump-start their German speaking. Keep them moving ahead—accuracy will follow production given time and practice. Be patient and keep them talking and listening in German!

How it works

What is *Auf geht's!*

The *Auf geht's!* program emphasizes both language and culture, using three equal but distinctive elements: the Interactive, this *Lernbuch*, and time in class.

Interactive

To prepare for class, work first with the online Interactive to get introduced to new words and cultural information you need to communicate effectively.

Attersee, AT

Lernbuch

After completing the Interactive, work in this book to practice vocabulary, express yourself in writing and read authentic German texts. The *Lernbuch* also contains classroom activities; bring it to class each day.

Class time

In class, you will work on your speaking and listening skills as well as learn from the others in the class and from the instructor.

Learning strategies

Ultimately, you need to figure out how you learn best. Here are a few tips:

Spread it out

It is much more efficient to study in frequent, shorter sessions than to cram everything into a mega-session once a week.

Review

Learning a new word or phrase usually takes at least 60 successful recalls or uses. You can never review too much!

Ask questions

Communicate with your instructor when you are unclear on the language, culture or what you are supposed to do for class.

Make connections

If you don't know any German speakers, go meet some. There is no substitute for real people and real relationships.

Lernbuch icons

Here are some explanations of the icons you'll encounter when using the *Lernbuch*.

In-class activities

Whenever you see this icon, it's time for some small group conversation practice (your instructor will tell you the specifics).

Writing assignment – use separate paper

This involves a writing activity to be done on a separate piece of paper, either by hand or in a word processing program.

Ich heiße… **Model text**

German text in the faint red box is either a model or a sentence starter, with tips for completing the task.

Writing box

Writing boxes are for just that: writing! Because of the way your brain processes information, there is no replacement for writing things by hand when learning a new language.

Mittwoch Freitag… **Tip box**

Tip boxes contain useful hints for either speaking in class or working on your writing assignments in the *Lernbuch*.

GR 1.3a **Grammar practice**

This references the *Lernbuch's* grammar section where the concept is explained. It is not always necessary to review before doing the activity.

Unit 1 Smalltalk

Neuschnee in den Alpen   Peist, Schweiz

Unit 1 *Smalltalk*

In Unit 1 you will learn to manage basic conversations in German. This includes greetings, saying goodbye and using a number of basic questions to find out essential personal information. Part of conversation involves small talk, so you will learn how to recognize and pronounce various German personal and city names, say what you are studying, and describe your home region in basic terms, including climate and seasons.

Below are the cultural, proficiency and grammatical topics and goals:

Kultur	*Grammatik*
Concept of culture	1.1a Subject pronouns
Where German is spoken	1.1b Present tense verbs
Friendliness in Germany	1.2 Nouns and gender
	1.3a Yes-no questions
	1.3b W- questions
Kommunikation	1.4 Basic word order
Greetings and goodbyes	
Introducing yourself	
Describing height & weight	
Talking about studies	
Describing the weather	

1.1 Hallo!

Culture: Greetings / What is culture?
Vocabulary: Alphabet & numbers
Grammar: Subject pronouns / present tense

A. Guten Tag! Write an appropriate greeting from the first blue box for each time of day listed. Then answer the questions that follow. Keep in mind that German schedules often use a 24-hour clock: 13.00 is 1:00 PM.

Guten Morgen!		Guten Tag!		Guten Abend!
9.00		21.15		
15.00		7.30		
11.00		13.00		

Hallo!	Guten Tag!	Tschüss!	Auf Wiedersehen!

How do you say hello to other students in class?

How do you say goodbye to other students in class?

How do you greet and say goodbye to your instructor?

B. Hallo! Practice the following brief exchange with a partner. Then, when everyone can do it relatively quickly, go around the class and meet as many people as you can in German! Make sure to give a quick, firm handshake when you first meet!

Note: ß is pronounced like 'ss', so *heiße* = *heisse*.

Student 1:

Hallo!

Ich heiße [Name] .

Freut mich!

Tschüss!

Student 2:

Hallo!

Ich heiße [Name] .

Freut mich auch!

Tschüss!

C. Das Alphabet Practice repeating the German alphabet, led by your instructor. You can learn how to pronounce German letters on your own, too, in the *Auf geht's!* interactive.

Note: To pronounce ü, say the German letter *I* (rhymes with 'see') but round your lips like you are saying the German letter *U* (rhymes with 'do').

D. Wie schreibt man das?

Take turns with your partner spelling one word from each group. Circle the word your partner spells.

1	2	3
zwei	eins	sie
drei	auf	sah
sei	aus	so

4	5	6
zehn	Alphabet	Wiedersehen
Zahn	Aussprache	wie heißen
Zoo	Anfang	woher

7	8	9
kann	wie	Laute
kennt	viel	Leute
konnte	Vieh	Lieder

E. Buchstabierwettbewerb

Practice pronouncing these words with your instructor. Then spell the words aloud with a partner following this example:

> Student 1: Wie schreibt man Frankfurter?
> Student 2: Frankfurter. F-r-a-n-k-f-u-r-t-e-r. Frankfurter.
> Student 1: Richtig! / Falsch!

Semester	Sauerkraut	Audi	Berlin
Kindergarten	Frankfurter	Spiel	Volkswagen
Kindermusik	Bratwurst	Kuchen	Mercedes
Einstein	Knoblauch	Zyklop	Porsche

F. Namen

Working with a partner, take turns spelling out and pronouncing these German names.

Astrid / Alexander	Nele / Nils
Bea / Bernd	Olga / Oliver
Carolin / Christoph	Petra / Peter
Doris / Dirk	Quintana / Quinn
Emma / Emil	Renate / Roman
Frieda / Franz	Sina / Sebastian
Gudrun / Günther	Theresa / Timo
Hanna / Holger	Ulrike / Uwe
Inge / Ingo	Verena / Volker
Jule / Jan	Wiebke / Wolfgang
Katrin / Klaus	Xenia / Xavier
Lena / Lars	Yvonne / Yusuf
Mia / Maximilian	Zeynep / Zacharias

G. Zahlen

Review counting from zero to ten in German using finger counting the German way (see the *Auf geht's!* interactive). Then test a partner by holding up your fingers to represent a number between 0 and 10. Have your partner say the correct number *auf Deutsch*!

H. Was verbindest du mit Amerika?

Circle the word in each pair that you think better represents the USA culturally.

Big Macs oder Hot Dogs

Baseball oder NASCAR

Country-Musik oder Hip Hop

SUVs oder Pick-Ups

New York Times oder Facebook

Wall Street oder das Pentagon

Los Angeles, Chicago oder New York

Now compare your responses with a partner:

Mit Amerika verbinde ich eher X als Y.

Ja, ich auch! / Nein, ich nicht.

I. Schilder

Take turns with a partner choosing an image and saying the numbers you see in that image as single digits. Your partner listens and points to the correct image.

J. Was sagst du?   Write out how you would respond to the following prompts. Practice these aloud so that you can use them in class.

GR 1.1a

Hallo!

Wie heißt du?

Woher kommst du?

Wie alt bist du?

K. Sich kennenlernen   Using the questions in activity J, interview several other students, writing down each one's name, home city and age in the boxes provided.

Name	Heimatstadt	Alter

L. Super!   Answer the questions about your favorite *Lieblingsdinge* in the spaces provided. You will be sharing your answers in class.

Was ist dein Lieblingsrestaurant?   Mein Lieblingsrestaurant ist   .

Was ist dein Lieblingsfilm?   Mein Lieblingsfilm ist   .

Was ist deine Lieblingsstadt?   Meine Lieblingsstadt ist   .

Was ist dein Lieblingsbuch?   Mein Lieblingsbuch ist   .

Was ist dein Lieblingsvideo-   Mein Lieblingsvideospiel ist   .
oder Computerspiel?

M. Interview   Ask a partner the questions from activity L and listen for his or her answer. Feel free to respond in German.

Meins auch!	*Mine too!*
Wie bitte?	*What?*
Interessant…	*Interesting…*

Bad Griesbach

N. Begrüßungen   You are learning that German has formal and informal ways of speaking. Write appropriate hellos and goodbyes between the people below at the time of day indicated and with the level of formality or informality required.

	hello	*goodbye*
9.00 Uhr Ulrike and her boss at work		
15.00 Uhr Uwe and Kristin in class		
6.45 Uhr Frau Möller and Frau Schröder at the bakery		
20.00 Uhr Professor Lauwitz and a student after a seminar		
13.00 Uhr Herr Kranz and Frau Lange at the office		
16.00 Uhr Susanne and her mother at a café		

O. Rate mal!   German and English are closely related languages. Read the German words below aloud and write your guess of their meaning in English in the boxes provided.

Licht

Feuer

Leder

Blumen

Rotes Kreuz

Altpapier

Wetterstation

P. Sara stellt sich vor

GR 1.1b

Sara introduces herself below. With a bit of thought, you can make some educated guesses about what new German words mean from the context (not always, but often). It helps that German and English are closely related and have many words in common, even though they look somewhat different at first. Read through what Sara says and answer the questions.

Beware of false friends!

Closely related languages have a great number of words that are the same in both languages, but there are also have a couple of false friends! Sara uses a common false friend as her first word. The word „also" in German is not at all the same as "also" in English. In German, „also" means "therefore" or "well" (here it means "well" as a starter word). The English "also" is „auch" in German.

Sara (Bad Homburg, DE): Also, ich heiße Sara. Ich komme aus Bad Homburg und meine Eltern sind aus Italien. Also, meine Mama ist Halbitalienerin und mein Papa ist ganzer Italiener. Ich bin 16 Jahre alt, ich habe auch eine Schwester und sie ist 18 und wir fahren eigentlich jedes Jahr nach Italien meine Großeltern besuchen, weil die da alle wohnen. Und auch meine restliche Familie wohnt in Italien, nur ein paar wohnen hier in Deutschland.

1. Sara describes her *Mama* and *Papa* as *Eltern*. What do you think *Eltern* means? Does it seem like an English word?

2. Sara mentions the country *Italien*. What country do you think that is?

3. From the context, what do you think *Halbitalienerin* means? What about *ganzer Italiener*?

4. Sara mentions a family member who is a *Schwester*. What could that be in English?

5. If *sechs* = 6 and *zehn* = 10, what do you think *sechzehn* means?

6. With what you have deduced about *Eltern*, and Sara's family traveling to *Italien* for a visit, who do you think *Großeltern* might be?

7. *Familie* obviously means family. What do you think *restliche Familie* could mean from the context?

Q. Sich vorstellen

Using all the language tools (words, phrases, sentences) you have encountered so far, write a brief introduction of yourself covering such elements as: name, age, favorite restaurant, favorite film, favorite music group, or favorite anything else, now that you know how to use *Lieblings-*.

Ich heiße Lucie und bin 23 Jahre alt. Ich komme aus Kronberg, das ist bei Frankfurt. Meine Lieblingsstadt ist Berlin. In Berlin ist mein Lieblingsrestaurant PHO. Es ist ein vietnamesisches Restaurant und das Essen ist fantastisch! Mein Lieblingsfilm ist *A Coffee in Berlin*.

Vocabulary 1.1

Phrases:

Auf Wiedersehen!	Goodbye!
Freut mich!	Nice to meet you!
Gute Nacht!	Good night!
Guten Abend!	Good evening!
Guten Morgen!	Good morning!
Guten Tag!	Good afternoon!; Hello! (formal)
Hallo	Hi! (informal)
ich heiße...	my name is...
ich komme aus...	I'm from...
Tschüss!	Bye!
Wie bitte?	What was that?
Wie heißt du?	What's your name?
Wie schreibt man das?	How do you spell that?
Woher kommst du?	Where are you from?

Nouns:

die Band, -s	music band; group
der Film, -e	movie
die Frau, -en	woman, wife, Ms.
der Herr, -en	Mr., gentleman
das Restaurant, -s	restaurant
das Spiel, -e	game
die Stadt, ¨-e	city

Verbs:

fahren	to drive; travel
haben	to have
heißen	to be called
kommen	to come
schreiben	to write
sein	to be

Other:

auch	also
natürlich	of course

Numbers 0-10:

null	zero
eins	one
zwei	two
drei	three
vier	four
fünf	five
sechs	six
sieben	seven
acht	eight
neun	nine
zehn	ten

Tip: Do you see the letters and symbols after the nouns? These indicate the plural form of the noun. You will learn more about plural forms later.

1.1a Subject pronouns

Every sentence in both German and English has a subject, which is a noun (person, place, thing or idea) that is either doing an action or is the topic (subject) of the sentence. Pronouns (I, you, it, we, etc.) that are used as the subject of the sentence are called subject pronouns. In German these subject pronouns are:

ich	I	**wir**	we
du	you (informal)	**ihr**	you (informal plural)
er / sie / es	he / she / it	**sie / Sie**	they / you (formal)

Note that lowercase *sie* means either 'they' or 'she,' while uppercase *Sie* is the formal way of saying 'you.' This may seem confusing at first, but you'll get the hang of it soon.

The pronoun has to correspond in gender and number to the noun that it replaces. Thus, we would say:

Der Mann heißt Michael. Er ist jung.

A. Meet Alexander and his family

Circle the subject pronouns.

Also, mein Name ist Alexander. Meine Frau heißt Elena. Wir haben ein Kind, Martin. Martin hat ein neues Kätzchen gekriegt. Es heißt Schnorres. Ich habe zwei Geschwister. Ich habe eine ältere Schwester und einen jüngeren Bruder. Er heißt Matthias und hat zwei Kinder. Sie heißen Jonas und Lena. Meine Schwester, sie heißt Tati und hat gerade ein kleines Kind gekriegt. Sie heißt Sofia. Jetzt bin ich dreifacher Onkel.

B. Meet Maren

Fill in the blanks with the correct subject pronouns. Use the verb endings as a guide.

Also, ___ich___ heiße Maren. Mein Vater heißt Lothar. _____ ist 50 Jahre alt. Meine Mutter heißt Christina. _____ ist 52 Jahre alt. _____ wohnen in Mannheim. _____ studiere Psychologie an der Universität. Mannheim ist schön. _____ ist sonnig und warm.

C. Interview with Julia   Fill in the blanks with the correct subject pronoun.

Ja, _____ bin Julia. _____ wurde in Göttingen geboren und studiere hier Spanisch und

Religion. _____ habe einen Bruder, Alex. _____ wohnt auch hier in Göttingen. _____ ist

auch Student und studiert Musik. _____ bin älter als er. _____ habe auch eine Schwester.

_____ arbeitet jetzt in der Schweiz. Das Wetter in der Schweiz ist wechselhaft.

Now answer the following questions about Julia and Alex. Write in complete German sentences using subject pronouns. Remember: find the information for your answers in the interview with Julia above!

1. Wo wurde Julia geboren?

2. Was studiert Alex?

3. Wo wohnen Julia und Alex?

4. Ist Alex jünger als Julia?

5. Wo arbeitet die Schwester?

6. Wie ist das Wetter in der Schweiz?

1.1b Present tense verbs

Verbs in German have different endings in the present tense, depending on what the subject is. While this is true in English as well, the number of possible endings in English is very restricted. In general, only the 3rd person singular has a different ending in English, while German has more options:

I go	we go	*ich gehe*	*wir gehen*
you go	you (plural) go	*du gehst*	*ihr geht*
he-she-it go**es**	they go	*er-sie-es geht*	*(S)ie gehen*

In German, verb endings must match both the person (first, second, or third) and number (singular or plural) of the subject. Another way of saying this is that the verb has to **agree** with the subject.

Every verb has a stem, formed by taking the base form of the verb (known as the **infinitive**) and removing the *-en* ending. To conjugate a verb, you add the appropriate ending to the verb stem to indicate person and number. For *gehen*, the stem is *geh-* and endings are added as in the example above.

Naturally there are a few verbs that don't follow this pattern for whatever reason. They are called **irregular** verbs because they don't behave like regular verbs in some way. The two most common irregular verbs in German are *haben* and *sein* – these forms you simply have to memorize:

	haben				**sein**		
ich	habe	**wir**	haben	**ich**	bin	**wir**	sind
du	hast	**ihr**	habt	**du**	bist	**ihr**	seid
er-sie-es	hat	**(S)ie**	haben	**er-sie-es**	ist	**(S)ie**	sind

D. Meet Victoria   Underline the verbs in the following text.

Also, ich heiße Victoria und komme aus Worms. Die Stadt ist klein, aber hat eine lange Geschichte. Ich studiere jetzt in Göttingen. Ich finde die Studentenstadt interessant. Meine Eltern heißen Claudia und Eckhard. Sie wohnen noch in Worms. Meine Mutter ist Lehrerin. Mein Vater arbeitet für eine Firma. Meine beiden jüngeren Brüder sind noch Schüler. Sie lernen gerade Englisch.

E. Verb practice   Circle the correctly-conjugated form of the verbs to complete each sentence.

1. Worms **ist / sind** klein.

2. Die Stadt **hat / haben** eine lange Geschichte.

3. Victoria **studiert / studieren** in Göttingen.

4. Victoria **findet / finden** die Studentenstadt interessant.

5. Die Eltern **heißt / heißen** Claudia und Eckhard.

6. Victoria **kommt / kommen** aus Worms.

7. Der Vater **arbeitet / arbeiten** für eine Firma.

8. Die Brüder **lernt / lernen** Englisch.

F. Woher kommen sie?   Write sentences stating where the people below come from using subject pronouns.

Example: Katrin, Mannheim   →   Sie kommt aus Mannheim.

1. Andy, Zürich

2. Melanie und Gabi, Stuttgart

3. Elke, Luzern

4. Nina und Michael, Wien

5. Jochen, Freiburg

G. Wie heißen sie?   Fill in the blanks in the text below with the correct form of *heißen* for each subject.

Katrin: Also, ich   Katrin. Mein Mann   Christian. Wir haben zwei Töchter.

Sie   Theresa und Bettina. Wir haben auch einen Sohn. Er   Stefan. Stefan

hat drei Hamster. Sie   Knuffi, Schnuffi und Puffi.

H. Interview yourself   Answer the questions in complete sentences in German.

1. Wie heißen Sie?

2. Woher kommt Ihre Mutter?

3. Was studieren Sie an der Uni?

4. Wo wohnen Ihre Eltern?

5. Wie alt sind Ihre Eltern?

Fischer beim Entladen   Eckernförde, Deutschland

1.2 Wer sind Sie?

A. Persönliche Daten   Respond to the questions in full sentences.

GR 1.1b

1. Wie heißt du?

2. Wie alt bist du?

3. Wie heißen deine Eltern?

4. Wie ist deine Adresse?

5. Wie ist deine Handynummer?

6. Wie heißt dein(e) Dozent(in)[1] für Deutsch?

_____
[1] *instructor*

B. Formular

Write down six pieces of information in English that you would expect to provide when filling out some kind of official form.

Now work with a partner to complete as much information about yourself as you can on this German application form. Try to guess the meaning of words from context. Look up words on the internet if you are really stuck.

Anmeldung	Zu meiner Person:					
Name	ggf. Geburtsname	Vorname				
Geburtsort	Geburtsdatum	Geschlecht – bitte ankreuzen	m ☐	w ☐	x ☐	
Staatsangehörigkeit	(bitte entsprechend int. Kfz-Kennzeichen eintragen, z.B. F=Frankreich, D=Deutschland, CZ=Tschechien)	Telefon / E-Mail				
Straße/Haus-Nr.		PLZ	Wohnort			

1. What do you think the difference is between *Name* and *Vorname*?

2. What do you think *Geburtsname* means?

3. What do you think *Geschlecht* means?

4. *PLZ* is an abbreviation for *Postleitzahl*. What do you think it means?

die Geburt – *birth*
der Ort – *place*
der Staat – *nation/ country*

28

C. Buchstabieren

Spell one of the words in each column for your partner and have your partner circle the one you spell. Then spell the remaining two words together.

1	2	3	4
kann	Zehen	Sie	Wien
kennt	sehen	sei	Wein
Kunde	sahen	zieh	wann

5	6	7	8
holen	wie	wie alt	Pizza
Höhle	Vieh	wie ist	Peter
höher	weil	wieder	Pate

D. Aussprache

Pronounce these words with a partner, then guess what they mean.

Italien

Jamaikaner

Ozean

Belgien   Spanien

Europa   Großbritannien

Weltmeisterschaftsparty , Kassel

E. Fragen

Complete the questions and answers below. Practice reading them aloud.

GR 1.1b

Information	Frage			Antwort (about you)	
Name	Wie		?	Ich heiße	
Adresse	Wie	deine	?	Meine Adresse ist	
Handy	Wie	deine	?	Meine Handynummer ist	
Alter	Wie		du ?	Ich bin	
Wohnort	Wo		du ?	Ich wohne in	
Semester	Wie viele Semester		du schon?	Ich studiere schon	Semester.
Geburtsort	Wo	du	?	Ich wurde in	geboren.

F. Interview   Exchange information with two students in class. Practice asking and answering (numbers, letters and all) in nice German sentences. Take notes for exercise G below.

Name

Wohnort

Alter

Zahl der Semester

Adresse an der Uni

Telefonnummer

Geburtsort

Lieblingsrestaurant

Lieblingsfilm

G. Berichten   Report the info you recorded in the exercise above. Here are some helpful phrases for reporting:

GR 1.1b

Prompts	Responses
Name	Das ist…
Wohnort	Er / Sie wohnt in…
Alter	Er / Sie ist… Jahre alt.
Zahl der Semester	Er / Sie studiert schon… Semester.
Adresse	Er / Sie wohnt in der… Straße…
	(or) Seine / Ihre Adresse ist…
Telefonnummer	Seine / Ihre Telefonnummer ist…
Geburtsort	Er / Sie kommt aus…
Lieblingsrestaurant	Sein / Ihr Lieblingsrestaurant heißt…

Here are a few more tips:

1. To say 'his' instead of 'he', use *sein* instead of *er*: *sein Lieblingsrestaurant, seine Adresse*

2. To say 'her' instead of 'she', use *ihr* instead of *sie*: *ihr Lieblingsrestaurant, ihre Adresse*

3. Don't forget to use the correct verb form, based on the subject:
   ich wohne → *er/sie wohnt*   *ich bin* → *er/sie **ist***   *ich studiere* → *er/sie studiert*

H. Zahlen von 0 bis 20   Write the correct numeral equivalent of each number below.

elf

fünf

neunzehn

vierzehn

zwanzig

sechzehn

null

zwei

siebzehn

neun

Potsdam

I. Zeig mal!   In pairs, take turns saying any of the numbers below and see how fast your partner can point to it.

1	2	3	4	5	6	7	8	9	10
11	12	13	14	15	16	17	18	19	20

J. Mathe   Take turns with your partner solving the math problems below and saying them aloud.

$2 + 13 = 15$	Zwei plus dreizehn (ist) gleich fünfzehn.
$12 - 1 = 11$	Zwölf minus eins (ist) gleich elf.
$4 \times 2 = 8$	Vier mal zwei (ist) gleich acht.
$15 \div 3 = 5$	Fünfzehn geteilt durch drei (ist) gleich fünf.

1. $6 + 12 =$

2. $7 + 9 =$

3. $11 + 8 =$

4. $15 + 2 =$

5. $14 - 10 =$

6. $20 - 7 =$

7. $15 - 7 =$

8. $19 - 2 =$

9. $3 \times 5 =$

10. $6 \times 3 =$

11. $4 \times 4 =$

12. $7 \times 2 =$

13. $20 \div 5 =$

14. $18 \div 3 =$

15. $12 \div 6 =$

16. $10 \div 2 =$

K. Wo wohnst du?   Ask four classmates for their home address. Be sure to get the correct numbers and spelling of the street name *auf Deutsch*.

Wo wohnst du?
Ich wohne in der Craig-Straße 211 in Chattanooga.

Name	Straße und Hausnummer	Wohnort

L. Sich vorstellen   Read the short introductions here and answer the questions below.

GR 1.1a

GR 1.1b

Torgunn: Ja, ich bin Torgunn Raske. Ich komme aus Oldenburg, das ist in Nordwestdeutschland, bin zwanzig Jahre alt und studiere Englisch und Sport.

Marinko: Also, mein Name ist Marinko Novak. Ich komme aus Kroatien. Ich bin dreiundfünfzig Jahre alt, verheiratet, habe zwei Kinder und lebe und arbeite seit 1971 in Frankfurt.

Henning: Also, ich heiße Henning Hauer, geboren bin ich in Darmstadt. Ich wohne und arbeite in München. München liegt in Bayern. Ich habe eine Frau, bin verheiratet also. Und eine Tochter, die im Moment zweieinhalb Jahre alt ist.

Nicole: Ja, ich komme aus Bad Harzburg in der Nähe von Göttingen und ich studiere in Göttingen Wirtschaftspädagogik und Englisch auf Lehramt[1].

Stephanie: Also, ich heiße Stephanie Graner, komme aus Erfurt. Das ist in Thüringen, in Ostdeutschland. Ich studiere in Göttingen in Westdeutschland. Das ist so im Norden. Und ich bin zweiundzwanzig Jahre alt.

Peter: Ja, mein Name ist Peter Fiedler. Ich komme aus Uslar in der Nähe von Göttingen. Ja, ich bin Student, ich studiere Englisch und Biologie auf Lehramt.

---
[1]   auf Lehramt studieren – *to study to be a teacher*

1. Wer hat Kinder?

2. Wer studiert?

3. Wer kommt aus Ostdeutschland?

4. Wer ist verheiratet?

5. Wer ist 20 Jahre alt?

6. Wer studiert Englisch?

7. *Find and circle the German equivalents for the following words or phrases in the texts, and write them in the spaces provided. Try not to use a dictionary!*

married

daughter

near

in the north

children

two and a half

Salzburg, AT

8. *What are two other ways these six people share their name besides* ich heiße?

9. *How do these six people start their responses? How do you start answering a question in English?*

10. *Look through the texts again and underline every verb that has* ich *as its subject. Then double-underline every verb that has a different subject and draw an arrow to the subject.*

M. Aussprache

Practice pronouncing these words carefully with a partner, saying each syllable clearly. Spoken German tends to pronounce each syllable without reducing it as can happen in English. Work particularly on difficult words such as the ever-popular *Psychologie*. In the box before each word, write the number of syllables you think the word has.

Biologie	Informatik	Theaterwissenschaft
Chemie	Pädagogik	VWL
BWL	Philosophie	Soziologie
Französisch	Politikwissenschaft	Maschinenbau
Geschichte	Psychologie	Geologie

N. An der Uni

Practice common university subject names with a partner, writing the number in the box before the appropriate German fields of study. Ask your instructor if you are looking for a another field of study.

Frage: Was ist „German" oder „German Studies" an einer deutschen Uni?   **Antwort:** Das ist „Germanistik".

1. Art
2. Business Admin.
3. Chemistry
4. Chinese
5. Computer Science
6. Education
7. Engineering
8. English / English Lit.
9. German / Ger. Studies
10. History
11. Law
12. Math
13. Medicine
14. Music
15. Psychology
16. Political Science
17. Spanish
18. Theater Studies

☐ Humanmedizin
☐ Informatik
☐ Psychologie
☐ Germanistik
☐ Kunst
☐ Musik
☐ Mathematik
☐ Theaterwissenschaften
☐ BWL (Betriebswirtschaftslehre)
☐ Anglistik
☐ Romanistik
☐ Chemie
☐ Politikwissenschaft
☐ Ingenieurwesen
☐ Geschichte
☐ Erziehungswissenschaften
☐ Jura
☐ Sinologie

Bregenz, AT

O. Ich über mich

Write a short paragraph with information about yourself on a separate sheet of paper. Include your school contact information. The model text can serve as a guide.

GR 1.1b

GR 1.2

Ich heiße Laurie. Meine Adresse ist Bancroft Straße 2427. Meine Telefonnummer ist 397-1082. Ich bin 18 Jahre alt. Ich komme aus Kalifornien, aus Gilroy. Meine Adresse an der Uni ist Scott Hall 214. Meine E-Mail-Adresse ist laurie_4971@gmail.com.

Pronounce @ as *ett* and a period as *Punkt*. You might use these additional phrases:

Meine Adresse an der Uni ist...
Meine Telefonnummer an der Uni ist...
Meine E-Mail-Adresse ist...

Vocabulary 1.2

Phrases:

Ich bin 20 Jahre alt.	I am 20 years old.
Ich wohne in der Weimarer Straße.	I live on Weimarer Street.
Meine Handynummer ist...	My cell number is...
Wie alt bist du?	How old are you?
Wie ist deine Handynummer?	What's your cell number?
Wo wohnst du?	Where do you live?

Numbers 11-20:

elf	eleven	**siebzehn**	seventeen
zwölf	twelve	**achtzehn**	eighteen
dreizehn	thirteen	**neunzehn**	nineteen
vierzehn	fourteen	**zwanzig**	twenty
fünfzehn	fifteen		
sechzehn	sixteen		

Nouns:

die Anglistik	English major	**der Maschinenbau**	mechanical engineering
die Biologie	biology	**die Musik**	music
die BWL	business major	**das Nebenfach, ¨ -er**	university minor
die Chemie	chemistry	**die Pädagogik**	education
das Deutsch	German language	**die Philosophie**	philosophy
die Elektrotechnik	electrical engineering	**die Physik**	physics
das Französisch	French language	**die Politikwissenschaft**	political science
die Geschichte, -n	history; story	**die Psychologie**	psychology
das Hauptfach, ¨-er	university major	**die Religion**	religion
die Informatik	computer science	**die Soziologie**	sociology
die Kommunikationswissenschaften	communications major	**der Sport**	sports
die Kunst	art	**die Theaterwissenschaft**	theater as a field of study
		die VWL	economics major

1.2 Nouns and gender

German nouns have grammatical gender, which means that every noun is classified as masculine, feminine or neuter. Sometimes these genders match common expectations. The word *der Mann* (man) is masculine, and *die Frau* (woman) is feminine. But this is not always the case: *das Kind* (child) is neuter.

The vast majority of nouns do not relate to socially constructed ideas of gender, but nonetheless each noun is classified as masculine, feminine or neuter. While there are general tendencies, most often the gender of a noun cannot be predicted, which means you need to memorize them.

Noun gender is crucial because German has various endings for adjectives and articles that modify nouns, and these endings depend on the gender of the noun.

Gender is indicated by the definite articles *der, die, das* that go with each noun:

der Mann   *die* Frau   *das* Kind

It is important to learn the definite article with each noun so that you can remember the gender along with the word. This is more work in the beginning, but it will help you later in your German studies because you won't have to keep looking up words that you already know just to remember what the gender is.

A. Gendered article practice   Mark (X) the correct gender for the nouns below.

	m	f	n		m	f	n
1. Chemie	☐	☐	☐	5. Deutsch	☐	☐	☐
2. Informatik	☐	☐	☐	6. Elektrotechnik	☐	☐	☐
3. Kommunikationswissenschaft	☐	☐	☐	7. Politikwissenschaft	☐	☐	☐
4. Biologie	☐	☐	☐	8. Sport	☐	☐	☐

B. Recognizing the trend   Write the gendered article and gender that corresponds to these word endings.

Example: **–bau** *as in* Maschinen**bau**   →   der, masculine

1. **–ie** *as in* Philosoph**ie**   ,

2. **–sch** *as in* Französi**sch**   ,

3. **–ik** *as in* Mus*ik*   ,

4. **–schaft** *as in* Freund**schaft**   ,

C. More gendered article practice   Mark (X) the correct gender for the following nouns.

	masculine	feminine	neuter		masculine	feminine	neuter
1. Mutter	☐	☐	☐	5. Kind	☐	☐	☐
2. Student	☐	☐	☐	6. Frau	☐	☐	☐
3. Mann	☐	☐	☐	7. Studentin	☐	☐	☐
4. Vater	☐	☐	☐	8. Stadt	☐	☐	☐

D. Following the trend   Write the definite article and gender that correspond to the words below.

1. Schwester   ,   4. Baby   ,

2. Bruder   ,   5. Großvater   ,

3. Onkel   ,   6. Schülerin   ,

E. Monique's childhood   Monique talks about the games she used to play as a child. Fill in the correct gendered articles.

Spiel heißt „Vater-Mutter-Kind", also einfach Familie spielen. Und mein Cousin war dann immer   Vater. Meine Schwester war immer   Mutter. Ich war immer   Kind. Was noch? Also, es gibt einen Film.   Film heißt „Sissi". Und wir haben oft „Sissi" gespielt. Meine Schwester war immer   Kaiserin[1] Sissi. Ich war   blöde Schwester.   Hundehütte war   Schloss[2].

---

[1]   empress
[2]   palace

1.3 Wie viel?

A. Kurse und Fächer   For each subject, write S if you had it in *der Schule* and U if you have/had it at university.

Biologie	Physik	Kommunikationswissenschaft
Anglistik	Religion	Politikwissenschaft
Deutsch	Geschichte	Theaterwissenschaft
BWL	Spanisch	Mathematik
Chemie	VWL	Psychologie

B. Was studierst du?   Ask four classmates what their major is. If anyone doesn't have one yet, ask what she or he might want to major in.

GR 1.3b

Was studierst du?	Ich studiere Chemie. Ich habe noch kein Hauptfach.
Was möchtest du studieren?	Vielleicht Geschichte.

C. Was lernst du gern?   In each box, write three courses you enjoy and three you find boring.

Ich lerne gern ...

Ich finde ... langweilig

D. Das finde ich toll!   Using your preferences from 1.3C, write three sentences.

Ich lerne gern Mathe.
Ich finde Geschichte interessant.
Ich finde Biologie schwer.

E. Wie schreibt man das? Take turns with a partner spelling one word from each column. Circle the word your partner spells. Then alternate spelling the remaining two words.

1	2	3	4	5	6	7
Kirche	der	machen	Kiel	springen	Ziel	rauchen
kehren	das	Mädchen	Kehle	sprechen	Zoll	riechen
Küche	Durst	müssen	kahl	Sprachen	zählen	rächen

F. Schwer oder leicht? Take turns with a partner saying various majors and responding *Das ist schwer!* or *Das ist leicht.*

Example:
Französisch   Das ist leicht!

G. Ich! Du! Your instructor will call out various possible majors, and for each, you will call out *Ich!* if that is yours. Also pay attention to what others are studying, since your instructor will go through the list again and you will then be able to answer with: *Er! Sie! Wir! Ihr!*

H. Zahlen Working with a partner, take turns reading a number from this list. Your partner must point to the number you read as quickly as possible.

Bern, CH

10	21	30	42	51	62	70	83	90
13	22	33	43	52	63	71	84	91
16	24	35	44	56	66	73	87	92
17	27	36	47	58	67	77	88	95
19	28	39	48	59	68	79	89	97

I. Verben Choose an appropriate verb for each blank, and make sure the verb form matches the subject!

GR 1.1b

wohnen	heißen	sein	kommen

Meine Schwester   älter als ich.

Wir   nicht aus den USA.

Ich   in der Burgstraße.

Woher   der Präsident?

Meine Schwestern   Joanne und Tami.

Torgunn   aus Oldenburg.

Mein Papa   Klaus.

Wir   auf dem Campus.

J. Drei Familien   Read about three German families and answer the questions that follow.

GR 1.3b

Robert (Herne, DE): Mein Vater heißt Michael. Meine Mutter heißt Susanne. Meine Eltern kommen aus Herne zwischen[1] Dortmund und Essen. Ich wohne in Herne, studiere aber in Dortmund.

Melanie (Stuttgart, DE): Meine Mutter kommt aus Stuttgart und ist Deutsche. Mein Vater kommt aus Frankreich[2]. Ich habe eine ältere[3] Schwester. Wir sind in Deutschland aufgewachsen[4].

---
[1] *between*
[2] *France*
[3] *older*
[4] sind ... aufgewachsen – *grew up*

Sigrun (Wien, AT): Ich habe zwei Brüder. Sie sind ein bisschen jünger[5] als ich. Der eine Bruder ist schon verheiratet und hat zwei Kinder und der andere hat eine Freundin. Mein Vater ist Universitätsprofessor an der Technischen Universität in Wien und meine Mutter ist Lehrerin[6] in einer Schule.

---
[5] *younger*
[6] *teacher*

Wer hat Geschwister?

Wer studiert?

Wie heißt die Mutter von Robert?

Wer hat einen französischen Vater?

Wo arbeitet der Vater von Sigrun?

K. Meine Familie   Describe the age and height of your family members in the boxes below. Use the shortcuts you learned in the interactive to approximate their height in meters. Substitute other people if any do not apply to you.

GR 1.2

Meine Mutter ist 47. Sie ist nicht alt. Sie ist 1,65 m groß.

Aachen

mein Vater

meine Mutter

mein Bruder

meine Schwester

mein Großvater[7]

meine Großmutter[8]

mein Hund[9]

meine Katze[10]

---
[7]   *grandfather*
[8]   *grandmother*
[9]   *dog*
[10] *cat*

1,65 m *would be read as:*
ein Meter fünfundsechzig *or*
eins fünfundsechzig

L. Interview

With a partner, ask each other the questions below and fill in the information your partner gives. Your information is in activity K, of course.

GR 1.2

GR 1.3b

Mein Vater / Meine Mutter ist verstorben.
My father / mother passed away.

Ich habe keine Brüder / keine Schwestern.
I don't have any brothers / sisters.

Wie heißt du?

Wie groß ist dein Vater?

Wie groß ist deine Mutter?

Wie alt ist dein Vater?

Wie alt ist deine Mutter?

Wie groß ist dein Bruder?

Wie groß ist deine Schwester?

Wie alt ist dein Hund?

Wie alt ist deine Katze?

M. GW oder NW?

For each subject listed, write GW if you think it is a *Geisteswissenschaft*, SW if you think it's a *Sozialwissenschaft* and NW if you think it is a *Naturwissenschaft*.

Chemie

Physik

Geschichte

Kunst

VWL

Mensa am Turm
Mo – Fr: 11.30 – 14.15 Uhr
(auch ausserhalb des Semesters)

Psychologie

Geologie

Soziologie

Biologie

Anglistik

N. Mein Studium   Read the following excerpts about university studies and answer the questions that follow.

Heiko (Eschwege, DE): Also, ich studiere hier in Göttingen Physik am Institut für Biophysikalische Chemie der Max-Planck-Gesellschaft. Ich schreibe momentan eine Arbeit über die Thermodynamik von Membranen.

Christian (Freiburg, DE): Mein Vater ist Lehrer hier an der Schule in Freiburg und unterrichtet dort Chemie und Physik und Mathematik. Und meine Schwester studiert Germanistik und Kunstgeschichte.

Hanane (Marokko): Also, ich habe zwei Brüder, die Germanistik studiert haben. Der eine Bruder wohnt in Holland in Rotterdam und der andere ist Deutschlehrer in Marokko. Ansonsten habe ich eine Schwester, sie studiert Jura, und die andere Schwester beginnt jetzt, Anglistik zu studieren.

Martin (Idstein, DE): Also, ich heiße Martin und studiere jetzt in Göttingen Physik seit fünf Jahren. Ich habe mich ja eigentlich schon von Kind an für Physik interessiert und für Naturwissenschaften im Allgemeinen, Technik.

Göttingen

Peter (Uslar, DE): Ja, mein Name ist Peter. Ich komme aus Uslar, das ist eine kleine Stadt in der Nähe von Göttingen. Ja, ich bin Student hier in Göttingen, ich studiere Englisch und Biologie.

Wer studiert Naturwissenschaften?

Wer liest gern Literatur auf Englisch?

Wer studiert Geisteswissenschaften?

Wer hat vier Geschwister?

Wer studiert NW und GW?

Wer weiß viel über Chemie?

Based on the texts above, how would you say the following sentences in German?

I'm writing a paper now about Shakespeare.

I've been studying biology for four years.

Ann Arbor is a small city near Detroit.

O. Ein Park in Berlin   You can learn a lot about another country or culture by simply examining an image and looking for subtle details and differences. Spend a few minutes scrutinizing the photo on this page, taken at the *Großer Tiergarten* in Berlin (feel free to Google it or find images on a map app). Describe in English everything you see in this photo and be sure to note anything that surprises you or is perhaps different from parks you are familiar with.

Großer Tiergarten, Berlin

P. Ein Freund von mir   Pick a friend of yours to describe in some detail. Make sure to use vocabulary and structures you have learned in this unit. Things you can describe:

Wohnort	Geburtsort
Alter	Hauptfach/Kurse
Größe	Persönlichkeit

Meine Freundin heißt Carly. Sie kommt aus Florida. Sie wohnt jetzt in Colorado. Sie studiert Biologie und Englisch an der Uni in Bolder. Sie ist 19 Jahre alt. Sie findet Geschichte auch toll. Und sie findet Biologie sehr interessant. Sie findet Chemie sehr schwer. Carly ist intelligent und freundlich. Sie ist 1,70 m groß.

Vocabulary 1.3

Phrases:

Ich bin einssiebzig groß.	I'm 1.7 meters tall.
Ich finde das interessant.	I think that's interesting.
Ich studiere...	I'm studying...
Ich weiß (das) noch nicht.	I don't know (that) yet.
Was studierst du?	What are you studying?
Wie groß bist du?	How tall are you?

Nouns:

der Bruder, ¨	brother
die Geschwister (pl.)*	siblings
das Kind, -er	child
die Mutter, ¨	mother
die Schule, -n	K-12 school
der Schüler, -	K-12 student (male)
die Schülerin, -nen	K-12 student (female)
die Schwester, -n	sister
der Student, -en	college student (male)
die Studentin, -nen	college student (female)
die Studierenden	gender neutral plural for college students
die Universität, -en	university; college
der Vater, ¨	father

Verbs:

arbeiten	to work
finden	to find
lernen	to study; to learn
machen	to do; make
studieren	to study; to be a college student

Other:

etwas	something
falsch	false
groß	tall; big
intelligent	intelligent
interessant	interesting
klein	short; small
langweilig	boring
leicht	light; easy
normal	normal
richtig	correct
schön	pretty; beautiful
schwer	heavy; hard
schwierig	difficult

*Tip: The (pl.) here means this word is the plural form because that's the common usage.

1.3a Yes-no questions

To ask a yes-no question in German, place the conjugated verb (the one that agrees with the subject) at the beginning of the sentence.

> *Kommst du aus den USA?*   Are you from the USA?

English uses this method sometimes, such as in sentences with the verb 'to be' or where there is a helping verb:

> Are you crazy?   Have you been sick?

But sometimes English uses the verb 'do':   Do we have any homework?

German, on the other hand, always forms yes-no questions by putting the verb first:

> *Haben wir Hausaufgaben?*   Do we have homework?

A. Practice with w-questions   Choose the correct question word and write it in the appropriate blank to complete the questions. Use each question word only once but feel free to list all options.

wie	wann	wo
woher	was	~~wer~~

1. Wer   sind Sie?   3. _____ wohnen Sie?   5. _____ heißen Sie?

2. _____ studieren Sie?   4. _____ wurden Sie geboren?   6. _____ kommen Sie?

B. Practice with inverted yes/no-questions   Fill in the blanks with a verb from below that completes each sentence best.

Example: **Haben** Sie einen Bruder?   kommen   wohnen   sein   studieren   heißen   ~~haben~~

1. _____ Sie John?

2. _____ Sie aus den USA?

3. _____ Sie an der Universität?

4. _____ Sie in einem Studentenwohnheim[1]?

_____
[1]   dormitory

1.3b W- questions

English has so-called wh-questions that begin with one of our wh- question words: who, what, when, where, and why. German has similar questions words that begin with w-:

wann	when	***wie***	how
was	what	***wo***	where
wer	who	***woher***	from where

W-questions in German begin with the question word:

   Wann beginnt Deutsch?   *Woher kommst du?*   *Wie heißt du?*

C. Smalltalk with Robert   Complete the dialog by filling in the *w*-questions that correspond to Robert's answers.

Example: **Wie heißt du?**   →   Ich heiße Robert.

1. _____   →   Ich wurde in Herne geboren.

2. _____   →   Ich bin 22 Jahre alt.

3. _____   →   Meine Telefonnummer ist (069) 11 22 00.

4. _____   →   Ich wohne in der Stadtmitte.

D. Getting reacquainted with Robert   You meet Robert again a few months later, but you're not sure if you remember everything about him correctly. Turn the *w*-questions you wrote in Exercise E into inverted yes/no-questions.

1. _____

2. _____

3. _____

4. _____

E. Meet Martin   Was Martin asked *w*-questions or inverted questions in this conversation? Mark (X) your answer.

	w-question	inverted question
1. Nein, ich bin 19 Jahre alt.	☐	☐
2. Ich komme aus der Schweiz.	☐	☐
3. Meine Schwester studiert Jura.	☐	☐
4. Ja, meine Eltern wohnen auch in Bern.	☐	☐
5. Nein, meine Schwester ist nicht verheiratet.	☐	☐
6. Mein Vater ist 1960 geboren.	☐	☐

1.4 Wie ist das Wetter?

Culture: Small talk
Vocabulary: Describing the weather
Grammar: Basic word order

A. Das Wetter in Deutschland

This weather map is for March 1st in Germany. Use the information on the map to fill in the first two columns below. Then check today's weather online for these German cities and fill in the remaining information. Make sure you write the date in the correct German fashion!

Es ist schön.

Es ist heiß.

Es ist kalt.

Es regnet.

Es ist bewölkt.

Es ist heiter.

Es ist windig.

Hamburg
14 / 4

Berlin
11 / 3

Köln
10 / 1

Dresden
9 / 3

Frankfurt
7 / 1

München
2 / -2

	Das Wetter am 1.3.	Die Temperaturen am 1.3.	Das Wetter heute	Die Höchsttemperatur heute
Berlin				
Hamburg				
Köln				
Frankfurt				
Dresden				
München				

B. Wie ist das Wetter in...?

Using models from 1.4A, choose two German cities and describe today's weather more completely for each one. Use as many weather phrases as you can. Impress everyone in class!

Stadt 1:

Stadt 2:

C. Wetterbilder Look at the images below and write a short caption for each one describing the weather and anything else you think is relevant. Be as thorough as possible and guess what season you think it might be.

der Frühling   der Sommer   der Herbst   der Winter

Mosel

Lueg, CH

Baden-Baden

Nordhessen

D. Ist es kalt?

With a partner, take turns reading the temperatures (in Celsius) below. Then, decide which of the following statements describes each temperature best: *es ist (sehr) warm, es ist schön, es ist (sehr) kalt.*

S1: 21 Grad.
S2: Es ist warm.

25°   -11°   31°   -1°   10°   38°

Now write six different temperatures in degrees centigrade. Alternate reading a temperature in German to your partner following the model above and having your partner respond in German whether it's (very) cold, (very) hot, or just right.

E. Wie ist das Wetter hier?   Check the most logical conclusion or explanation for each statement.

1. In Schleswig-Holstein ist das Gras sehr grün.

☐ Es regnet dort nie.
☐ Es regnet dort sehr viel.

2. Frankfurt am Main ist im Herbst windig.

☐ Es ist dort teils bewölkt.
☐ Es ist dort heiß.

3. Im Schwarzwald ist im Winter alles weiß.

☐ Es schneit dort oft.
☐ Auch im Winter ist es dort sehr warm.

4. In der Schweiz ist Skifahren ein Nationalsport.

☐ In den Alpen gibt es viel Schnee.
☐ Normalerweise regnet es dort im Winter.

5. Wien hat einen großen Markt im Freien[1].

☐ Das Wetter im Sommer ist sehr oft kalt und regnerisch.
☐ Im Sommer ist es oft sehr schön und warm.

Can you locate any of these places on the maps in your book?

---

[1]   *outdoor market*

F. Smalltalk über das Wetter   Although you have now been in your German class for a couple of weeks, you probably don't know everyone yet. Get up and introduce yourself to someone else in class. Ask the questions below and also chat about the weather in your respective hometowns.

Wie heißt du?

GR 1.3a   Woher kommst du?

GR 1.3b   Ist das eine große oder eine kleine Stadt?

Wie ist das Wetter in *[hometown]* im Frühling/Sommer/Herbst/Winter?

Ist es im Frühling regnerisch?

Ist es im Sommer schwül?

Ist es im Herbst windig?

Ist es im Winter kalt?

Schneit es im Winter?

Magst du lieber kaltes oder warmes Wetter?

Welche Temperatur findest du ideal?

G. Was fehlt?   Fill in the blanks with the missing word.

1. Januar _____ März
2. Donnerstag _____ Samstag
3. Montag _____ Mittwoch
4. April _____ Juni
5. Juli _____ September
6. Mittwoch _____ Freitag
7. Oktober _____ Dezember

Ruhstorf an der Rott

H. Lieblingsjahreszeit   Name your favorite season *auf Deutsch* and describe what the weather is like during that season.

I. Welche Jahreszeit?   Go around asking your classmates which season is their favorite and why. Answer others who ask you about your favorite season with your information in 1.4H, but try not to look (do it by memory)!

GR 1.3a

Welche Jahreszeit ist deine Lieblingsjahreszeit? Warum?
Wie ist das Wetter dann?
Meine Lieblingsjahreszeit ist…

GR 1.3b

J. Meine Meinung   Search for a German internet forum addressing the question *Was ist deine Lieblingsjahreszeit?* and write your answer here. Be prepared to say in German what you like about it. Write in the second box at least four new words you learned.

Neue Wörter,
auf Deutsch
und auf
Englisch

K. Das Klima   The following are descriptions of the weather in Berlin in four different seasons. Read through them and answer the questions that follow.

1. Oft kalt, grau, sehr viel Schnee. Aber der Schnee ist nicht so ein schöner Schnee, sondern der wird ganz schnell dreckig[1] und grau.

2. Schön, manchmal[2] warm oder richtig heiß, blauer Himmel[3]. Kann etwas schwül werden. Manchmal bewölkt und Regen, aber oft ganz schön. Zwischen 20 bis 30 Grad, meistens nicht mehr als 35 Grad.

3. Sehr schön, also normalerweise sehr schön. Warm, angenehm[4], 15 bis 20 Grad, nicht zu stickig, nicht sehr schwül. Schön. Sonnig.

4. Relativ regnerisch, Temperaturen würde ich sagen sind auch noch angenehm, nicht zu kalt, aber oft auch stürmisch. Und viel Regen.

Oberbaumbrücke, Berlin

---
[1]   *dirty*
[2]   *sometimes*
[3]   *sky*
[4]   *pleasant*

Which seasons do you think are described in each interview above? Mark each as Frühling, Sommer, Herbst oder Winter.

1.

2.

3.

4.

Pick words or short phrases from the texts above and write them next to the season you associate them with (multiple seasons are fine):

Frühling

Herbst

Sommer

Winter

Wie ist das Wetter in deiner Stadt? *Describe the weather in your town for each season using TWO German words or phrases, each taken from the texts above or your vocabulary list.*

Frühling

Herbst

Sommer

Winter

L. Konversation

Spend a minute reviewing the questions below and then have a conversation with another student you haven't talked to (much) yet. Greet each other in German and ask each other as many questions as possible. Answer your partner's questions, too, of course! See how many you can get through in the time your instructor allows.

GR 1.3a   Wie heißt du?

GR 1.3b   Wie schreibt man das?

Woher kommst du?

Wo wohnst du?

Wie ist deine Adresse?

Was studierst du?

Welche Kurse belegst du?

Welche Kurse findest du interessant?

Welche Kurse findest du langweilig?

Wie alt bist du?

Wie ist deine Telefonnummer?

Was ist dein Lieblingsrestaurant?

Was ist dein Lieblingsfilm?

Was ist dein Lieblingskurs?

Naschmarkt, Wien, AT

Ist Deutsch leicht oder schwer?

Wie ist das Wetter heute?

Wie ist das Wetter zu Hause?

Was ist deine Lieblingsjahreszeit?

M. Das Wetter zu Hause   Describe the weather in your hometown. Use the vocab hints to make your writing more interesting.

Ich komme aus Pittsburgh. Im Winter ist es dort sehr kalt. Es schneit oft. Es ist nicht windig. Im Sommer ist es ziemlich heiß. Die Sonne scheint nicht oft. Es regnet manchmal.

im Winter	*in the winter*
im Sommer	*in the summer*
viel	*a lot*
ein bisschen	*a little*
ziemlich	*fairly*
oft	*often*
manchmal	*sometimes*
sehr	*very*

Giswil, CH

Vocabulary 1.4

Phrases:

Die Sonne scheint.	The sun is shining.
Es ist windig.	It's windy.
Es regnet.	It's raining.
Es schneit.	It's snowing.
Es sind 20 Grad.	It's 20 degrees.
Wie ist das Wetter?	How's the weather?

Countries:

Deutschland	Germany
Frankreich	France
Österreich	Austria
die Schweiz	Switzerland

Verbs:

regnen	to rain
schneien	to snow

Nouns:

der Grad, -e	degree
der Himmel, -	sky; also: heaven
der Kurs, -e	class (at university)
der Nebel, -	fog
der Regen	rain
der Schnee	snow
die Temperatur, -en	the temperature

Other:

bewölkt	cloudy
geboren	born
heiß	hot
hier	here
jetzt	now
kalt	cold
kühl	cool
nebelig	foggy
schwül	humid
sonnig	sunny
ursprünglich	originally
verheiratet	married
warm	warm
windig	windy

Important numbers to 1000:

dreißig	thirty
vierzig	forty
fünfzig	fifty
sechzig	sixty
siebzig	seventy
achtzig	eighty
neunzig	ninety
hundert	hundred
tausend	thousand

Seasons, months & days:

der Sommer	summer
der Herbst	fall
der Winter	winter
der Frühling	spring
der Januar	January
der Februar	February
der März	March
der April	April
der Mai	May
der Juni	June
der Juli	July
der August	August
der September	September
der Oktober	October
der November	November
der Dezember	December
der Montag	Monday
der Dienstag	Tuesday
der Mittwoch	Wednesday
der Donnerstag	Thursday
der Freitag	Friday
der Samstag	Saturday
der Sonntag	Sunday

1.4 Basic word order

The most basic way to construct a sentence is to start with the subject. For example:

> *Das Wetter ist heute schön.*   The weather is nice today.

The most basic German sentence follows the form: Subject - Verb - Everything else. However, unlike in English, you can create natural-sounding sentences in German that don't start with the subject. Yet even in these sentences, the conjugated verb (that agrees with the subject) has to remain the second element in the sentence. For instance, we could modify our sentence above to say:

> *Heute ist das Wetter schön.*   Today the weather is nice.

You can see that the rest of the word order stays the same in English, but in German it changes. The subject *das Wetter* comes after the verb, which has to stay in the same position. If you wanted to, you could even say:

> *Schön ist das Wetter heute.*   Nice is the weather today.

This sounds very strange in English but is only slightly unusual in German (and it is grammatically correct).

This is a significant difference between English and German word order. The main thing to remember: The conjugated verb comes second!

A. Nina talks about Munich Identify the word order in Nina's description of Munich by double underlining the subject/phrase (S), circling the verb (V), and single underlining the rest of each sentence (X).

S   V   X

Example: <u>Nina</u> ⟨wohnt⟩ <u>in München</u>.

Ich finde München sehr interessant. Die Stadt ist grün und sonnig. Sie ist aber ein sehr teures Pflaster[1].

In Bayern liegt die Stadt. Viele Leute sprechen Bairisch. Aber die meisten Leute sprechen Hochdeutsch.

Über 1,35 Millionen Einwohner[2] hat die Stadt. Aber viele Einwohner kommen nicht aus München.

Die Stadt ist richtig international.

---

[1] *expensive area*
[2] *inhabitants, residents*

B. Word order practice Mark (X) the correct word order for each sentence.

	S-V-X	X-V-S
1. München hat viele Biergärten.	☐	☐
2. In Süddeutschland ist das Wetter schön.	☐	☐
3. Im Sommer regnet es oft.	☐	☐
4. Die Stadt ist sehr groß.	☐	☐
5. Viele Ausländer[3] leben in München.	☐	☐

[3] *foreigners*

C. Stefan's hometown Recreate Stefan's description of his hometown Freiburg by writing grammatically correct sentences according to the label **S-V-X** or **X-V-S.**

Example: liegen[1] / Freiburg / in Süddeutschland **(X-V-S)** → In Süddeutschland liegt Freiburg.

1. gibt / es / viele Weinberge **(S-V-X)**

2. liegen / Frankreich und die Schweiz / in der Nähe **(X-V-S)**

3. sein / Freiburg / für seine Universität bekannt[2] **(S-V-X)**

4. haben / die Studentenstadt / viele günstige[3] Restaurants **(X-V-S)**

[1] *to be located*
[2] *well-known*
[3] *low-priced*

D. Woher kommt er? John describes his hometown. Rewrite his statement, switching the word order of each sentence.

John: Ich komme aus Pittsburgh. Im Winter ist es dort sehr kalt. Es schneit oft.

Es ist nicht windig. Im Sommer ist es ziemlich heiß. Die Sonne scheint nicht oft.

Unit 1: Smalltalk

This list shows the communication goals and key cultural concepts presented in Unit 1 *Smalltalk*. Make sure to look them over and check the knowledge and skills you have developed. The cultural information is found primarily in the Interactive, though much is developed and practiced in the print *Lernbuch* as well.

I can:

- [ ] use formal and informal greetings and goodbyes
- [ ] introduce myself with some basic information
- [ ] ask people basic questions about themselves
- [ ] spell words aloud with German letters
- [ ] read German words aloud with some success
- [ ] recognize and say a variety of German names
- [ ] pronounce a variety of German city names correctly
- [ ] talk about things I like
- [ ] say what my favorite things are
- [ ] describe my family
- [ ] describe what courses I am taking
- [ ] describe today's weather in basic terms
- [ ] describe the climate in my home region
- [ ] use the days of the week in German
- [ ] use month names in German
- [ ] count in German with some success

I can explain:

- [ ] what German speakers might find different about my college/university
- [ ] translating from degrees Fahrenheit to degrees Celsius and back
- [ ] what countries German is spoken in
- [ ] some differences in the idea of customer service between Germany and North America
- [ ] how to convert between pounds and kilos
- [ ] differences in how weather is perceived
- [ ] the endings German verbs take depending on the subject
- [ ] what grammatical gender is and why it matters in German
- [ ] what position the main verb needs to be in with German sentences

Unit 2 Familie und Freunde

Skischule für Kinder   Obergurgl, AT

Unit 2 *Familie und Freunde*

In Unit 2 you will learn how to ask about and describe your own personal interests, such as what you do when you're not working, musical tastes, sports and the like. You will also learn to describe your friends and family to people you meet in German in a culturally-appropriate manner and be able to maintain short conversations on these topics.

Below are the cultural, proficiency and grammatical topics and goals:

Kultur	*Grammatik*
Concepts of friendship	2.1a Stem-changing verbs
Hobbies	2.1b *gern* + verb
Sports	2.2a Definite and indefinite articles
Vereine	2.2b Possessives
	2.3 Plural forms
Kommunikation	2.4 Comparisons
Expressing personal interests	
Describing hobby activities	
Describing favorite things	
Describing family and friends	

2.1 Familie

Culture: Family and relatives
Vocabulary: Describing people
Grammar: Stem-changing verbs / *gern* + verb

A. Die Familie Bach

Below is a list of Johann Sebastian Bach's children. With a partner, put your knowledge of German pronunciation to the test and read the names aloud. You may beg your instructor for help if things get too difficult. Some of these names now sound old-fashioned, but many are still in use today.

J. S. Bach und Maria Barbara Bach

1708-1774	Catharina Dorothea
1710-1784	Wilhelm Friedemann
1713-1713	Johann Christoph & Maria Sophia
1714-1788	Carl Philipp Emanuel
1715-1739	Johann Gottfried Bernhard
1718-1719	Leopold Augustus

J.S. Bach und Anna Magdalena Wilcke

1723-1726	Christiana Sophia Henrietta
1724-1763	Gottfried Heinrich

J. S. Bach und Anna Magdalena Wilcke *(cont.)*

1725-1728	Christian Gottlieb
1726-1781	Elisabeth Julianna Friederica
1727-1727	Ernestus Andreas
1728-1733	Regina Johanna
1730-1730	Christiana Benedicta Louise
1731-1732	Christiana Dorothea
1732-1795	Johann Christoph Friedrich
1733-1733	Johann August Abraham
1735-1782	Johann Christian
1737-1781	Johanna Carolina
1742-1809	Regina Susanna

B. Daten

Practice saying the dates in the list above. The first part of each year is read *siebzehnhundert*. The second part you already know. For example, 1774 is pronounced:

siebzehnhundertvierundsiebzig

C. Wann sind sie geboren?

GR 1.3b

With a partner, alternate asking and answering when one of Bach's children was born or died.

Fragen: Wann wurde NAME geboren?
Wann ist NAME gestorben?

Wann wurde Ernestus Andreas geboren?
Siebzehnhundert… siebenundzwanzig.

D. Wie, wer, welche? Answer the following questions about Bach's family.

GR 1.3b

1. Wie viele Kinder hat Bach?

2. Wie viele Kinder sind als Kind gestorben[1]?

3. Wer sind die Brüder von C.P.E. Bach?

4. Wie viele Halbbrüder hat Regina Susanna?

---

[1] *died as children*

E. Ich, er oder wir?   Look at the sentences below and check the box corresponding to the subject (hint: check the verb forms carefully!). Then write the English meaning in the box next to each statement.

GR 1.1a

GR 1.1b

Ich   Er   Wir   *English meaning*

1. ☐ ☐ ☐   kommen aus Hamburg.

2. ☐ ☐ ☐   studiere Geschichte.

3. ☐ ☐ ☐   hat Deutsch und Mathe.

4. ☐ ☐ ☐   sind verheiratet.

5. ☐ ☐ ☐   ist 19 Jahre alt.

6. ☐ ☐ ☐   heiße Jessica.

7. ☐ ☐ ☐   wohne in der Bismarckstraße.

8. ☐ ☐ ☐   findet Politik interessant.

F. Carstens Stammbaum   Read through the short text about Carsten's family and then sketch his family tree below.

Ich habe eine sehr große Familie. Mein Großvater väterlicherseits[1] heißt Karl. Er ist 2013 gestorben. Meine Großmutter väterlicherseits heißt Anna. Mein Großvater mütterlicherseits[2] heißt Otto. Meine Großmutter mütterlicherseits heißt Hilde. Mein Vater heißt Gerhard und meine Mutter heißt Kristine. Ich habe zwei Brüder. Sie heißen Maik und Martin. Ich habe auch zwei Schwestern, Ute und Diana. Mein Vater hat zwei Schwestern, Birgit und Renate. Tante[3] Renate ist meine Lieblingstante. Meine Mutter hat einen Bruder, Ralf.

[1]   *on my father's side*
[2]   *on my mother's side*
[3]   *aunt*

G. Im Kreis der Familie

Draw a diagram or family tree of key people in your life who are family or like family with as much detail as you have room (and interest!) for. Be prepared to describe these people in basic terms, answering questions like:

Wie heißen sie?
Wo wohnen sie?
Ist das dein Bruder / deine Stiefmutter / etc.
die Partnerin von meinem Vater
der Freund von meiner Mutter

H. Info-Austausch

Working in groups of three, show your diagram or family tree and then ask your partners the questions you prepared in 2.1G. Answer each other in German!

GR 1.3a

GR 1.3b

Hildesheim

Wie heißen meine Eltern?

Sie heißen Richard und Susanne.

Wie viele Brüder habe ich?

Du hast zwei Brüder.

I. Aussprache

Practice saying these words aloud with a partner.

wohnen	zwanzig	Österreich
zwei	Soziologie	kühl
ich auch	Schüler	groß
Adresse	schön	Universität
Deutsch	schwer	Psychologie

J. Meine Verwandten

In groups of three, fill in the first column below with your extended family's information, sub-dividing by *mütterlicherseits* and *väterlicherseits*. Then find out from your two classmates the size of their extended families.

	Ich		Kommilitone #1		Kommilitone #2	
	m	v	m	v	m	v
Onkel						
Tanten						
Großväter						
Großmütter						
Cousins						
Kusinen						
Neffen						
Nichten						

Wie viele Onkel hast du?

Ich habe drei Onkel: zwei mütterlicherseits und einen väterlicherseits.

K. Vergleiche

In the same groups as 2.1J, help each other write two sentences comparing the size and makeup of your families.

L. Die Familie   Read through these descriptions of families and answer the questions that follow. Place the number of each question next to the place where you find the answer in the text.

Nina (Wuppertal, DE): Ja, mein Name ist Nina. Meine Mutter heißt Martina, sie ist jetzt 53 oder so. Mein Vater heißt Joachim Emil, ist auch so um die 50 und er lebt jetzt mit seiner neuen Lebensgefährtin[1] in Köln. Ich habe zwei Schwestern. Ich bin die mittlere Schwester, bin auch schon Tante. Meine ältere Schwester hat zwei Mädchen. Sie sind mittlerweile schon 13 und 11. Ich habe auch eine jüngere Schwester, sie studiert auch gerade.

Fanny (Berlin, DE): Mein Name ist Fanny, ich bin 25 Jahre alt, ich komme aus Berlin, ich bin in Berlin geboren. Ich habe keine Geschwister. Meine Eltern, ja, meine Mutter ist Lehrerin[2], Deutsch und Englisch, und mein Vater arbeitet an der Humboldt-Uni, ist Professor am Institut für Amerikanistik. Ich habe nur eine kleine Familie.

Felix (Berlin, DE): Also, meine Eltern heißen Michael und Gisela. Sie wohnen in Berlin. Ich habe einen älteren Bruder Florian. Er ist 35 Jahre alt, wohnt auch in Berlin und arbeitet im Altenheim[3]. Und ja, wir sehen uns[4] nicht so oft.

[1]   *domestic partner*
[2]   *teacher*
[3]   *senior home*
[4]   *see each other*

Silia (Tübingen, DE): Ja, ich heiße Silia. Ich bin 31 Jahre alt und arbeite an meiner Dissertation. Ich bin auch Mama seit Juni. Ich komme ursprünglich aus Tübingen. Meine Mutter ist Deutsche und mein Vater Amerikaner. Ich habe zwei jüngere Schwestern und einen älteren Bruder. Mein Bruder wohnt in Berlin. Eine meiner Schwestern wohnt in Hamburg und macht dort ihr Medizin-Studium. Und die andere Schwester wohnt in den USA, in Colorado Springs. Mein Bruder ist 34 und meine Schwester ist jetzt 29 und die jüngste ist 27.

1. Wer hat vielleicht geschiedene Eltern?

2. Wer hat keine Geschwister und ist also ein Einzelkind?

3. Wer studiert im Moment?

4. Wer hat die meisten Geschwister?

5. Wer hat Nichten?

6. Wer hat jüngere Geschwister?

M. Wie sagt man das?   Look through the texts in 2.1L again and use the technique of "creative copying" in order to figure out how one would say the following in German.

1. I have two younger brothers.

2. I am originally from San Francisco.

3. My sister lives in San Antonio.

4. I was born in Los Angeles.

5. I'm an uncle now.

N. Was man gern macht

GR 2.1b

For each prompt, write a sentence about yourself or someone you know who likes to do the activity listed using (verb) + *gern*.

Französisch lernen:
Meine Mutter lernt gern Französisch.

Chemieexperimente machen

Sport treiben

Bücher lesen

Fremdsprachen lernen

Fahrrad fahren

Japanisch sprechen

zur Uni laufen

am Wochenende arbeiten

O. Wie alt sind sie?

Practice numbers by going up to fellow students and asking about the age of their family members.

Wie alt ist dein Vater?   Hast du Geschwister? Wie alt sind sie?

Wie alt ist deine Mutter?   Wie alt ist dein Hund / deine Katze ?

P. Wer ist das?

Prepare a description of three famous characters from TV shows or video series. Complete this on a separate sheet of paper and bring it to class.

Start by giving basic family information, then describe the family members or friends and associates (no names, just descriptions!) and finally some information on the character. Your description should be about 10 sentences long. Be sure to stick with vocabulary you think everyone will understand! The idea is to start general and then get progressively more specific.

Diese Figur hat einen Bruder, eine Schwester, eine Mutter und einen Vater.
Die Mutter ist sehr nett.
Der Vater ist sehr laut und faul.
Die Schwester ist ein Baby.
Der Bruder ist sehr laut.
Die Mutter hat blaue Haar.
Der Vater isst viele Donuts.
Der Bruder fährt gern Skateboard.
Die Familie wohnt in Springfield.

[Answer: Lisa Simpson]

Q. Ratespiel

Now use the three descriptions you prepared in 2.1P in a guessing game. With several partners, take turns reading your descriptions, sentence by sentence. The partners should try to guess your characters.

Vocabulary 2.1

Nouns:

der Cousin, -s	cousin (male)	die Stiefmutter, ¨	stepmother
die Eltern (pl.)	parents	der Stiefvater, ¨	stepfather
der Enkel, -	grandson	die Tante, -n	aunt
die Enkelin, -nen	granddaughter	die Tochter, ¨	daughter
die Familie, -n	family	die Urgroßmutter, ¨	great-grandmother
die Großeltern (pl.)	grandparents	der Urgroßvater, ¨	great-grandfather
die Großmutter, ¨	grandmother		
der Großvater, ¨	grandfather	*Other:*	
der Halbbruder, ¨	half-brother	geschieden	divorced
die Halbschwester, -n	half-sister	verstorben	deceased
der Junge, -n	boy		
die Kusine, -n	cousin (female)	*Verbs:*	
das Mädchen, -	girl	fahren [fährt]	to drive; travel
der Mann, ¨-er	man; husband	laufen [läuft]	to go; to run
der Neffe, -n	nephew	lesen [liest]	to read
die Nichte, -n	niece	sprechen [spricht]	to speak
der Onkel, -	uncle	sehen [sieht]	to see; to watch
der Sohn, ¨-e	son		

Tip: the verb forms in brackets here indicate irregular forms.

2.1a Stem-changing verbs

German has many verbs that follow a regular conjugation pattern, such as *wohnen* (to live), which becomes: *ich wohne*. The *-e* on the stem *wohn-* indicates the 1st person singular. The stem *wohn-* stays the same throughout the various conjugations (*du **wohnst**, wir **wohnen***). But German also has stem-changing verbs, where the stem itself changes for the 2nd and 3rd person singular. These stem changes are specially marked on your vocabulary lists. Make sure to learn these forms with the verb. Take a look at the verb *lesen* (to read):

lesen

ich	lese	**wir**	lesen
du	liest	**ihr**	lest
er-sie-es	liest	**(S)ie**	lesen

Even though stem-changing verbs are difficult at first, there are certain patterns you can follow. Here is a comprehensive list of these patterns:

a → ä	au → äu	e → i	e → ie
fahren → er fährt	laufen → er läuft	treffen → er trifft	lesen → er liest

A. Types of stem changes   There are four different stem changes in the verbs below. Mark (X) the correct type of stem change for each verb.

Example: schlafen[1], er schläft = a → ä   [1] to sleep

Verb infinitive	Irregular form	a → ä	e → i	e → ie	au → äu
sehen *(to see)*	er sieht	☐	☐	☐	☐
fahren	es fährt	☐	☐	☐	☐
werfen	du wirfst	☐	☐	☐	☐
fangen *(to catch)*	sie fängt	☐	☐	☐	☐
lesen	du liest	☐	☐	☐	☐
treffen *(to meet someone)*	er trifft	☐	☐	☐	☐
laufen *(to run)*	sie läuft	☐	☐	☐	☐

B. Conjugating stem-changing verbs   Using what you've learned in the previous exercises, fill in the missing forms of the conjugated verbs.

	laufen	**treffen**	**sehen**
ich	*laufe*		*sehe*
du		*triffst*	
er–sie–es			*sieht*
wir		*treffen*	
ihr	*lauft*	*trefft*	*seht*
(S)ie	*laufen*		*sehen*

C. Meet Susanne's family   Susanne's family has many hobbies. Look at the picture of each family member and fill in the blanks with an appropriately conjugated stem-changing verb from the box.

Example: Die Familie schläft gern.

werfen   sprechen   ~~schlafen~~

laufen   lesen   fangen

 1. Der Vater   gern den Ball.   4. Susanne   gern.

2. Der Sohn   gern den Ball.   5. Die Mutter   gern mit Freunden.

 3. Der Bruder   gern.

D. Building questions   Choose three of the sentences from above and write questions for each in the *du* and *Sie* forms.

Example: Die Familie schläft gern. → Schläfst du auch gern?   Schlafen Sie auch gern?

           ***Du*-questions**   ***Sie*-questions**

1.

2.

3.

E. Stephanie's dream vacation   Fill in the blanks with the correctly conjugated stem-changing verbs from the box.

        lesen   fahren   schlafen

Für meinen Traumurlaub reisen mein Freund Jochen und ich mit einem kleinen Wohnmobil. Unser Wohnmobil hat ein relativ großes Bett. Ich   gern viel und lang. Jochen   nicht viel. Aber er   sehr viele Bücher. Also braucht er eine Leseecke. Und eine Küche brauchen wir auch. Dann geht's los! Ich kann nicht so gut mit dem Wohnmobil fahren. Ich   wirklich ungern! Aber Jochen   sehr gern und gut.

2.1b *gern* + verb

Gern is a simple word that expresses that you like to do something. You can also use it to express your dislike of something by adding *nicht* to the adverb *gern*.

*Er arbeitet **gern** zu Hause.*	He likes to work at home.
*Ich wohne **nicht gern** in New York.*	I don't like living in New York.

This is a very different construction from English, and would translate literally as: 'He works gladly at home.'

If you want to express that you are into a hobby or person, you can use the expression *gernhaben*.

*Ich **habe** Beatrix **gern**.*	I am into Beatrix.
*Beatrix **hat** Chemie **gern**.*	Beatrix is into Chemistry.

F. Vereine   Viola and her friends are members of hobby clubs called *Vereine*. Use the pictures to see which club each person belongs to and then write sentences following the model below.

Kuchen backen
Fußball spielen
Auto fahren

Example: Viola Gewichte heben → Viola hebt gern Gewichte.

1. Beatrix

2. Stefan

3. Anike

G. What they're into   Write new – and creative! – sentences that suggest a famous person that would like the hobbies listed in F. Use the verb *gernhaben* (*hat... gern*).

Example: Gewichte heben → Viola hat Arnold Schwarzenegger gern.

1. Beatrix:

2. Stefan:

3. Anike:

H. Was haben Sie (nicht) gern?   Write three sentences about your likes and dislikes. Use both *gern* and *nicht gern* twice. Use the verb *gernhaben* once.

Göttinger Rathaus mit Wochenmarkt   Göttingen, Deutschland

2.2 Persönlichkeit

A. Gegensätze   For each adjective, write a German word that is the opposite or contrasts with it.

groß

arm

laut

unkreativ

sympathisch

unzuverlässig   fleißig

humorvoll   traurig

interessant   ehrlich

unmusikalisch   sportlich

pessimistisch   schüchtern

B. Beschreibungen   Write three adjectives (using the ones from 2.2A, your vocabulary lists or other German words you know) to describe the people listed.

GR 2.2b   Ich habe keine(n) X = *I don't have an X*

                              drei Adjektive

Mein Stiefvater/Vater ist…

Meine Stiefmutter/Mutter ist…

Mein Bruder ist…

Meine Schwester ist…

Mein(e) beste(r) Freund(in) ist…

Mein(e) Mitbewohner(in)[1] ist…

Ich bin…

---
[1] *roommate*

64

C. Was ist ideal?   Pick the three best adjectives for the ideal people below.

Der ideale Vater ist…

Die ideale Mutter ist…

Der ideale Bruder ist…

Die ideale Freundin ist…

Der ideale Mitbewohner ist…

Mein ideales Ich ist…

D. Info-Austausch   In small groups, compare your answers from 2.2C above.

Christin:	Die ideale Freundin. Wie ist sie?
Eric:	Die ideale Freundin ist treu, ehrlich und sportlich.
Christin:	Meine ideale Freundin ist auch treu und ehrlich. Aber sie ist auch reich!

E. Vergleiche   Compare three real people from 2.2B to your ideals in 2.2C.

und	*and*
aber	*but*
auch	*also*
Sie sind sich ähnlich.	*They are similar.*
Sie sind beide…	*They are both…*

Mein Vater und der ideale Vater sind sich ähnlich. Sie sind beide humorvoll und sympathisch. Der ideale Vater ist auch reich, aber mein Vater ist nicht reich.

Der ideale Mitbewohner ist ruhig, sympathisch und humorvoll, aber mein Mitbewohner ist laut, konservativ und langweilig.

1.

2.

3.

F. Stereotype   Stereotypes can be destructive, but if handled correctly they can also give us insights into differences and attitudes towards differences. Let's explore some of our stereotypes. We are not assuming that we actually BELIEVE them to be true or to apply to everyone. We are looking at stereotypes as objects of cultural investigation. Complete these sentences using appropriate vocabulary. Remember to focus on the positive.

1. Die typische US-
   Amerikanerin ist …

2. Der typische Deutsche ist …

3. Der typische Italiener ist …

4. Die typische Studentin an
   meiner Uni / an meinem
   College ist …

5. Deutsche und US-Amerikaner
   sind beide…

6. Deutsche sind… , aber
   Amerikaner sind…

G. Bin ich ein Klischee?   Compare yourself to your stereotype of someone from your country using three adjectives for each description.

Die typische Kanadierin ist fleißig, ehrlich und schüchtern. Ich bin auch fleißig und ehrlich, aber auch selbstbewusst und aufgeschlossen.

Use your dictionary if you don't know the German word for a person from your home country.

H. Beschreibungen Write a description in German of three people who fulfill the criteria below. Your classmates will need to guess who you are describing, so make it challenging but not totally obscure, and stay polite.

Famous political figure:

Famous film/TV/Netflix character:

Someone in your class:

Er kommt aus …	*He's from…*
Sie ist für… bekannt.	*She's known for…*
Ihr Mann ist…	*Her husband is…*
Sein Sohn ist…	*His son is…*
Ihre Tochter ist…	*Her daughter is…*
Politiker/in	*politician*
Schauspieler/in	*actor*
Sänger/in	*singer*

I. Ratespiel Read your descriptions to your partner(s). They have to guess who is being described.

Wer ist das?	*Who is it?*
Ich glaube, das ist…	*I think it's…*
Nochmal!	*Again!*
Richtig!	*Right!*
Falsch!	*Wrong!*

J. J. S. Bach   Here is a short text about Johann Sebastian Bach that you can read with minimal help. Read the text and answer the questions in English.

Leipzig

1. **Learn the art of good guessing.** Don't look up every word. Make a guess based on the topic, context, and how the word looks. Do you recognize parts of the word? Does the word look similar to an English word that would make sense?

e.g., *Oratorium* is a kind of music Bach wrote. Which?

e.g., *kinderreich* is made of two words: *kinder* and *reich*. If Bach was not *reich* but was *kinderreich*, what could this mean?

e.g., Johann Christian Bach was *Organist*. What could this be?

2. **Remember that all nouns are capitalized in German.** This includes names (*Anna Magdalena*), cities (*Erfurt, Eisenach*) and other nouns (*Komponist, Klavier*). If you don't know a word in the middle of a sentence, at least you will know if it's a noun or not.

Johann Sebastian Bach (1685-1750) ist als großer Komponist bekannt[1]. Er ist eine Hauptfigur[2] des Barocks. Sein Oratorium *Johannes-Passion* und sein *Weihnachtsoratorium* sind berühmt[3], aber viele Menschen, die Klavier[4] spielen, kennen auch seine Inventionen und Sinfonien.

Er war fleißig, kreativ und musikalisch (natürlich!). Bachs Vater, Großvater und Urgroßvater waren auch musikalisch. Die ganze Familie war in Erfurt und Eisenach als Musiker bekannt. Seine erste[5] Frau war Maria Barbara Bach. Seine zweite Frau war Anna Magdalena Wilcke. Sie war Sängerin[6]. Anna war treu und zuverlässig. Die Familie war nicht reich, aber sie war kinderreich. Mit Maria hatte Bach sieben Kinder und mit Anna dreizehn Kinder.

Drei von Bachs Söhnen sind bekannt. Carl Phillip Emanuel Bach (1714-1788) war Musiker für Friedrich den Großen. Johann Christoph Friedrich Bach (1732-1795) war Musiker in Bückeburg. Und Johann Christian Bach (1735-1782) war Organist in Mailand[7] (Italien). Später war er Musiker für die Königin Englands. In England war er auch Klavierlehrer für Wolfgang Amadeus Mozart.

---

[1] *well known*
[2] *main figure*
[3] *famous*
[4] *piano*
[5] *first*
[6] *singer*
[7] *Milan*

Thomaskirche, Leipzig

1. How long and when did Bach live?

2. Bach's era is known as what period?

3. How many generations of the musical Bach family are mentioned?

4. How many children did Bach have in total?

5. What did Bach's second wife do professionally?

6. What was Bach's connection to Mozart?

K. Fakten   Make your best guess. Answers may be revealed in class.

1. Bach composed so much music that to write all of it out by hand would take someone…

   a. 20 years
   b. 30 years
   c. 40 years
   d. 50 years

   Hint: Experts suspect that his second wife helped him write out much of his music, including weekly cantatas he composed for worship services.

2. Bach had the following surgery without anesthesia (because it didn't exist):

   a. Appendix removal
   b. Hand surgery
   c. Cataract removal
   d. Wisdom teeth extraction

   Hint: Some historians link this surgery to his death in 1750.

3. Extraterrestrials can listen to Bach's music.

   True
   False

Nikolaikirche, Leipzig

Vocabulary 2.2

Other:

aktiv	active	**optimistisch**	optimistic
arm	poor	**organisiert**	organized
aufgeschlossen	open; friendly	**reich**	rich
ehrlich	honest	**ruhig**	quiet; calm
engagiert	committed	**schüchtern**	shy
faul	lazy	**selbstbewusst**	self-confident
fleißig	hard-working	**spontan**	spontaneous
freundlich	friendly	**sportlich**	athletic
fröhlich	happy	**sympathisch**	nice
hilfsbereit	helpful	**zuverlässig**	reliable
humorvoll	funny		
konsequent	disciplined; consistent	*Nouns:*	
kreativ	creative	**der/die Bekannte, -n**	friend; acquaintance
laut	loud	**der Freund, -e**	good friend (male)
musikalisch	musically inclined	**die Freundin, -nen**	good friend (female)
nachdenklich	thoughtful; reflective		

2.2a Definite and indefinite articles

Like English, German has definite articles (*der, die, das* = the), and indefinite articles (*ein, eine, ein* = a/an). For the most part, use *der/die/das* when you use 'the' in English and a form of *ein* when English uses 'a'.

> **Die** *Frau hat* **eine** *Tochter.*   **The** *woman has* **a** *daughter.*

In English, the articles 'the' and 'a/an' don't change. In German they take endings depending on their gender (masculine, feminine, neuter) and what **case** they are used in. At the moment, you are using the nominative case, which is used to indicate subjects. You'll learn about other cases, such as accusative, in following units.

	definite	indefinite
masculine	der	ein
feminine	die	eine
neuter	das	ein

A. Wie sagt man das?   Which English word is generally used to translate:

der-die-das *words*?   ein-eine-ein *words*?

B. Article practice   Are these nouns masculine, feminine or neuter? Mark (X) the correct answer.

der-words	m	f	n	**ein**-words	m	f	n
das Frühstück	☐	☐	☐	**eine** Tasse Kaffee	☐	☐	☐
die gute Auswahl	☐	☐	☐	**ein** einfacher Espresso	☐	☐	☐
der Brunch	☐	☐	☐	**ein** leckeres Brötchen	☐	☐	☐

C. What's for lunch?   Sebastian is suggesting places to eat in Freiburg, where he goes to school. Fill in the blanks with the *der*-word that corresponds to each noun gender.

Brennnessel (f) ist billig. Direkt an der Uni liegt _____ *UC Café* (n). _____ *Kastaniengarten* (m) ist gemütlich. _____ Bier (n) ist frisch. Brezeln gibt es auch dazu. *Schlappen,* _____ Studentenkneipe (f), hat eine lustige Atmosphäre[1]. *Onkel Wok,* _____ chinesische Restaurant (n), ist aber mein Lieblingsrestaurant in Freiburg.

---
[1] *fun atmosphere*

D. Elena's favorite pub   Sebastian's girlfriend Elena loves to eat at *Schlappen*. What's on the menu? Fill in the blanks with the correct *ein*-words.

_____ einfacher Kartoffelteller (m) kostet nur 3 €.   _____ Salat (m) kostet 4 €.

_____ Pizza (f) kostet 4,50 €. Man kann die teilen[2].   _____ badischer Flammkuchen (m), der   [2] *to share*

7 € kostet, ist da schon ziemlich teuer.   _____ kleine Apfelschorle (f) kostet 1,50 €.

Normalerweise kostet _____ frisches Bier (n) 2,50 €.

E. A picky eater   Sebastian is dissatisfied with his meal. Write three sentences explaining why using *der*-words and different choices from each box.

Example: Der Kaffee ist kalt.

Essen

Kaffee (m)	Curryteller (m)
Brot (n)	Gemüse (n)
Suppe (f)	Fleisch (n)

Adjektive

teuer	geschmacklos[3]
trocken[4]	heiß
scharf	salzig

[3] *tasteless*   [4] *dry*

2.2b Possessives

Possessive articles are words that show to whom or to what something belongs. Here is a list of German possessive articles and their English counterparts:

mein-	my	**ihr-**	her	**euer-**	your (informal plural)
dein-	your (informal)	**sein-**	its	**ihr-**	their
sein-	his	**unser-**	our	**Ihr-**	your (formal)

Two things are important for possessives: the gender of the noun to whom something belongs (the possessor) and the gender of the person or thing that is "possessed." The possessive article itself varies according to the possessor (e.g., *sein*, *ihr*, etc.), but the endings of the possessive article reflect the gender and number of the thing possessed. Case also matters, but we will discuss that later on. So for example:

> *Das ist **Sara (f)**. **Ihre** Schwester (f) wohnt in Kalifornien.*
> This is Sara. Her sister lives in California.

> *Das ist **Silvia (f)**. **Ihr** Bruder (m) wohnt in Deutschland.*
> This is Silvia. Her brother lives in Germany.

> *Das ist **Peter (m)**. **Seine** Schwester (f) wohnt in Ungarn.*
> This is Peter. His sister lives in Hungary.

> *Das ist **Peter (m)**. **Sein** Hund (m) wohnt in Köln.*
> This is Peter. His dog lives in Cologne.

Possessive articles take the same endings as the indefinite article *ein*.

F. Wiebke's WG   Wiebke describes her apartment (*die Wohngemeinschaft* or *WG*), which she shares with three other students. Circle the possessive articles.

> Unsere 4-Zimmer Wohnung ist 145 m² groß. Mein Zimmer ist das kleinste. Johannes wohnt nebenan. Sein Zimmer ist das größte. Olga wohnt zusammen mit Martin. Er ist ihr Freund. Sie haben ihr eigenes Bad. Aber ihr Zimmer ist kleiner.

mein	sein	unser	ihr
dein	ihr	euer	Ihr

The m² *stands for* Quadratmeter, *which is square meters.*

G. Masculine, feminine or neuter?   Mark (X) the correct answer.

	m	f	n			m	f	n
1. unsere tolle Wohnung	☐	☐	☐		3. ihr netter Freund	☐	☐	☐
2. mein kleines Schlafzimmer	☐	☐	☐		4. sein großes Zimmer	☐	☐	☐

H. Wie heißt das auf Englisch?   Mark (X) the appropriate answers.

	his	your	her	my	our	its	their
mein	☐	☐	☐	☐	☐	☐	☐
dein	☐	☐	☐	☐	☐	☐	☐
sein	☐	☐	☐	☐	☐	☐	☐
ihr (sg.)	☐	☐	☐	☐	☐	☐	☐
unser	☐	☐	☐	☐	☐	☐	☐
euer	☐	☐	☐	☐	☐	☐	☐
ihr (pl.)	☐	☐	☐	☐	☐	☐	☐
Ihr	☐	☐	☐	☐	☐	☐	☐

I. Meet the neighbors   Wiebke is giving new residents Olga and Martin a tour of the basement and explaining what belongs to whom. Fill in the blanks with words from the box. You will need to add the appropriate endings.

> ~~eure~~   dein   mein   sein   unser

Hier ist _____ gemeinsamer¹ Keller (m). Also, _____ Sachen² (pl.) stehen hier rechts. Das ist _____ Fahrrad (n). Ich fahre fast jeden Tag zur Uni. Das sind auch _____ Koffer³ (m) und _____ Winterkleidung (f). Hier links stehen die Sachen von Johannes. Das ist _____ Wäsche-ständer⁴ (m) und _____ Bügeleisen⁵ (n). Ihr könnt sie benutzen. Dahinten, das ist eure _____ Ecke⁶ (f). Ihr könnt eure _____ Fahrräder (pl.) auch hier hinstellen. Martin, du treibst viel Wintersport, oder? _____ Snowboard (n) und _____ Skier (pl.) passen hier auch hin.

¹ shared   ² stuff   ³ suitcase   ⁴ drying rack   ⁵ iron   ⁶ corner

J. Wem gehört das?   Build sentences using the correct possessive articles for the subject and gender of each noun given.

Example: Olga, die Tasche → Das ist **ihre** Tasche.

1. Martin, der Stift

2. Wiebke, das Buch

3. Olga und Martin, der Fernseher

4. Johannes, die Hausaufgaben (pl.)

5. Olga und Martin, die Rucksäcke (pl.)

Einschulungstag an der Grundschule   Göttingen, Deutschland

2.3 Interessen

A. Sportarten Write the German word or phrase for each picture.

Golf spielen	joggen	Basketball spielen
Ski fahren	Baseball spielen	Gewichte heben
Fahrrad fahren	trainieren	Fußball spielen
Football spielen	schwimmen	Yoga machen

B. Sport treiben Ask your partner whether she or he participates in the sports listed above in exercise A.

GR 1.3a

Spielst du Fußball?   Ja, ich spiele oft Fußball.
Joggst du?   Nein, ich jogge nicht.
Schwimmst du?   Ja, ich schwimme oft!

nie	*never*
nicht	*not*
oft	*often*
manchmal	*sometimes*

C. Fragen   Answer these questions using German sports words.

1. Treibst du Sport? Wenn ja, welche Sportart?

2. Welche Sportart treiben viele Amerikaner, aber nicht viele Deutsche?

3. Was ist der Lieblingssport von vielen Studierenden[1] an deiner Uni?

---

[1]   *gender neutral plural for students*

D. Interview

Prepare five questions to use to interview people in your class. Later you will interview your classmates using these questions, so keep them nice.

Spielst du lieber Fußball oder Basketball?
Schwimmst du oft?
Kannst du gut Tennis spielen?

E. Partnersuche   Let's suppose that you are looking for a new friend or partner. Write a description of yourself, describing yourself and your interests, and then what sort of person you are looking for.

Ich bin fröhlich und aufgeschlossen, aber manchmal auch schüchtern. Ich bin klein (1,58 m) und schlank und sportlich. Ich mache gern Yoga, jogge und spiele Tennis. Ich suche eine neue Freundin. Die ideale Freundin macht auch Yoga und spielt gut Tennis. Sie ist ehrlich, zuverlässig und sympathisch. Und natürlich humorvoll. Das ist sehr wichtig.

Fritzlar

F. Familienmitglieder Complete the statements below. Make sure your answers are singular or plural as appropriate.

Der Sohn von meinen Eltern ist mein _____.

Der Mann von meiner Tochter ist mein _____.

Der Bruder von meinem Vater ist mein _____.

Die Mutter von meiner Frau ist meine _____.

Die Söhne von meinem Bruder sind meine _____.

Die Eltern von meinen Eltern sind meine _____.

Die Töchter von meiner Tante sind meine _____.

Die Frau von meinem Bruder ist meine _____.

G. Und du? Write the names of classmates who answer affirmatively to the questions below. You may only ask each fellow learner one question. Remember to respond in complete sentences.

Hast du Neffen?

Leben alle deine Großeltern noch?

Hast du einen Schwager?

Hast du mehr als zehn Cousins und Kusinen?

Hast du einen jüngeren Bruder?

Hast du mehr als drei Tanten?

Ist dein Mitbewohner oder
deine Mitbewohnerin politisch engagiert?

Hast du einen festen Freund[1] oder
eine feste Freundin[2]?

---
[1] *festen Freund* – steady boyfriend
[2] steady girlfriend

H. Die Familie von meinem Deutschprof Write down three questions to ask your instructor about her or his family. As the instructor responds to the questions, sketch out her or his family tree on a separate sheet of paper.

I. Hobbys What does Susanne (Cuxhaven, DE) do in her free time? Circle the pictures below that she mentions.

Ich interessiere mich für Musik. Ich lese sehr viel und sehr gerne. Ich mache ein bisschen Sport, gerade so im Sommer. Ich gehe ganz gerne schwimmen oder Inline skaten. Und was mache ich sonst so? Mich sehr viel mit Freunden treffen[1], in die Kneipe gehen, ins Kino oder ins Theater gehen.

---

[1] *These phrases have the verb at the end. They are equivalent to saying "meeting a lot with friends."*

J. Was sind deine Hobbys? Fill in the blanks to begin writing about your hobbies. Look above at Susanne's text to get ideas of what the sentences can look like.

Ich interessiere mich für *(noun)* .

Ich *(verb)* sehr viel und sehr gerne.

Ich mache Sport. *(sehr wenig / ein bisschen / viel)*

Und was mache ich sonst noch? ,

und .

K. Ein guter Freund When looking at a photo, we can describe what we are seeing and perhaps invent or imagine additional information. Look at the two bicyclists on a Berlin street corner. Describe everything you can in German, and then add hypothetical details using the word *vielleicht* 'maybe, possibly'.

Die zwei Männer sind vielleicht Brüder.
Der Mann links/rechts ist…
Der Mann links ist vielleicht Student.
Ihre Hobbys sind vielleicht…?

Berlin

L. Hobbys   Read the following texts about interests and answer the questions that follow.

GR 2.1b

Nina (Wuppertal, DE): Mein Vater spielt Klavier und Keyboard, und er spielt so freizeitmäßig in einer Jazzband mit seinem Zwillingsbruder[1]. Sein Zwillingsbruder ist Schlagzeuger[2]. Wir spielen manchmal mit ihnen, wenn die ein Sommerfest haben. Meine jüngere Schwester singt nur, und ich singe und spiele Gitarre, und mein Vater singt auch und spielt eben Klavier. Das ist dann immer ganz lustig.

---
[1] *twin brother*
[2] *percussionist*

Fanny (Berlin, DE): Wir gehen gerne, leider[3] sehr selten, aber sehr gerne, ins Konzert oder in die Oper oder ins Theater. Aber wir haben nicht so viel Freizeit zusammen. Aber wenn, dann gerne auch ins Café oder mal natürlich mit Freunden treffen oder mal ins Kino gehen oder abends weggehen. Tanzen gehen, auch sehr selten aber gerne.

Felix (Berlin, DE): Also ich mache viel Sport, ich laufe, ich fahre Fahrrad, schwimme, wenn ich Zeit habe, habe früher so 10 Jahre Fußball gespielt, aber jetzt nicht mehr. Ich treffe mich mit Freunden, wenn ich Zeit habe, und spiele ein bisschen Gitarre ab und zu so hobbymäßig.

Jesko (Berlin, DE): Schwimmen, schwimmen, schwimmen, Flöte[4], Fahrrad fahren und Briefmarken sammeln[5].

---
[3] *unfortunately*
[4] *recorder*
[5] *stamp collecting*

First, underline all sports that are mentioned.
Then circle all musical instruments.

Wer musiziert gern?

Wer treibt gern Sport?

Wer schwimmt sehr gern?

Wer macht lieber kulturelle Aktivitäten?

Wer geht nicht oft weg?

Wer spielt Gitarre?

Was machen diese Leute gern? *Answer in complete sentences! Watch those verb endings, and don't forget the word* gern.

Nina

Fanny

Felix

Jesko

M. Spielst du gern...? Working with a partner, ask each other if you like playing various things.

GR 2.1b

Here are some things you might play.

Spielst du gern Gitarre? Ja, ich spiele gern Gitarre.
Spielst du gern Karten? Nein, ich spiele nicht gern Karten.

Brettspiele spielen

Tennis spielen

Karten spielen

Videospiele spielen

Baseball spielen

Gitarre spielen

Klavier spielen

Schach spielen

*If you use the phrase "Ich… sehr viel…", your verb must match your subject.
For example: Ich spiele sehr viel Golf.*

N. Meine Hobbys

Write an essay about your hobbies and interests. Feel free to use your responses from 2.3J as a basis for the essay, as well as Susanne's comments in 2.3I or the interviews from the *Auf geht's!* interactive.

Deutsche Friesenpferdezüchter

Modell 1: Ich interessiere mich für viele Dinge. Meine Familie treibt gern Sport. Wir spielen oft Tennis zusammen. Ich spiele auch oft Karten und Videospiele.

Modell 2: Ich habe viele Interessen. Im Winter lese ich gern. Im Sommer wandere ich oft. Ich interessiere mich auch für Musik.

Ich spiele sehr gern Basketball.
Ich interessiere mich für...
Im Sommer treibe ich viel Sport.
Ich fahre im Winter gern Ski.
Ich spiele oft Gitarre.
Ich finde Brettspiele wirklich interessant.
Ich gehe gern ins Konzert.

Vocabulary 2.3

Nouns:		Verbs:	
das Brettspiel, -e	board game	Brettspiele spielen	to play board games
das Computerspiel, -e	computer game	einkaufen	to go shopping
der Fußball, ¨-e	soccer; soccer ball	Filme gucken	to watch movies
die Gitarre, -n	guitar	gehen	to go
die Karte, -n	card	Gewichte heben	to lift weights
das Kino, -s	movie theater	hören	to hear; to listen
das Klavier, -e	piano	Rad fahren [fährt Rad]	to ride a bike
die Kneipe, -n	bar; tavern	reden	to talk
die Party, -s	party	sagen	to say
das Restaurant, -s	restaurant	schwimmen	to swim
das Theater, -	theater	segeln	to sail
das Videospiel, -e	video game	Ski fahren [fährt Ski]	to ski (downhill)
der Mitbewohner, -	male housemate	spielen	to play
die Mitbewohnerin, -nen	female housemate	tanzen	to dance
der Schwager, ¨ -	brother-in-law	trainieren	to work out; to train
die Schwägerin, -nen	sister-in-law	treffen [trifft]	to meet (by chance); to run into
die Schwiegermutter, ¨-	mother-in-law	sich treffen mit	to meet up with

2.3 Plural forms

German has a wide variety of plural forms. When learning a new noun, learn its plural form as well. Luckily, the definite article for the plural form of all nouns in the nominative and accusative case (Unit 3) is always *die*.

Plural change	Singular form + notation	Plural form
no change in plural form	der Stiefel, –	die Stiefel
add ending: –e	der Stift, –e	die Stifte
add ending: –en	die Bibliothek, –en	die Bibliotheken
add ending: –er	das Bild, –er	die Bilder
add ending: –n	die Socke, –n	die Socken
add ending: –nen	die Schülerin, –nen	die Schülerinnen
add ending: –s	der Pulli, –s	die Pullis
vowel change: umlaut	die Mutter, –¨	die Mütter
vowel change: umlaut; add ending: –e	der Zahn, –¨e	die Zähne
vowel change: umlaut; add ending: –er	das Hauptfach, ¨–er	die Hauptfächer

There is one additional plural form that is used for those nouns without plural forms, such as *die Musik*. If you want to talk about different types of music or sports, you add *–arten* to the stem: *die Musikarten, die Sportarten*. Or for different types of sausages or cheeses, add *–sorten*: *die Wurst, die Wurstsorten* and *der Käse, die Käsesorten*.

A. Recognizing plurals   Circle the plural form in each pair of nouns below.

1. die Musikarten – die Musik

2. der Stiefel – die Stiefel

3. die Haare – das Haar

4. die Bibliotheken – die Bibliothek

5. das Gesicht – die Gesichter

6. die Socken – die Socke

7. die Studentin – die Studentinnen

8. die Handys – das Handy

9. die Mutter – die Mütter

10. der Hut – die Hüte

11. die Häuser – das Haus

12. die Hörsäle – der Hörsaal

B. Feminine and masculine persons   Mark (X) the correct ending of the plural forms, and then answer the questions.

			–en	–nen				–en	–nen
der Student	→	die Studenten (m)	☐	☐	der Soldat	→	die Soldaten (m)	☐	☐
die Professorin	→	die Professorinnen (f)	☐	☐	der Professor	→	die Professoren (m)	☐	☐
die Studentin	→	die Studentinnen (f)	☐	☐	die Lehrerin	→	die Lehrerinnen (f)	☐	☐

1. Which plural ending is for female persons?

2. Which two singular endings are for male persons?   *and*

3. Masculine nouns such as der Lehrer, der Arbeiter *and* der Mechaniker
have which ending that is the same in the singular and plural forms?

C. Plural form practice   Fill in the blanks with the correct plural form for each noun.

1. die Direktorin (f) → die   3. der Direktor (m) → die

2. der Leiter (m)   → die   4. die Polizistin (f) → die

D. –e and –n plural forms   Mark (X) the correct ending for the plural forms below, and then complete the statements.

			–e	–n				–e	–n				–e	–n
die Hose	→	die Hosen	☐	☐	die Socke	→	die Socken	☐	☐	die Jacke	→	die Jacken	☐	☐
das Haar	→	die Haare	☐	☐	der Flur	→	die Flure	☐	☐	das Auge	→	die Augen	☐	☐

Nouns that end with –e in the singular form add the letter   in the plural form and generally are of the
gender. Nouns that end with a consonant in the singular form add the letter
in the plural form, and generally are of the   and   genders.

E. Plural patterns   Using what you learned in Exercise D, write the correct plural form for each noun.

1. die Nase   →   die   3. das Heft   →   die

2. der Stift   →   die   4. die Brille   →   die

F. Working with patterns   Circle the correct plural form for each group of nouns.

1. das Radio, das Sofa, das Snowboard	–e	–s	–n
2. der Teppich, der Vorort, der Bürgersteig	–e	–s	–n
3. die Bluse, die Brille, die Krawatte	–e	–s	–n
4. die Gärtnerin, die Wissenschaftlerin, die Chefin	–en	–nen	no change
5. der Arbeiter, der Sportler, der Politiker	–en	–nen	no change
6. der Präsident, der Kandidat, der Architekt	–en	–nen	no change
7. das Land, das Tuch, das Wort	–er	umlaut + –er	no change
8. der Geist, das Lied, das Bild	–er	umlaut + –er	-n
9. der Vater, der Vogel, die Mutter	-en	umlaut	no change
10. der Schrank, der Anzug, der Block	–e	umlaut + –e	no change
11. der Gartenzwerg, das Tier, der Pfeil	–e	umlaut + –e	-n

2.4 Ich über mich

Culture: *Vereine*
Vocabulary: Describing self
Grammar: Comparative forms

A. Fragen stellen   Review your previous work in this book and write the questions needed to elicit the following information. Write down your own answers.

| | | *Name* | Wie heißt du? | Ich heiße Matt. |

Frage	deine Antwort

Age

Where you are from

Semester of study

Major

Favorite hobby

Favorite sport

Favorite film

Number of siblings

Weather in your town

B. Interviews   Using the questions in 2.4A above, interview a classmate and note the answers in the boxes provided.

Alter

zu Hause

Zahl der Semester

Hauptfach

Lieblingshobby

Lieblingssportart

Lieblingsfilm

Anzahl der Geschwister

Wetter in deiner Stadt

C. Was machst du lieber?

Working in pairs, ask which of the two options is preferable, following the example.

Rotenburg an der Fulda

> Was machst du lieber:
>   fernsehen oder Musik hören?
> Ich höre lieber Musik.

Yoga machen / Tennis spielen

ins Kino gehen / ins Konzert gehen

schwimmen / joggen

Computerspiele spielen / ein Buch lesen

Fußball schauen / mit Freunden reden

Brettspiele spielen / Gedichte lesen

schlafen / auf Partys gehen

Fahrrad fahren / einkaufen gehen

D. Meine Freunde

Using the phrases in 2.4C above, write five sentences *auf Deutsch* about the following people. Make sure you conjugate the verb according to the subject!

Ich …

Mein Freund/meine
Freundin…

Meine Freunde…

Meine Freunde
und ich…

Meine Familie…

E. Der vs. ein

For the following sentences, write in *der*, *die* or *das* if you need to say the word 'the', or *ein* or *eine* if you need to say the word 'a'. The exact form depends on the gender (or number) of the noun, of course.

GR 2.2a

Mein Vater ist   größte Mann in der Familie. Er ist   sehr ruhiger Mensch.

Meine Mutter ist   emanzipierte Frau. Sie ist   kleinste Person in der Familie.

Diemarden ist   kleines Dorf in der Nähe von Göttingen.   Dorf ist sehr schön.

F. Sein, ihr oder Ihr?

The possessives *sein* (his, its), *ihr* (her, their) and *Ihr* (your, polite) usually need practice. Fill in the blanks with the correct form, and remember that you might need an *-e* ending!

GR 2.2b

Paul ist groß, aber   Schwester ist größer.

GR 2.4

Violas Schwester fährt schnell, aber   Mutter fährt noch schneller.

Herr Meyer, wie heißt   Lieblingsrestaurant?

Mein Bruder heißt Christian.   Hobbys sind Lesen und Schwimmen.

G. Meine Eltern   Viola (Göttingen, DE) describes her parents here. Read her descriptions and compare her parents to your parents or to another close relative. Review 2.2E for the structures you might need.

GR 2.4   *Remember?* 1,78 m *reads as:* ein Meter achtundsiebzig

Comparison

Mein Vater ist der älteste in der Familie. Er ist 56 Jahre alt und sehr schwer. Er ist sehr stämmig[1], nur 1,78 m groß und wiegt aber so um die 100 Kilo. Er ist also übergewichtig, aber trotzdem sportlich. Er ist ein sehr ruhiger Mensch, introvertiert, eigentlich der Wissenschaftler[2], also sehr nachdenklich. Er arbeitet sehr viel, ist ein Workaholic, aber er ist sehr sensibel[3], man kann auf alle Fälle mal mit ihm reden[4].

---

[1] *stocky*
[2] *scientist*
[3] *sensitive*
[4] *you can talk with him*

Comparison

Meine Mutter ist 54 Jahre alt, 1,71 m groß, schlank und sportlich. Sie ist so der Gegensatz[5] zu meinem Vater. Das ist ja sehr häufig[6] so. Sie ist dynamisch, aktiv, sehr emotional und der Mann im Hause. Also, sie trifft die Entscheidungen[7] und sie fährt Auto, mein Vater sitzt daneben[8] und fürchtet sich[9], wenn sie fährt. Meine Mutter ist auch berufstätig[10], ist also eine emanzipierte Frau.

---

[5]   *opposite*
[6]   *frequently*
[7]   *makes the decisions*
[8]   *next to (her)*
[9]   sich fürchten – *to be afraid*
[10] *employed*

H. Kennenlernen

Time to learn more about the people in your class with some questions based on Viola's description above. Adapt the questions as necessary (i.e. *Stiefmutter, Stiefvater* etc.)

Ist deine Mutter berufstätig?

Ist deine Mutter sportlich?

Bist du sportlich?

Ist dein Vater sensibel?

Bist du introvertiert?

Ist dein Vater ein Arbeitstier[1]?

Ist dein Vater stämmig?

Ist deine Mutter eine emanzipierte Frau?

---

[1]   *workaholic*

I. Pluralformen   Forming plurals is a bit more complicated in German than English. For practice, write the plural forms of the words given.

GR 2.3

die Kusine	die	die Pizza	die
die Tante	die	das Dorf	die
die Frau	die	der Vater	die
das Kind	die	die Schwester	die
der Neffe	die	das Kino	die
das Spiel	die	die Mutter	die
die Kneipe	die	die Party	die
das Theater	die	der Mann	die

What different ways of making plurals do you notice from the examples above? Do you see any possible patterns?

J. Was hörst du gern?

Music is a big part of life. Get together with a fellow student and describe what you listen to and when, *auf Deutsch*! Simply replace the word *lerne* in the example with each verb (or pick your own). Make sure to change the ending!

Was hörst du, wenn du lernst?
Wenn ich lerne, höre ich gern Folk.

trainieren	Rock
joggen	Pop
arbeiten	Oldies
lesen	Musicals
Videospiele spielen	klassische Musik
relaxen	Hip Hop
tanzen	Metal
Auto fahren	Electro
	Alternativ
	Country
	Folk
	Gospel
	Jazz
	Opern
	Bluegrass
	Hörbücher
	Podcasts

Passau

K. Welche Musikrichtung?   Read the following descriptions of preferred music styles and answer the questions that follow.

Sophie (Frankfurt, DE): Klassische Musik höre ich gerne und wenn ich Auto fahre, Radio. Und ich bin ein großer Fan von Filmmusik. Also, bei Filmen ist die Musik ganz wichtig.

Esther (Berlin, DE): Ich bin ein klassischer Typ eigentlich, ja also, Bach, Mozart, Beethoven, Violinen- und Violakonzerte und so.

Lisa (Göttingen, DE): Ich höre eigentlich[1] ganz gerne elektronische Musik. Also eher in die House Richtung[2]. Das ist so das, was ich eigentlich ganz gerne mag.

---
[1]   *actually*
[2]   *direction*

Moritz (Bad Homburg, DE): Vor allem[3] Jazz, viel Jazz, weil das einfach interessant ist, mit den Improvisationen. Das ist interessanter als Rock oder Pop für mich. Und so Gitarrenmusik, Flamenco, Flamencogitarre, aber auch viel brasilianische Musik.

Rebekkah (Salzgitter, DE): Also, deutsche Musik finde ich nicht so schön. Englische Texte finde ich besser. Ich höre meistens so Pop-Rock, manchmal in die Richtung Punk. Und ganz schrecklich[4] ist Electro und House und Techno. Und Schlager, die deutschen Schlager. Auch schrecklich.

---
[3]   *especially*
[4]   *awful*

Wer hört vielleicht gern Symphonien?

Wer hört vielleicht gern Techno?

Wer geht vielleicht gern ins Kino?

Which two people are the least musically compatible?

Which person is closest to your musical tastes?

Was empfiehlst du? *For each person, write a song, artist, band or album that you recommend and one sentence in German why.*

> Philip Glass. Seine Musik ist klassisch und sehr interessant.

für Sophie

für Esther

für Lisa

für Moritz

für Rebekkah

L. Rate mal!

The following are some German bands. Write your guess as to what *Musikrichtung* you think they represent. Feel free to check them out on the internet to see if you guessed correctly!

Fettes Brot *(fat bread)*

Die Ärzte *(the doctors)*

Panzerballett *(tank ballet)*

Tokio Hotel

Juli

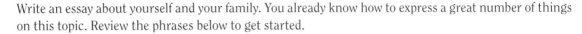

M. Ich über mich

Write an essay about yourself and your family. You already know how to express a great number of things on this topic. Review the phrases below to get started.

Ich heiße…
Meine Adresse ist…
Ich bin… Jahre alt.
Ich komme aus…
Meine Hobbys sind…

Ich studiere… als Hauptfach.
Ich studiere… als Nebenfach.

Ich bin… Meter groß.
Ich wiege… Kilo.
Ich bin x, y und z.
Ich… gern.

Es gibt… Personen in meiner Familie.
Ich habe einen Bruder / zwei Brüder.
Ich habe eine Schwester / zwei
   Schwestern.
Ich habe keine Geschwister.

Mein Vater heißt…
Meine Mutter ist… Jahre alt.
Mein Bruder ist… Meter groß.
Meine Schwester… gern.
Mein Großvater ist… Jahre alt.
Meine Großmutter ist x, y und z.
Meine Katze…

Brienz, CH

Vocabulary 2.4

Nouns:

das Dorf, ¨-er	village; small town	**manchmal**	sometimes
das Hauptfach, ¨-er	university major	**meistens**	mostly
die Heimatstadt, ¨-e	hometown	**nicht**	not
das Nebenfach, ¨-er	university minor	**nicht mehr**	not anymore
die Sache, -n	thing	**nie**	never
die Sportart, -en	sport	**noch**	still
der Tag, -e	day	**nur**	only
die Zahl, -en	number	**oft**	often
		ruhig	quiet
Other:		**schlank**	slim
dick	fat	**schnell**	fast; quickly
immer	always	**schwer**	heavy; difficult
in der Nähe von	near; in the vicinity of	**trotzdem**	regardless; in spite of
introvertiert	introverted		
jeden Tag	every day	*Verbs:*	
langsam	slow; slowly	**sehen [sieht]**	to see
leicht	easy	**wiegen**	to weigh

2.4 Comparisons

When we compare ourselves to others, we can go about this in two ways: either we say that we are more or less (adjective) than somebody else or we are equal to that person.

For example: "I am **happier than** he is" or "I am **as successful as** she is."

In German, we say, "*Ich bin **glücklicher als** er*" and "*Ich bin **so erfolgreich wie** sie*," respectively.

The comparative in German adds an *–er* to the adjective and sometimes needs an umlaut for certain words:

Ich bin groß.	I'm tall.
*Ich bin **größer als** er.*	I'm taller than he is.
*Ich bin **so groß wie** er.*	I'm as tall as he is.
*Ich bin **nicht so groß wie** er.*	I'm not as tall as he is.

A. Meet Holger   Holger is talking about his home in Namibia, a country in southwest Africa where many people speak German. Circle the comparative adjectives/adverbs.

Namibia findet man in Südwestafrika. Es war einmal eine deutsche Kolonie. Das Land ist viel größer als Deutschland. Es gibt aber weniger Einwohner[1]. Das Wetter ist heißer und trockener als in Deutschland. Die Landschaft[2] ist roher. Es gibt nämlich zwei Wüsten[3].

[1] inhabitants
[2] nature
[3] deserts

B. What's the difference?   Mark (X) the change between each adjective below and its comparative form.

	–er	–¨er		–er	–¨er
1. groß → größer	☐	☐	5. lang → länger	☐	☐
2. wenig → weniger	☐	☐	6. heiß → heißer	☐	☐
3. hoch → höher	☐	X	7. trocken → trockener	☐	☐
4. alt → älter	☐	☐	8. warm → wärmer	☐	☐

C. Ein Vergleich zweier Länder   Using the table, fill in the blanks with the comparative forms of the adjectives in the box.

	Deutschland	Namibia
die Landfläche	357.385 km²	824.116 km²
Einwohner	82,521 Mio.	2,324 Mio.
der tiefste See	der Bodensee 251 m	der Guinassee 132 m
der höchste Berg	die Zugspitze 2.962 m	der Brandberg 2.573 m
der längste Fluss	der Rhein 1.232 km	der Fischfluss 650 km
der Kontinent	Europa 10,18 Mio. km²	Afrika 30,2 Mio. km²

tief   klein   ~~groß~~   hoch   wenig   kurz

Nambia ist *größer* als Deutschland. Der Fischfluss ist _____ als der Rhein. Der Bodensee ist _____ als der Guinassee. Europa ist _____ als Afrika. Die Zugspitze ist _____ als der Brandberg. Namibia hat _____ Einwohner als Deutschland.

D. Animals   Compare the animals by writing 4 complete sentences. You can use animals more than once.

Example: Die Eidechse ist kleiner als der Strauß.

der Löwe

schnell   langsam   gefährlich   harmlos   dick   dünn   intelligent   dumm

die Eidechse

der Strauß

die Giraffe

1. _____

der Elefant

2. _____

der Gorilla

3. _____

der Tiger

das Zebra

4. _____

E. Und im Vergleich zu den USA   Write 3 sentences comparing the US to Namibia and Germany using the table from Exercise C and the one below.

	die USA
die Landfläche	9.826.675 km²
Einwohner	322,755 Mio.
der tiefste See	der Crater Lake 594 m
der höchste Berg	Mount McKinley 6.190 m
der längste Fluss	der Missouri 4.087 km
der Kontinent	Nordamerika 24,93 Mio. km²

This list shows the communication goals and key cultural concepts presented in Unit 2 *Familie und Freunde*. Make sure to look them over and check the knowledge and skills you have developed. The cultural information is found primarily in the Interactive, though much is developed and practiced in the print *Lernbuch* as well.

I can:

- [ ] describe my extended family
- [ ] talk about school subjects I particularly enjoy
- [ ] describe my personality
- [ ] describe the personality of my friends and family
- [ ] describe in basic terms some of my interests and hobbies
- [ ] talk about music styles I like
- [ ] talk about music I listen to
- [ ] describe sports I like and dislike using *gern*
- [ ] describe how often I do sports or hobbies
- [ ] say how long I have been studying
- [ ] say what my major(s) and minor(s) are
- [ ] introduce myself with a great deal of information
- [ ] compare things with comparative adjectives

I can explain:

- [ ] the basics of Bach's family
- [ ] what a *Verein* is
- [ ] the distinctions between *Freunde* and *Bekannte*
- [ ] what a *Kollege/Kollegin* is
- [ ] who *ein Freund von mir* would be
- [ ] typical views of friendship in Germany
- [ ] how sports differ at German universities
- [ ] the difference between definite and indefinite articles
- [ ] how to use possessive articles like *mein, dein, sein*, etc.
- [ ] how plurals are formed in German

Unit 3 Wohnen

Eine typische Essküche in Berlin

Unit 3 *Wohnen*

In Unit 3 you will learn how to talk about your 'stuff' in German, what you have and don't have, and what you would like. You will learn to describe clothing and your living space (house, apartment, etc.) and compare them to what is common in German-speaking countries. In addition, you will learn phrases to talk about common outdoor activities and look at a number of German concepts related to *die Natur*.

Below are the cultural, proficiency and grammatical topics and goals:

Kultur

Student life at German-speaking universities

Living spaces

View of the 'outdoors'

Zugluft, Schrebergärten

Kommunikation

Expressing what you have or don't have

Describing daily routines

Describing personal spaces

Expressing opinions about outdoor activities

Grammatik

3.1a Accusative for direct objects

3.1b Negation with *nicht* and *kein*

3.2 *möchte*

3.3 Prepositions with accusative

3.4a Separable-prefix verbs

3.4b Inseparable-prefix verbs

3.1 Studentenleben

Culture: Student & campus life
Vocabulary: Technology & school items
Grammar: Subjects & objects / *nicht & kein*

A. Was habe ich? For each vocab word, complete the sentence *Ich habe...* by writing a form of *ein, kein*, a number or *viele*, adding the plural ending if you need it (i.e., if there is more than one)!

die Uhr	Ich habe keine Uhr.
das Buch	Ich habe viele Bücher.
der Laptop	Ich habe einen Laptop.

GR 3.1a

GR 3.1b

1. der Laptop, -s

2. das Tablet, -s

3. das Handy, -s

4. der Rucksack, ¨-e

5. das Auto, -s

6. der Fernseher, -

7. die Spielkonsole, -n

8. das Fahrrad, ¨-er

9. die Kreditkarte, -n

10. der Drucker, -

11. die Gitarre, -n

12. der Ordner, -

13. das Heft, -e

14. der Hund, -e

15. die Katze, -n

16. der Fisch, -e

17. der Freund, -e

18. die Freundin, -nen

B. Hast du einen Hund? Find a partner and look at activity A above.

Ask each other if you have the various objects listed. Try to answer without looking at what you already wrote (but you can "cheat" if you have to).

Remember: *eine Lampe* (feminine), *ein Buch* (neuter) but *Ich habe* **einen** *Laptop (*masculine).

Whenever masculine nouns are a direct object, you have to change *ein* to *einen*.

Wien, AT

C. Das Allerwichtigste

From the objects listed, write the three you absolutely need and one you don't need at all. Then interview two other students and write their responses in the boxes provided.

Ich brauche meinen Laptop, mein Fahrrad und meine Kreditkarten.

Ich brauche kein Auto.

GR 3.1a Ich

GR 3.1b

der Laptop

das Handy

das Fahrrad

das Auto

der Fernseher

die Bücher

der Drucker

Student #1

die Kreditkarte

die Spielkonsole

Student #2

der Rucksack

D. Meine Kommilitonen

From all the objects listed in 3.1C, which do you think is most important?

Now survey as many of your classmates as you can in the time allotted by your instructor to confirm or disprove your suspicions. Record their responses.

Welches Objekt ist für dich das Wichtigste?

E. Wie viele?

Working with a different partner, pick an object and guess how many of them your partner has. See how often you can get the right answer.

Du hast ein Fahrrad, stimmt das?
Nein, ich habe zwei Fahrräder.

Du hast zwei Rucksäcke, richtig?
Richtig!

F. Was gibt es im Seminarraum?

GR 3.1a

GR 3.1b

Working with a partner, describe in German what things you see in your classroom. You can count precisely if you like, or use more general terms for plurals. Make sure to use the correct forms of *ein* and *kein*!

Berlin

> Es gibt einen Beamer im Seminarraum. Es gibt drei Tafeln und sieben Fenster. Es gibt kein Whiteboard und keine Marker.

> Ah, ein falscher Freund! Ein Beamer ist ein *"LCD projector"*, kein BMW.

ein paar – *a few*   mehrere – *several*   viele – *many*

G. Wie viele hast du?

GR 3.1a

GR 3.1b

Working with vocabulary you have covered so far in this course, ask your partner how many of something they have. When you answer, give the number (approximating if necessary using *einige – mehrere – viele*). Work on getting those plural forms correct!

| der Ordner, - | der Stift, -e | die Geschwister | das Buch, ¨-er | der Cousin, -s |
| der Onkel, - | die Tante, -n | der Hund, -e | die Katze, -n | das Computerspiel, -e |

> Wie viele Schwestern hast du?
> Ich habe keine Schwestern.

> Wie viele Bücher hast du?
> Ich habe viele Bücher.

As a bonus, say whether you have more of the thing in question than the student who answered.

> Wie viele Gitarren hast du?
> Ich habe eine Gitarre.
> Ich habe mehr Gitarren als du!

H. Die Mensa   A *Mensa* is a cafeteria associated with German universities. Read the text, and then complete the activity below.

Die Mensa in Deutschland ist eine Cafeteria, wo Studenten und Universitätsbedienstete[1] essen. Mittagessen gibt es montags bis freitags, meistens von 11.45 bis 14.00 Uhr. Es gibt meistens 2-4 Menüs[2], darunter auch ein vegetarisches Essen. Der Staat subventioniert[3] die Mensas an deutschen Universitäten. Also ist das Essen billig. Ein Gericht kostet zwischen 2,20 € und 3,50 €. Die Preise für Universitätsbedienstete und Gäste sind höher. Es gibt meistens vegetarische und vegane Optionen.

Um in der Mensa zu essen, braucht man eine Mensakarte. Mensakarten kann man in den Mensas und in den Bibliotheken kaufen. Man kann sie später auch aufladen[4]. Es gibt sowohl große als auch kleine Mensen. Oft hat eine Universität viele Mensen. Den Speiseplan für die Mensa findet man online.

[1]   university employees
[2]   *Menü* – complete meal
[3]   subsidizes

[4]   *aufladen* – to reload

Ein Vergleich. *Write four German sentences comparing a university cafeteria or similar establishment you're familiar with to the German Mensa, pointing out similarities and differences.*

STUDENTENWERK
Anstalt des öffentlichen Rechts   BERLIN

Speiseplan Mi., 12.06.2013   Mensa HU Süd

Tagesübersicht

		Preise Studierende | Mitarbeiter | Gäste
Salate	Große Salatschale(13,27)	1,55 € | 2,35 € | 3,10 €
	Kleine Salatschale(13,27)	0,50 € | 0,75 € | 1,00 €
Essen	Eine gebratene Hähnchenkeule mit Geflügelrahmsauce(30)	1,25 € | 1,95 € | 2,50 €
	Eine gebackene China - Knusperschnitte an bunter Sojasauce (6,21,27,28,31,36)	1,35 € | 2,05 € | 2,70 €
	Milchreis Indische Art(26,30)	1,35 € | 2,05 € | 2,70 €
Beilagen	Dillkartoffeln	0,55 € | 0,85 € | 1,10 €
	Basmatireis	0,50 € | 0,80 € | 1,00 €
	Geschmorter Fenchel	0,50 € | 0,80 € | 1,00 €
	Zucchini - Paprikagemüse(27)	0,50 € | 0,80 € | 1,00 €

Frankfurt

I. Die Cafeteria

Working with a partner, create a list of pros (if there are pros) and cons of eating in your campus dining hall/food court.

> Das Essen ist...   Es kostet...
> Die Cafeteria serviert nicht genug...   Es gibt...

J. Mensa vs. Cafeteria

Lisa (Göttingen, DE) spent a year in a US high school as an exchange student. She compares a US cafeteria to the German *Mensa*. Read what she says about it and answer the questions.

Das Mittagessen in der Cafeteria, das finde ich auch sehr schön, mit den ganzen Tischen. Und man kennt das ja aus den Filmen, dass dann die Cheerleader immer am gleichen[1] Tisch sitzen, und das war bei uns in der High School auch so. Das finde ich ganz nett. Das kennt man ja nicht aus der Schule hier in Deutschland. Das hat man vielleicht ein bisschen, wenn man studiert, mit der Mensa, dass man mittags gemeinsam essen geht. Das geht nicht mit der Schule in Deutschland, weil die Schule ja meistens einfach[2] nicht so lange dauert. Deutsche Schulen haben nicht diese Cafeteria, wo alle zum Essen gehen. Das finde ich eigentlich[3] ganz schön in Amerika.

---

[1] *same*
[2] *simply*
[3] *actually*

Richtig oder Falsch?

Mark each sentence below as true or false. Write the number of the sentence next to the information about it in the text.

1. Lisa thinks American school cafeterias are nice.

2. Lisa was familiar with cafeterias from movies.

3. German secondary schools have cafeterias too.

4. German *Mensas* at a university are sort of like cafeterias.

5. The school day in Germany is the same length as in the US.

Draw a simple map of either your high school cafeteria or your current cafeteria. Label which groups sit where and give a short description in German of what they are like.

Salzburger Christkindlmarkt, AT

Hier sitzen die [Gruppe]. Sie sind sehr laut.
Hier sitze ich mit meinen Freunden.

K. Gehst du in die Mensa? Interview your fellow students about your *Mensa* on campus and the food there. Perhaps you will learn something interesting!

1. Wo isst du gern auf dem Campus?

2. Gehst du gern zur Dining Hall?

3. Bringst du lieber dein Essen mit oder kaufst du lieber etwas an der Uni?

4. Was isst du am liebsten auf dem Campus?

5. Kochst du gerne oder isst du lieber im Restaurant?

6. Wo gibt es auf dem Campus gesundes Essen?

7. Wo findet man den besten Kaffee bzw. Tee auf dem Campus?

L. Was hast du dabei? Working with a partner, ask what sorts of things you each have in your backpacks (or bag). Using different sorts of questions, you can also ask about the basic qualities of the items.

GR 3.1a

> Hast du Hefte in deinem[1] Rucksack?
>
> Sind die Bücher neu oder alt?
>
> Hast du einen Laptop in deinem Rucksack?
>
> Hast du ein Tablet in deiner Tasche?
>
> ---
> [1] *Don't worry about the –em ending. We'll cover that in Unit 4.*

M. Mein Rucksack

Describe the contents of your *Rucksack* in some detail. Give a basic description of the more interesting items. You will undoubtedly need to look up some words. When doing so, make sure you have the correct words, which you can often verify by checking them on an image database such as Google Images. Make sure you find the gender of the word, too, so that you can put the correct ending on *ein*, and also make sure you find the correct plural ending if needed. Isn't German fun?

> In meinem Rucksack habe ich drei Hefte und vier Bücher. Ich habe heute auch meinen Laptop in meinem Rucksack. Mein Laptop ist neu und sehr schnell!

Vocabulary 3.1

Nouns:

der Beamer, -	LCD projector		der Stuhl, ¨-e	chair
die Bibliothek, -en	library		die Tafel, -n	chalkboard; board
der Drucker, -	printer		die Uhr, -en	clock; watch
das Essen, -	food; meal		die Verwaltung, -en	administration
der Fernseher, -	television set		das Whiteboard, -s	white board
der Fisch, -e	fish		der Zettel, -	note; piece of paper
das Handy, -s	cell phone			

das Heft, -e	notebook

Verbs: *Other:*

der Hund, -e	dog	dauern	to last	billig	cheap
die Katze, -n	cat	essen [isst]	to eat	ein bisschen	a little
die Kreditkarte, -n	credit card	finden	to find	ganz	all; whole
die Kreide	chalk	kaufen	to buy	teuer	expensive
der Laptop, -s	laptop computer	kennen	to be familiar with	vielleicht	maybe
der Marker, -	marker	kosten	to cost	unbedingt	definitely
die Mensa, -s *or* Mensen	cafeteria	sitzen	to sit		
das Mittagessen, -	lunch	stellen	to place		
der Ordner, -	binder				

Phrases:

der Raum, ¨-e	room; space
der Rucksack, ¨-e	backpack

der Schreibblock, ¨-e	writing pad	
der Schreibtisch, -e	desk	
die Schule, -n	K-12 school	
die Spielkonsole, -n	game console	
der Stift, -e	pen; pencil	
das Studentenheim, -e	student dorm	

Auf welcher Seite ist das?	What page is that on?
Es tut mir leid.	I'm sorry.
Ich habe eine Frage.	I have a question.
Ich habe mich verspätet.	I'm late.
Ich verstehe das nicht.	I don't understand.
Leider habe ich die Hausaufgabe nicht gemacht.	Unfortunately, I didn't do the homework.

3.1a Accusative for direct objects

By now you have already come across the term 'subject' in reference to word order in Unit 1 and Unit 2. To review, the subject of a sentence is the agent of the sentence and the conjugated verb agrees with the subject. The term 'direct object' refers to another noun in the sentence that is not the agent, but rather is an object (even if it is a person) upon which some sort of action is performed. In English, you can't tell whether a noun is functioning as a subject or an object in a sentence just by looking at it; word order is the deciding factor. Consider the difference between these two sentences:

The dog sees the man.   vs.   The man sees the dog.

Word order tells us who the subject is that is doing the seeing. This is often not the situation in German, which uses case endings to show whether a noun is functioning as a subject or a direct object. Case is associated with definite articles (*der, die, das*) as well as different endings on indefinite articles or adjectives. Case is used to show how different nouns function in a sentence. This allows one to play around with word order while keeping the same meaning. In the example with the dog, we have the option to express the dog seeing the man in two different ways:

Der Hund sieht den Mann.   OR   *Den Mann sieht der Hund.*

The *den* in *den Mann* is in the accusative case, which indicates that this noun is the direct object rather than the subject of the sentence, even though it is in the first position. Thus these two sentences mean the same thing: the dog sees the man.

This example only works with a sentence that has at least one masculine noun, as they are the only nouns that have a different article in the accusative case (used for direct objects) compared to the nominative case (used for subjects). If we use two feminine nouns, we are faced with the same dilemma as in English:

Die Katze sieht die Frau. The cat sees the woman.

OR

Die Frau sieht die Katze. The woman sees the cat.

The essential difference you need to know here is that German has other means besides word order to show whether a noun is a subject or an object, namely case, and you cannot rely on word order alone to recognize subjects and direct objects like in English. You can find a table with all possible combinations of cases and endings at the back of this book.

A. Meet Isabelle! Isabelle describes her family's afternoon activities. Circle the subjects and underline the objects.

Ich lese gern Bücher. Romane lese ich besonders gern. Mein Vater backt manchmal einen leckeren Kuchen. Meine Mutter hört oft klassische Musik. Jeden Nachmittag nimmt[1] meine Schwester ein Bad.

[1] ein Bad nehmen – *to take a bath*

B. Whodunit? Circle the subject in each sentence.

1. Der Hund beißt[2] den Mann.
2. Den Hund beißt der Mann.
3. Den Mann beißt der Hund.

4. Der Junge[3] küsst[4] das Mädchen[5].
5. Das Mädchen küsst der Junge.
6. Das Mädchen küsst den Jungen.

[2] beißen – *to bite*
[3] *boy*
[4] küssen – *to kiss*
[5] *girl*

C. der-words and ein-words Look at the charts below, and then answer the questions that follow.

der-*words*	*subject*	*object*
masculine	der	den
feminine	die	die
neuter	das	das

ein-*words*	*subject*	*object*
masculine	ein	einen
feminine	eine	eine
neuter	ein	ein

1. Which gender of noun shows a difference between the subject and the object?

2. Which two genders of nouns rely on word order and/or the article of other nouns to identify the subject and object of the sentence?   and

D. Doing chores Isabelle is writing a chore list. Help her translate the list by filling in the *der*-words for each object.

1. *bathe the dog, sister* → *Den* Hund (m) badet die Schwester.
2. *clean the toilet, brother* → Toilette (f) putzt der Bruder.
3. *wash the car, mother* → Auto (n) wäscht die Mutter.
4. *mow the lawn, father* → Rasen (m) mäht der Vater.
5. *walk the dog, I* → Hund (m) führe ich Gassi.

den   die   das

E. What's for lunch? Everyone makes their own lunch in Isabelle's family. Fill in the blanks with *ein*-words.

Der Vater kocht _____ Ei (n). Er bereitet _____ Eiersalat (m) zu[6]. Der Bruder grillt _____ Wurst (f). Die Schwester macht sich _____ Sandwich (n). Die Mutter bereitet _____ Teller (m) Spaghetti vor.

einen
eine
ein

[6] zubereiten - *to prepare (food)*

99

3.1b Negation with *nicht* and *kein*

In German, there are two ways to indicate negation, one using *nicht* and one using *kein*. The word *nicht* is used to negate verbs, adverbs, prepositional phrases (z.B. in der Cafeteria) and entire sentences, as well as nouns with definite articles (*der, die, das*) and possessive articles (*mein, dein, sein, ihr, unser, euer*). Here are some examples with *nicht*:

Das dauert nicht lang.	This won't take long.
Ich verstehe die Wörter nicht.	I don't understand the words.
Das ist nicht mein Bier.	That's not my business.[1]

Nicht is either placed before the element that is negated (*lang* → *nicht lang, mein Bier* → *nicht mein Bier*) OR at the end of the sentence if the entire sentence is negated (*Er studiert nicht*). The position of *nicht* before or after adverbs may change the meaning of the sentence: *Er kommt heute nicht* vs. *Er kommt nicht heute*. The second sentence suggests that he while he isn't coming today, he may come tomorrow.

Use *kein*, which is an *ein*-word, to negate a noun with an indefinite article (*ein*) or without an article at all. *Kein* takes the same endings as *ein*, so case, gender and number are important.

Ich habe einen Bruder.	*Ich habe keinen Bruder.*
Ich habe eine Schwester.	*Ich habe keine Schwester.*
Ich habe Geschwister.	*Ich habe keine Geschwister.*

English does not have anything like *kein* so make sure to focus on noticing it when you read and hear it to start getting a feel for how it is used.

---

[1]   This is a colloquial German phrase, so the translation is not direct. Use this phrase in conversation for that authentic German touch.

F. Negation   Do these sentences use *kein* or *nicht* to negate the bold words? What type of word is negated? Fill in the table.

	Negation		Type of word	
	kein	nicht	noun	verb
1. Ich **arbeite** nicht.	☐	☐	☐	☐
2. Du hast kein **Geld**.	☐	☐	☐	☐
3. Sie **studiert** nicht.	☐	☐	☐	☐
4. Er ist kein **Student**.	☐	☐	☐	☐
5. Sie haben keine **Teilzeitarbeit**[2].	☐	☐	☐	☐

[2] *part-time job*

G. Using *nicht* and *kein*   Circle the best choice for when to use *nicht* and *kein* for negation.

1. Kein *generally negates:*   a. nouns   b. verbs
2. Nicht *generally negates:*   a. nouns   b. verbs

H. Job interview   Leo is preparing for his first job interview and realizes he has nothing to wear. Fill in the blanks with the correct *kein*-word. Choose from the box.

Was soll ich tragen? Ich habe _____ Anzug (m). Ich finde auch _____ Krawatte (f).   keinen

Ich habe _____ gescheites[3] Hemd (n). Ich habe _____ Geld (n), um neue Kleidung   kein

zu kaufen. Ich habe auch _____ schönen Haarschnitt[4] (m).   [3] *decent* [4] *haircut*   keine

I. A new job   Can you guess Leo's new part-time job? Enter *nicht* or *kein* with correct endings, then circle Leo's new job.

Sein Job ist _____ gefährlich[5]. Er trägt _____ Uniform (f). Er arbeitet _____ in einer Schule

oder an der Uni. Er spielt _____ Instrument (n). Er repariert _____ Fernseher (m).

Leo jobbt als: a. Polizist   b. Klavierspieler[6]   c. Fernsehtechniker
                    d. Lehrer   e. Maler[7]   f. Feuerwehrmann   [5] *dangerous* [6] *piano player* [7] *painter*

«Frischer Suuser» mit Fleischplatte   Rüdlingen, Schweiz

3.2 Bei mir

Culture: Describing others
Vocabulary: Clothing & colors
Grammar: *möchte*

A. Farben   Answer the questions below using appropriate German color terms.

Wien, AT

Welche Farbe(n) hat…

dein Auto?

dein Fahrrad?

dein Computer/Laptop?

dein Sofa?

dein Wintermantel?

dein Rucksack?

dein Handy?

deine Nationalflagge?

Welche Farbe haben… deine Schuhe?

Welche Farbe ist… deine Lieblingsfarbe?

B. Interview   Ask a partner the questions above.

> Mein Auto ist…
> Meine Nationalflagge ist…
> Meine Schuhe sind…
> Ich habe kein Auto.
> Ich habe keinen Rucksack.

C. Was trägst du, wenn…   Answer the questions about what you wear. Remember that these will be direct objects.

Was trägst du, …   wenn es heiß ist?

GR 3.1a

wenn es schneit?

wenn du zur Uni gehst?

wenn du auf eine Party gehst?

wenn du auf eine Hochzeit[1] gehst?

wenn du zu Hause bleibst[2]?

---
[1] *wedding*
[2] bleiben – *to stay*

> Wenn ich zur Uni gehe, trage ich
> Jeans, ein Hemd und Sandalen.

die Bluse	das T-Shirt	der Anzug	der Rock
das Kleid	der Pulli	die Shorts (pl)	das Sakko
das Sweatshirt	der Bikini	die Krawatte	die Jeans

D. Was tragen sie?

Write what clothing these people are wearing. Add in color adjectives using the patterns in the blue box.

eine blaue Hose	einen schwarzen Anzug
ein schönes Kleid	grüne Shorts

GR 3.1a

1.

2.

3.

4.

5.

6.

E. Was tragen sie?

Work with a partner and ask what the people in 3.2D are wearing. When you answer, make sure that you use the accusative case. If you want to use color terms or other adjectives, follow this pattern (which we'll look at in more detail in Unit 4):

GR 3.1a

ein weiß**es** Hemd / eine blau**e** Hose / einen schwarz**en** Anzug / braun**e** Shorts

Er trägt ein (*grünes*) Hemd / eine (*alte*) Hose / einen (*schönen*) Anzug.

F. Was trägst du?

With a partner, ask each other what you are wearing. Follow up with the question *Wie oft trägst du...?*.

Was trägst du jetzt?	Ich trage Shorts, eine blaue Bluse und neue Sandalen.	oft / nicht oft
Wie oft trägst du Shorts?	Ich trage manchmal Shorts.	immer / nie

G. Bei mir zu Hause Read the following descriptions of family members and then write one sentence for each description, comparing that person to someone in your family.

Mein Vater **Torgunn (Göttingen, DE):** Mein Vater hat graue Haare, also grau-braun, braune Haare, kurz, einen Vollbart, braune Augen und ist so 1,75 m groß.

Nici (Braunschweig, DE): Mein Vater ist so durchschnittlich gewachsen[1], so 1,75 m ist er groß, hat weiße Haare, eine stämmige[2] Statur, ist aber nicht dick[3], und grinst[4] immer sehr gerne.

Kristiana (Göttingen, DE): Also, mein Vater kommt aus Griechenland und hat deswegen natürlich ziemlich[5] dunkle Haare und einen Vollbart. Er ist relativ klein für einen Mann, würde ich sagen, und hat immer ein Lächeln[6].

Lueg, CH

größer als – *taller than*
nicht so groß wie – *not as tall as*
hat kürzere Haare als – *has shorter hair than*
älter als – *older than*
jünger als – *younger than*

Nicis Vater ist kleiner als mein Vater.

Meine Schwester hat lange Haare, aber Moniques Schwester hat kurze Haare.

---
[1] durchschnittlich gewachsen – *average size*
[2] *stocky*
[3] *fat*
[4] grinsen – *to grin*
[5] *somewhat*
[6] *smile*

Comparisons (Vergleiche)

Meine Schwester **Claudia (Göttingen, DE):** Meine Schwester ist ein bisschen kleiner als ich, so 1,65 m, hat braune lange Haare, ist ziemlich schlank und hat blaue Augen.

Nici (Braunschweig, DE): Meine Schwester hat blonde Haare, jetzt relativ kurz, lächelt immer und ist sehr schlank.

Monique (Göttingen, DE): Meine Schwester ist zwei Jahre älter als ich. Sie ist auch ungefähr neun Zentimeter größer als ich, worum ich sie sehr beneide[7]. Sie hat kurze Haare, ganz kurze Haare. Ihre Gesichtszüge[8] sind eigentlich fast[9] wie meine. Sie hat auch blaue Augen, ziemlich volle Lippen eigentlich, zumindest die Unterlippe. Sie ist allerdings etwas stämmiger als ich.

---
[7] beneiden – *to envy*
[8] *facial features*
[9] *almost*

Comparisons (Vergleiche)

H. Beschreiben   Describe the people in the photos using your best German. Feel free to use some of the phrases provided. You'll notice some endings for adjectives. For now, simply follow the patterns provided; we'll look at these endings more closely in Unit 4.

GR 3.1a

kurze / dunkle Haare haben	eine rote Bluse tragen
eine Glatze / einen Bart haben	ein braunes Hemd tragen
blaue / braune Augen haben	roten Lippenstift tragen

1.

2.

3.

4.

5.

6.

I. Mein Kleiderschrank   Working with a partner, describe the color of some of the clothing you own. You can find the endings you need for the color adjectives in activity 3.2H above. You may need your vocabulary list for plural forms. Ask each other some questions to mix it up.

GR 3.1a

Ich habe viele blaue und schwarze Jeans.
Ich habe ein rotes Hemd.
Ich habe zwei weiße Kleider.
Ich habe keine Röcke.

Hast du einen weißen Wintermantel?
Hast du eine Krawatte?

der Anzug	die Jacke	gelb
die Jeans	das T-Shirt	grün
die Hose	der Wintermantel	braun
die Krawatte	das Hemd	rot
der Rock	das Top	schwarz
die Socken	das Kleid	weiß

J. Kleidung   Read the descriptions of what each person below says about their clothing choices and then respond to the questions that follow.

Catharina (Hamburg, DE): Meine Kleidung ist bequem und praktisch, weil ich jeden Tag Fahrrad fahre. Deshalb trage ich meistens Hosen, Strickjacken[1], T-Shirts, Tops, Blusen, ganz normale Sachen, nicht zu fein, nicht zu kurz.

Tobias (Köln, DE): Ich trage am liebsten Jeans und Pullover. Und wenn ich abends ausgehe, trage ich auch gerne mal schickere Sachen. Aber am liebsten trage ich lockere[2] Kleidung, bequeme Kleidung.

Torgunn (Göttingen, DE): Am liebsten praktische bequeme Kleidung, die nicht so schnell schmutzig wird und die man auch im Regen anziehen[3] kann. Hier regnet es ja so viel.

Tanja (Göttingen, DE): Ich trage sehr gern Jeans. Ganz normal. Bequeme Schuhe, T-Shirt, Hemd, Pullover. Also nicht unbedingt so, was im Moment trendy ist, sondern casual, also ganz normal.

---

[1] *cardigans*
[2] *casual*
[3] *to put on*

Lexi (Frankfurt, DE): Am liebsten bequeme Kleidung. Bequeme, lässige[4], sportliche Kleidung. Für besondere Anlässe mag ich auch feine Kleidung, aber ich fühle mich nicht ganz wohl[5] darin. Am liebsten Hose, T-Shirt, Hemd. Dann fühle ich mich wohl. Das ist leicht zum Leben.

Monique (Göttingen, DE): Ich trage gern viel Blau, viel Blau und Schwarz. Im Sommer auch Weiß, wenn ich braun bin. Aber sonst eigentlich nicht zu schrill. Ich trage niemals pinke Sachen. Es geht nicht. Egal[6], wie schlank ich bin oder wie braun ich bin. Ganz egal. Sowas ist einfach hässlich.

---

[4] *casual*
[5] *sich wohl fühlen – to feel good, comfortable*
[6] *it doesn't matter*

Which adjectives are mentioned most often to describe their preferred clothing?

Which particular clothing items are most often mentioned?

Was tragen diese Leute lieber: praktische oder schickere Kleidung?

Fill in the blanks below to describe how you dress!

Ich trage gern _____ , _____ und _____ .

Ich trage niemals _____ Sachen.

Ich trage meistens _____ und _____ .

Meine Kleidung ist _____ und _____ , weil ich jeden Tag

_____ . *(note that the verb comes at the end here)*

K. Was tragen die Kommilitonen?

GR 3.1a

With a partner, take turns describing someone else in the class by what he or she is wearing and other features such as hair or eye color. See if you can guess the student your partner is describing. You might want to review names before starting this activity!

Er trägt…
Sie hat…

L. Eine Beschreibung

Get a photo or print an image of someone you will describe. Write a paragraph-length description of the person using your best German and adapting any of the models provided as needed.

Das ist meine Schwester. Sie heißt Louise und ist älter als ich. Sie hat lange, blonde Haare und braune Augen. Sie ist nicht sehr sportlich, aber sie spielt gern mit ihrer Tochter Karin. Sie ist größer als ich, ca. 1,75 m. Ich bin 1,72 m groß. Auf diesem Foto trägt meine Schwester ein grünes Hemd und eine braune Jacke. Sie trägt auch blaue Jeans und dunkle Sportschuhe. Außerdem hat sie eine kleine Handtasche.

M. Wie sieht sie aus?

With a partner, read the description you wrote for 3.2L while your partner makes a drawing of your description. When finished, show your partner your photo and see how closely the drawing matches!

Vocabulary 3.2

Nouns:

					Colors:	
der Anzug, ¨-e	suit	die Socke, -n	sock		beige	beige
das Auge, -n	eye	der Stiefel, -	boot		blau	blue
die Brille, -n	glasses	das Top, -s	top		braun	brown
das Fahrrad, ¨-er	bicycle	das T-Shirt, -s	t-shirt		dunkel	dark
die Glatze, -n	bald head	die Unterwäsche	underwear		gelb	yellow
das Haar, -e	hair	der Vollbart, ¨-e	full beard		grau	gray; grey
das Hemd, -en	shirt	der Wintermantel, ¨	winter coat		grün	green
die Hose, -n	pants; trousers				hell	bright; light
der Hut, ¨-e	hat	*Verb:*			lila	purple
die Jacke, -n	jacket	tragen [trägt]	to wear		orange	orange
das Kleid, -er	dress				rosa	pink
die Krawatte, -n	tie	*Other:*			rot	red
der Pullover, -	sweater	am liebsten	most preferably		schwarz	black
der Rock, ¨-e	skirt	bequem	comfortable		weiß	white
der/das Sakko, -s	sports coat	kurz	short			
der Schuh, -e	shoe	lang	long			
die Shorts (pl.)	shorts	schmutzig	dirty			

3.2 *Möchte*

The verb *möchte* means "would like": *Ich möchte einen Film sehen* = I would like to see a movie. *Möchte* behaves a little differently from other present tense verbs, in particular because the final *–t* is dropped for the 3rd person singular: *er–sie–es möchte*. You will also notice that the main verb, the verb that gives the meaning of what you want to do, moves to the end of the sentence.

I don't want to eat fish.	*Ich **möchte** keinen Fisch **essen**.*

You'll also notice that, unlike English, you don't need another word for 'to' when using an infinitive in German.

*Ich möchte Eis **essen**.*	I would like **to eat** ice cream.

A. Media Markt   Michael and Tobi are shopping at Media Markt, an electronics chain store in Germany. Underline all forms of *möchten* and their subjects.

Verkäufer[2]:   Möchten Sie den Toshiba DVD-Player anschauen?

Michael: Nein, ich möchte lieber diesen Player von Sony.

Verkäufer: Der ist auch toll[3].

Tobi: Aber Michael, möchtest du nicht lieber den Toshiba?! Der ist bestimmt besser!

Verkäufer: Das stimmt!

Michael: Nein, wir möchten nur 100 Euro ausgeben[4]. Der Toshiba ist teuer!

         Der Verkäufer möchte, dass wir viel Geld ausgeben!

[2] salesperson (male)
[3] cool; great
[4] to spend money

B. Conjugating möchten   Mark (X) the correctly-conjugated form of *möchten* for each subject. See A if you need help.

	möchten	möchte	möchtest	möchtet		möchten	möchte	möchtest	möchtet
ich	☐	☐	☐	☐	wir	☐	☐	☐	☐
du	☐	☐	☐	☐	ihr	☐	☐	☐	**X**
er–sie–es	☐	☐	☐	☐	(S)ie	☐	☐	☐	☐

C. Schrebergärten   Michael and Tobi are doing some yard work when their neighbor Frau Zuber comes along. Fill in the blanks with the correct forms of *möchten*.

Tobi: _____ du Blätter harken?

Michael: Nein, ich _____ lieber die Blumen gießen.

Tobi: Kein Problem. Aber zuerst essen wir Mittagessen.

Michael: Schau mal. Da ist Frau Zuber. _____ wir sie auch zum Mittagessen einladen? Ja, oder?

Michael geht zur Frau Zuber.

Michael: Frau Zuber, _____ Sie mit uns essen?

Frau Zuber: Wie bitte? Ihr _____ mich zum Mittagessen einladen? Ja, gerne. Danke!

Michael kommt zurück.

Tobi: Und? Was hat Frau Zuber gesagt?

Michael: Ja, natürlich _____ sie mit uns essen!

Hirte mit Schafherde im Schloßpark Wilhelmshöhe   Kassel, Deutschland

3.3 Haus und Wohnung

Culture: Living spaces
Vocabulary: House, apartment & dorms
Grammar: Prepositions with accusative

A. Fragen   Check all the appropriate boxes. Be prepared to ask and answer these questions in class.

1. Wo wohnst du?

GR 3.2

Ich wohne
- ☐ bei meinen Eltern.
- ☐ zu zweit, also mit einem Mitbewohner / einer Mitbewohnerin.
- ☐ allein.
- ☐ in einer Wohngemeinschaft (WG).
- ☐ mit meinem Partner/meiner Partnerin[1].
- ☐ auf dem Campus.
- ☐ nicht auf dem Campus.
- ☐ in einem Studentenwohnheim.
- ☐ in einer Wohnung.
- ☐ in einem Haus.
- ☐ in einem Zimmer zur Untermiete[2].

---
[1]   *with my spouse/girlfriend/boyfriend*
[2]   *rented room*

Kassel

2. Was hast du in deinem Zimmer?
Was möchtest du noch haben?

Ich habe… / Ich möchte… haben.

☐	☐	einen Schreibtisch.
☐	☐	einen Stuhl.
☐	☐	einen Schrank.
☐	☐	einen Sessel.
☐	☐	einen Teppich.
☐	☐	einen Fernseher.

Ich habe… / Ich möchte… haben.

☐	☐	ein Sofa.
☐	☐	ein Bett.
☐	☐	ein Regal.
☐	☐	ein Fenster.
☐	☐	eine Kommode.
☐	☐	eine Lampe.

3. Wie ist die Wohnung / das Haus / das Zimmer?

Die Wohnung ist
Das Haus ist
Das Zimmer ist

- ☐ schön
- ☐ gemütlich
- ☐ groß
- ☐ alt
- ☐ dunkel

- ☐ hässlich
- ☐ ungemütlich
- ☐ klein
- ☐ neu
- ☐ hell

B. Wie ich wohne   In three German sentences, describe your living situation. You may borrow phrases from activity 3.3A.

Hamburg

110

C. Studentenwohnheim   Students in many European countries have the option to live in student dorms, although most do not. Fill out the questionnaire below for a *Studentenwohnheim* at the *Universität Aachen*.

Universität Aachen – Studentenwohnheim Fragebogen

Hier gibt es noch ein paar persönliche Fragen zu deiner Person. Kreuze[1] die Zahlen 1 bis 5 an und zeige[2] uns, was du für ein Typ[3] bist. Es gibt keine falschen Antworten!

[1] ankreuzen – *to mark, check*
[2] zeigen – *to show*
[3] *person*

1. Ich finde Partys toll.   1 2 3 4 5   Ich finde Partys schrecklich[6].

2. Ich unterhalte mich[4] gerne mit   1 2 3 4 5   Ich bin eine sehr private Person.
   anderen Menschen.

3. Ich bin sehr sportlich.   1 2 3 4 5   Ich bin total unsportlich.

4. Ich bin sehr spontan.   1 2 3 4 5   Ich bin eher nachdenklich.

5. Ich bin ein richtig fröhlicher Mensch.   1 2 3 4 5   Ich bin eher ein trauriger Typ.

6. Ich gucke ständig Fernsehen[5].   1 2 3 4 5   Fernsehen interessiert mich überhaupt nicht.

7. Ich gehe sehr oft ins Kino.   1 2 3 4 5   Ich weiß gar nicht, was ein Kino ist.

8. Ich spiele sehr oft Computerspiele.   1 2 3 4 5   Ich mag keine Computerspiele.

9. Ich gehe sehr gern spazieren.   1 2 3 4 5   Ich gehe nur dann, wenn ich muss.

10. Ich gehe gern aus.   1 2 3 4 5   Ich bleibe lieber zu Hause.

11. Ich koche wahnsinnig gerne.   1 2 3 4 5   Ich „koche" nur Fischstäbchen[7].

[4] sich unterhalten mit – *to talk to*
[5] Fernsehen gucken – *to watch TV*
[6] *awful*
[7] *fish sticks*

D. Fragen bilden   Look at activity 3.3C and write German questions that you can use to find out the information mentioned. Here are some beginnings of questions:

Example: Ich finde Partys toll. → Wie findest du Partys? *or*
Gehst du oft auf Partys?

Wie findest du…?   Bist du eher…
Gehst du gern…?   Wie oft gehst du…

Alpnach, CH

E. Wie wohnst du?

GR 3.1a

Read the following answers to the question *Wie wohnst du?* and answer the questions that follow.

Freiburg

Nadine (Lüneburg, DE): Meine Wohnung ist sehr gemütlich. Sie ist im Studentenwohnheim. Es ist eine Einzelwohnung. Ich habe meine eigene Küche und mein eigenes kleines Bad. Ich habe ganz viele Fotos von meinen Freunden und Reisefotos an den Wänden.

Lissy (Berlin, DE): Eine Freundin und ich haben jeder[1] ein Zimmer und wir teilen uns Küche und Bad. Wir haben leider kein Wohnzimmer, weil eine größere Wohnung teuer ist. Wir wohnen als Gemeinschaft[2] zusammen[3]. Manchmal kochen und essen wir zusammen. Aber sonst geht jeder seinen eigenen Weg[4]. Sie studiert an einer anderen Universität und hat einen anderen Job. Wir sind befreundet, aber wir wohnen einfach zusammen, weil es preiswerter[5] ist und weil es schöner ist, wenn man nicht allein wohnt.

1	*each*
2	*community*
3	*together*
4	*way*
5	*less expensive*

Carolin (Paderborn, DE): Ich wohne in einer WG mit meiner Mitbewohnerin Charlotte. Das ist eine Zwei-Zimmer-Wohnung direkt in der Innenstadt[6], mit Küche und Bad. Sie ist sehr zentral. Ich habe ein sehr großes Zimmer. Ich verstehe mich sehr gut mit Charlotte und deswegen möchte ich da auch nicht ohne[7] sie wohnen.

Silia (Tübingen, DE): Wir haben genau ein Schlafzimmer und ein Wohnzimmer und das ist eigentlich[8] okay, weil Noah ja noch ganz klein ist und er braucht eigentlich noch nicht sein eigenes Zimmer. Aber es ist einfach ein bisschen eng[9] mit Babybett und mit seinen ganzen Sachen[10] und unseren Sachen. Und die Küche ist auch sehr klein und wir möchten eigentlich eine größere Küche, weil wir sehr gern kochen und eigentlich auch jeden Tag kochen.

6	*downtown*
7	*without*
8	*actually*
9	*tight*
10	*things*

Underline all words that refer to rooms in the apartment.

Wer wohnt allein?

Wer hat ein Kind?

Wer wohnt in einer Wohngemeinschaft?

Wer hat wohl eine relativ kleine Wohnung?

Wer wohnt mitten in der Stadt?

What positive adjectives do you notice that refer to apartments?

Now circle all direct objects that you can find in the texts above!

F. Wie oft ...?   Answer each of these questions about yourself by filling in the blanks.

1. Wie oft isst du am Tag?   Ich ess   mal am Tag.

2. Wie viele Stunden pro Nacht schläfst du?   Ich schlaf   Stunden pro Nacht.

3. Wie viele SMS schickst du am Tag?   Ich   SMS am Tag.

4. Wie viele Stunden am Tag machst du Hausaufgaben?   Ich   Stunden am Tag Hausaufgaben.

5. Wie oft im Monat gehst du ins Kino?   Ich   mal im Monat ins Kino.

6. Wie viele Stunden am Tag surfst du im Internet?   Ich   jeden Tag   Stunden im Internet.

7. Wie oft gehst du ins Fitnessstudio?   Ich   jede Woche   mal ins Fitnessstudio.

8. Wie oft im Jahr kaufst du neue Schuhe?   Ich   mal im Jahr neue Schuhe.

G. Und du?   Ask your partner the questions in 3.3F. Find out about their habits.

> jede Woche – every week
> alle zwei Tage – every other day
> jeden Monat – every month
> jedes Jahr – every year
>
> zweimal in der Woche – twice a week
> zweimal pro Monat – twice a month
> nie – never
> immer – always

H. Haustiere   Working with a partner, ask about what pets you both have. Notice that you can ask either in the singular or plural. You can also ask what the pet is like.

Hast du...?

der Fisch, -e
der Hund, -e
die Katze, -n
die Schlange[1], -n
das Meerschweinchen[2], -
der Hamster, -
das Kaninchen[3], -
der Vogel[4], ¨-

1 snake
2 guinea pig
3 rabbit
4 bird

Passau

I. Das ist zu viel!

Working with a partner, make statements about how much time you spend on various activities. Your partner will respond by saying whether he or she thinks the amount of time you state is appropriate.

Wie oft?

X Stunden, zweimal pro Tag / pro Nacht /
in der Woche / im Monat / im Jahr / nie

schlafen	(Deutsch) lernen
essen	Cola Light trinken
laufen	Videospiele spielen
online sein	Country Musik hören
schwimmen	ins Fitnessstudio gehen
Rad fahren	kochen

*Give lengths of time for verbs and
say whether it's too much or not:*

Das ist (zu) wenig.
Das geht.
Das ist (zu) viel!

Student 1: Ich spiele neun
Stunden pro Tag Videospiele.

Student 2: Das ist zu viel!

Berlin

J. Bei mir zu Hause

Think about the apartment, house etc. that you consider your home and describe what furnishing and objects you have in it. Use some adjectives if you like to liven it up. You can introduce the furniture with *ich habe, wir haben* or *es gibt*.

in meinem Schlafzimmer	ich habe ein kleines Bett /	In meinem Schlafzimmer
im Wohnzimmer	einen kleinen Schreibtisch/	habe ich ein kleines Bett und
in der Küche	eine alte Lampe / zwei Sofas	einen alten Schreibtisch.

K. Habe ich nicht

Working with a partner, ask questions about each other's family and life, reviewing vocabulary from the last units but also working on negation with *nicht* and *kein*. Feel free to use the suggested terms or pick your own.

Cousins	laufen
Kusinen	schwimmen
Schwager	viel lernen
Großeltern	schlafen
Geschwister	segeln
Kinder	Yoga machen

Hast du Enkelkinder?
Nein, ich habe keine Enkelkinder!

Läufst du gern?
Nein, ich laufe nicht gern.

L. Mein bizarres Leben — Write an essay about your unique way of life using facts from 3.3F (*Wie oft…?*) as well as the writing suggestions given here.

Opinion statements:

Es/Das ist	(nicht so) schwer.
	(nicht so) interessant.
	(nicht) zu viel.
	(un)nötig.
Ich lerne (nicht so) viel.	
Ich mache das (un)gern.	

GR 3.1b   ***Openers:***   Mein normaler Tag ist

- anstrengend.
- nicht so anstrengend.
- einfach nur normal.
- meistens verrückt.

Middle text:

Ich schreibe	jeden Tag		im Deutschkurs	ein Quiz.
	jeden zweiten Monat		im	eine Klausur.
	jede Woche		meinen Freunden	einen Brief.
	jeden Monat		meiner/meinem	eine E-Mail.

Ich mache	jeden Tag	ungefähr	Stunden	Hausaufgaben.
	jede Woche	mehr als	Minuten	Yoga.
		insgesamt		gar nichts.

Ich arbeite	jeden Tag	ungefähr	Stunden	am Computer.
	jede Woche		Minuten	an meinem Deutsch.
				an meiner Figur.

| Ich surfe | jeden Tag | | Stunden | im Internet. |
| | jede Woche | | Minuten | am Meer. |

Ich arbeite	jeden Tag		Stunden	bei McDonald's.
	jede Woche			im Café.
				als Kellnerin.
				in einem Büro.

Ich faulenze	jeden Abend	ungefähr	Stunden	zu Hause.
	am Wochenende			mit Freunden.
				auf der Couch.
				vor dem Fernseher.

Closers: Ich habe dieses Semester (nicht so) viel zu tun.   Ich bin

- gestresst[1].
- verrückt[2].
- (un)glücklich[3].

Ich habe	keine Freizeit.
	wenig Freizeit.
	nicht genug Freizeit.
	viel Freizeit.

---

[1] *stressed*
[2] *crazy*
[3] *(un)happy*

Mein normaler Tag ist relativ unkompliziert. Nachst schlafe ich immer acht Stunden. Ich esse drei Mal am Tag und esse manchmal auch etwas Kleines spätabends. Ich surfe 15 Minuten am Tag im Internet, aber ich checke meine E-Mail-Inbox dreimal pro Stunde. Ich sehe 60 Minuten am Tag fern („This is us" oder „The Simpsons"). Ich lerne drei Stunden am Tag und ich arbeite dreimal in der Woche bei McDonald's. Ich spiele keine Computerspiele, aber ich lese ein oder zwei Stunden am Tag Bücher oder Zeitschriften. Ich habe viel Freizeit und ich bin nicht gestresst.

Kassel

Vocabulary 3.3

Nouns:

das Bad, ¨-er	bathroom	die Tür, -en	door
der Balkon, -s	balcony	der Vorort, -e	suburb
das Bett, -en	bed	die Wand, ¨-e	indoor wall
das Bücherregal, -e	bookshelf	das Studentenwohnheim, -e	dorm
die Federdecke, -n	down comforter	die Wohngemeinschaft, -en	shared apartment/house
das Fenster, -	window	die Wohnung, -en	apartment
der Flur, -e	hallway	das Wohnzimmer, -	living room
die Garage, -n	garage	das Zimmer, -	room
das Haus, ¨-er	house		
der Keller, -	basement		
der Kleiderschrank, ¨-e	clothes closet, wardrobe	*Verbs:*	
die Kommode, -n	dresser	geben [gibt]	to give
die Küche, -n	kitchen	kochen	to cook
der Mitbewohner, -	roommate; housemate	nehmen [nimmt]	to take
der Quadratmeter, -	square meter	schlafen [schläft]	to sleep
das Radio, -s	radio	teilen	to share; divide
das Regal, -e	shelf	verstehen	to understand
das Schlafzimmer, -	bedroom	werden [wird]	to become
der Schrank, ¨-e	closet; cupboard		
der Sessel, -	armchair	*Other:*	
das Sofa, -s	sofa	allein	alone
der Teppich, -e	carpet	deswegen	for that reason
die Toilette, -n	toilet	eigentlich	actually, really
die Treppe, -n	stairway	gemütlich	pleasant; cosy
		leider	unfortunately

3.3 Prepositions with accusative

Prepositions are words that show connections or relationships between a noun and something else in the sentence. Examples in English are: *with, on, above, for, between, under*. The preposition plus the noun it is associated with (as well as articles and adjectives) are called **prepositional phrases**:

> with some peanut butter
> for the time being
> under intense investigation
>
> above all else
> between you and me
> on a whim

The noun or pronoun associated with the preposition is called a **prepositional object**. Because prepositional objects are nouns, they need to be in a specific case. However, prepositional phrases aren't subjects or objects of sentences. So you can't say something like: "With some peanut butter is here" or "I would like an above all else."

Each German preposition is associated with one specific case, or 'takes' a certain case (sometimes one of two, depending on context). Any nouns associated with that preposition are automatically put in that case.

For now, we will learn six prepositions in German, all of which take the accusative case. Any noun phrase (a noun plus its articles and adjectives) associated with these prepositions is put in the accusative case.

bis	until, by (date)	*gegen*	against
durch	through; by	*ohne*	without
für	for	*um*	around; at (time)

You'll notice that some prepositions have multiple translations in English. There is not a 1-to-1 relationship between prepositions in German and English because this small set of words has to do so much work, explaining all the possible spatial, temporal and attitudinal relationships between words. *Durch* for example usually translates into English as 'through' when talking about physical space (*durch die Tür*) but it also can be translated as 'by means of':

> *Man lernt durch Fehler.*   You learn by (means of) making mistakes.

The trick here is to remember that each specific use of a preposition in English may or may not be the same as in German, so be suspicious and don't simply ask, "How do you say 'with' in German?" Why? Because English uses the preposition 'with' in dozens of ways, and those ways might use a number of different prepositions in German depending on the exact meaning or usage you're going for.

A. Meet Theo   Theo discusses his first day at the *Freie Universität Berlin*. Read the paragraph, and circle the prepositions.

Ich war spät dran[1]. Es hat geregnet. Ich bin ohne Regenschirm durch den Regen gelaufen[2]. Ich habe nicht aufgepasst[3]. Ich bin schnell um die Ecke gerannt und bin gegen ein Auto gelaufen. Für einen Moment war ich verärgert[4]. Aber es war das Auto von meiner netten Professorin!

[1] *late (for sth.)*
[2] *past tense of* laufen: *to run; to walk*
[3] *paid attention*
[4] *annoyed*

B. Practice   What do the accusative prepositions mean in the above sentences? Mark the answer that makes the most sense.

	into	without	for	through	around
1. durch	☐	☐	☐	☐	☐
2. ohne	☐	☐	☐	☐	☐
3. um	☐	☐	☐	☐	☐
4. gegen	☐	☐	☐	☐	☐
5. für	☐	☐	☐	☐	☐

C. Getting around   Theo describes getting around in Berlin in environmentally-friendly ways. Circle the accusative preposition that makes sense.

Ich bin umweltfreundlich[5].

1. Ich bin _____ das Autofahren[6].	a. für	b. gegen
2. Ich bin _____ das Fahrradfahren.	a. für	b. gegen
3. Man kann in Berlin _____ ein Auto überleben[7].	a. ohne	b. durch
4. Ich bin jetzt _____ das Fahrradfahren sportlich.	a. ohne	b. durch
5. Man fährt _____ die Baustellen[8] schneller herum.	a. gegen	b. um
6. Man muss nicht so viel _____ den Verkehr[9] kämpfen.	a. gegen	b. um

[5] *environmentally-friendly*   [6] *driving a car*   [7] *to survive*   [8] *construction sites*   [9] *traffic*

D. Berlin   Theo discusses what he likes to do in Berlin. Fill in the blanks with appropriate accusative prepositions.

Ich laufe gern _____ das große Sony Center auf dem Potsdamer Platz. Achtung!
Nicht _____ die Mauer laufen! Man sieht hier einen Teil von der Berliner Mauer.
Ich sammele oft _____ meine Mutter Blumen im Tiergarten. Das ist natürlich
verboten! Der Park ist direkt _____ die Ecke. Legoland ist auch in der Nähe.
Aber ich kann _____ einen Besuch im Legoland leben.

durch
ohne
um
gegen
für

E. Tales from Berlin   Theo talks about the things his roommates like to do in Berlin. Fill in the first blank with a preposition, and the second with an *ein*-word (*einen, eine, ein*) in the accusative case.

Example: Er protestiert **gegen ein** Bauprojekt im Tiergarten.

1. Axel schwimmt _____ _____ Badehose (f).
2. Ralf rennt dreimal _____ _____ Vorstadt (f) von Berlin.
3. Axel joggt jeden Tag einmal _____ _____ Park (m) herum.
4. Ralf arbeitet _____ _____ Ministerium (n.).

durch
ohne
um
für

3.4 Zu Hause

Culture: Running a household
Vocabulary: Yard & house work
Grammar: Verb prefixes

A. Dein Zuhause

GR 3.1a

Talk to a few people in your class and interview them about their living situations. Take good notes.

Wohnst du ....

in einer Wohnung?
in einem Einfamilienhaus?
in einem Reihenhaus?

in der (Innen-)Stadt?
in einer Wohnsiedlung?
auf dem Lande?

Welche Zimmer hast du?

Hast du....

ein Schlafzimmer?   eine Küche?
ein Badezimmer?   eine Toilette?
ein Esszimmer?   eine Essküche?
ein Wohnzimmer?   eine Garage?
ein Arbeitszimmer?

einen Flur?
einen Keller?
einen Balkon?

Welche Möbel gibt es ...

im Schlafzimmer?
im Wohnzimmer?
im Esszimmer?
in der Küche?

Schwarzwald

B. Wie ich wohne

Write a brief text describing what sort of structure you live in, which rooms you have, and what items can be found in those rooms. Look at the sentences above to help with this.

Ich wohne in einer Wohnung. Die Wohnung ist sehr klein. Ich habe eine Küche, ein Esszimmer, ein Badezimmer, einen kleinen Flur und ein Schlafzimmer. Ich habe kein Wohnzimmer. In meinem Esszimmer gibt es einen Tisch und zwei Bänke. ...

C. Wer macht das?   Place a check next to the person responsible for the tasks listed.

	ich	andere	niemand *(no one)*		ich	andere	niemand
das Essen kochen	☐	☐	☐	staubsaugen	☐	☐	☐
den Tisch decken	☐	☐	☐	Wäsche waschen	☐	☐	☐
Geschirr spülen	☐	☐	☐	einkaufen gehen	☐	☐	☐
Kaffee kochen	☐	☐	☐	putzen	☐	☐	☐
den Müll rausbringen	☐	☐	☐	aufräumen	☐	☐	☐

D. Gern oder ungern?   Pick five tasks from 3.4C and describe whether you like doing them or not.

GR 2.1b

sehr gern	nicht gern
gern	gar nicht gern
ganz gern	überhaupt nicht gern

Ich koche sehr gern Kaffee.
Ich sauge gar nicht gern Staub.

Hamburg

E. Interview   Working with a partner, ask who does each activity at home and whether the person enjoys it or not.

GR 2.1b

Göttingen

Wer kocht zu Hause das Essen?
Mein Bruder kocht das Essen.
Kocht er gern?
Ja, er kocht total gern.

F. Was macht man dort?   Answer these questions as best you can *auf Deutsch*! Then use them to interview others in your class.

GR 2.1a

1. Wo siehst du oft fern?
   Im Wohnzimmer?
   Im Schlafzimmer?

2. Wo schläfst du?
   Im Schlafzimmer?
   Manchmal auf der
   Couch?

3. Wo isst du? In der Küche?
   Im Esszimmer? Manchmal
   vor dem Fernseher?

4. In welchem Zimmer liest
   du gern?

5. Triffst du dich gern mit
   Freunden bei dir zu Hause?
   Oder lieber in der Stadt?

G. Gartenzwerge   Read this text about garden gnomes and answer the questions that follow.

Der Gartenzwerg ist ein Bewohner[1] vieler deutscher Gärten (auch Schrebergärten). Er kommt aus Thüringen und ist über 120 Jahre alt. Der Gartenzwerg ist traditionell eine Figur aus Ton[2]. Manche moderne Gartenzwerge werden aus Plastik (und in China) hergestellt[3]. Traditionelle Gartenzwerge haben einen Bart, tragen eine rote Mütze, rauchen eine Pfeife[4] oder halten eine Laterne in der Hand. Für viele Deutsche sind sie ein Symbol des Spießbürgertums[5]. Es gibt aber auch makabre, ironische oder sogar unanständige[6] Figuren von Gartenzwergen, die von Studenten gekauft und in Gärten aufgestellt werden, um ihre Eltern und Großeltern zu ärgern[7].

[1]   *inhabitant*
[2]   *clay*
[3]   *made, produced*

[4]   *pipe*
[5]   *conservative middle class*
[6]   *indecent*
[7]   *ärgern – to annoy*

1. Woher kommt der Gartenzwerg?

2. Wie alt ist der Gartenzwerg?

3. Gibt es Gartenzwerge in deiner
   Heimatstadt?

4. Hast du in deiner Heimatstadt
   typische Figuren aus Ton oder
   Plastik im Garten? Was für[8]
   Figuren?

[8]   was für – *what kind of*

H. Lange Wörter   German has a great number of compound nouns, where two or more words are put together to make a new noun. Write as many German compound nouns as you can in the box using the words provided.

die Waschmaschine, ...

Maschine	Zwerg
Bücher	Mittel
Regal	Kühl
Fach	Garten
Schlaf	Schrank
Halt	Spül
Haupt	Zimmer
Haus	Wasch

I. Hausarbeit   Combine the verbs and nouns into sentences that make sense. The nouns are direct objects in the accusative. There is one verb with a separable prefix!

GR 3.1a

die Wäsche	waschen
das Geschirr	spülen
der Tisch	decken
das Haus	putzen
der Müll	rausbringen
die Blumen	gießen

J. Besser für die Umwelt?   For each pair, check the item that you think is better for the environment. Naturally these questions can be very complicated!

die Wäsche trocknen	☐	☐	die Wäsche aufhängen
das Geschirr spülen	☐	☐	die Geschirrspülmaschine benutzen
Altpapier recyclen	☐	☐	Altpapier verbrennen
einen kleinen Kühlschrank haben	☐	☐	einen großen Kühlschrank haben

Working with a partner, describe how your family deals with the above items. Ist das gut für die Umwelt?

Wir haben einen Rasen und mähen den Rasen. Das ist vielleicht nicht gut für die Umwelt, aber wir finden unseren Rasen schön. Aber dafür recyclen wir alles!

K. Mehrgenerationenhaus In Germany, *Mehrgenerationenhäuser* bring together several generations to create a space in which people of all ages can learn from one another.

Was gibt es in einem Mehrgenerationenhaus? *Place a check in the box next to items you think might be typical in a* Mehrgenerationenhaus.

Es gibt...

- ☐ Tische und Stühle
- ☐ eine Küche
- ☐ einen Fernseher
- ☐ Bücher
- ☐ ein Schwimmbad
- ☐ Kaffee
- ☐ Computer
- ☐ Betten
- ☐ Sofas

Now read the text and answer the questions below in complete sentences.

Das *Bundesministerium für Familie, Senioren, Frauen und Jugend* organisiert 500 Mehrgenerationenhäuser in Deutschland. In diesen Mehrgenerationenhäusern treffen sich junge und alte Menschen. Diese Menschen machen verschiedene[1] Dinge zusammen: Sie spielen Spiele, unterhalten sich[2], kochen und bilden eine Gemeinschaft[3]. In vielen Mehrgenerationenhäusern gibt es Literaturprojekte wie z.B. „Oma[4] liest". Die Idee dieses Projekts ist einfach: Kinder hören gerne Geschichten und Lesen ist gut für alle Generationen. Andere Mehrgenerationenhäuser haben ein Café für Frühstück, Mittagessen und Kaffee und Kuchen. Im Café treffen sich Jugendliche[5], Alleinlebende, Eltern und Senioren und essen gemeinsam. Speziell für Senioren gibt es auch eine „Seniorenakademie" mit Computerkursen.

---

[1] *different*
[2] sich unterhalten – *to converse*
[3] *community*
[4] *grandma*
[5] *youth (teens)*

1. Wer organisiert die Mehrgenerationenhäuser in Deutschland?

2. Wer trifft sich in diesen Mehrgenerationenhäusern?

3. Was machen diese Menschen zusammen? Nenne zwei Beispiele!

4. Ist die „Seniorenakademie" auch für junge Menschen?

5. *What societal issues might have led the German government to establish* Mehrgenerationenhäuser?

L. Den Haushalt schmeißen   Federica (Göttingen, DE) explains how she shares household duties with her boyfriend. Read what she says and answer the questions that follow.

Seit vier Jahren wohne ich mit meinem Freund Sebastian in Göttingen zusammen. Wir haben eine schöne Wohnung mit drei Zimmern, einer Küche, einem Bad und einem kleinen Balkon. Bei so viel Platz[1] gibt es immer ganz viel im Haushalt zu tun! Wir haben keinen Putzplan, aber den brauchen wir auch nicht, denn wir haben unsere eigene Routine.

Sebastian spült das Geschirr und putzt die Küche, ich putze das Bad und räume im Wohnzimmer auf. Alles andere – einkaufen, staubsaugen, Fenster putzen, Wäsche waschen – machen wir gemeinsam. Beim Kochen wechseln wir uns ab[2], aber meistens kocht Basti, weil er früher von der Uni nach Hause kommt als ich. Das freut mich, denn er kann sehr gut kochen!

Ich kümmere mich meistens um[3] die Post und um finanzielle Sachen wie Miete[4] und Stromrechnungen, weil Basti da nicht so viel Lust zu hat. Aber er repariert alle Dinge im Haushalt, die kaputt gehen. Bei uns geht ziemlich viel kaputt, weil fast alle unsere Geräte alte Sachen[5] von unseren Eltern sind. Aber weil Basti und ich gern Geld sparen[6], können wir uns oft auch neue Geräte leisten[7], wenn die alten kaputt gehen.

---

1   *space*
2   abwechseln – *to trade off*
3   sich kümmern um – *to take care of*
4   *rent*
5   *things*
6   *to save*
7   *to afford*

Wer macht was?	Federica	gemeinsam	Sebastian (Basti)
kochen	☐	☐	☐
Wäsche	☐	☐	☐
Bad putzen	☐	☐	☐
einkaufen gehen	☐	☐	☐
Geschirr spülen	☐	☐	☐
staubsaugen	☐	☐	☐
Küche putzen	☐	☐	☐
Reparaturen	☐	☐	☐
Rechnungen	☐	☐	☐
aufräumen	☐	☐	☐

Was denkst du? Ist der Plan von Federica und Sebastian traditionell? Modern? Normal? Nicht normal?

M. Unser Haushalt

Describe how your house is run. Who does what? Use the phrases in Federica's text in 3.4K above to describe who does what, either at what you consider home or where you currently live if it's different. Look carefully at what Federica says to see how you can write your sentences!

Vocabulary 3.4

Nouns:			*Verbs:*	
die Blume, -n	flower		aufräumen	to clean up
das Ding, -e	thing		Blätter harken	to rake leaves
die Einfahrt, -en	driveway		die Blumen gießen	to water the flowers
der Garten, ¨-	garden; yard		brauchen	to need
die Gartenarbeit	yard work		fegen	to sweep
der Gartenzwerg, -e	garden gnome		Geschirr spülen	to wash the dishes
das Gerät, ¨-e	appliance		kochen	to cook
das Getränk, -e	drink		putzen	to clean; polish
der Kühlschrank, ¨-e	refrigerator		den Rasen mähen	to mow the lawn
der Ofen, ¨	oven		Schnee schaufeln	to shovel snow
die Rechnung, -en	bill		staubsaugen	to vacuum
der Schrebergarten, ¨-	rented garden plot		trocknen	to dry
das Spielzeug, -e	toy		Wäsche waschen	to do laundry
der Tisch, -e	table		zubereiten	to prepare
die Umwelt	environment			
das Unkraut	weed		*Other:*	
die Wäsche	laundry		verschieden	different; various
das Waschmittel, -	laundry detergent			

3.4a Separable-prefix verbs

Some verbs in German have prefixes, which are short word parts attached at the beginning of a word that modify or change the meaning of the main verb they are attached to. So for example, the prefix *un-* in English can negate or reverse the meaning of the word it is attached to: important → unimportant.

German verbs have many prefixes as well, which are separated into two groups: separable and inseparable. Separable prefixes can separate from their main verb, while inseparable prefixes cannot separate.

Let's look at some examples:

aufräumen – to clean up

Sie räumt das Zimmer auf.   She's cleaning up the room.

einschlafen – to fall asleep

Die Studierenden schlafen in der Bibliothek ein.   The students are falling asleep in the library.

Here are some common separable prefixes (that look a lot like prepositions but are not):

an-	*kommen* – to come	*ankommen* – to arrive
auf-	*räumen* – to vacate	*aufräumen* – to clean up
aus-	*sehen* – to see	*aussehen* – to appear, look like
ein -	*kaufen* - to buy	*einkaufen* - to go shopping, to shop
mit-	*arbeiten* – to work	*mitarbeiten* – to cooperate; also: assist, contribute
vor-	*gehen* – to go	*vorgehen* – to proceed, go first
weg-	*fahren* – to drive	*wegfahren* – to drive away
zurück-	*kommen* – to come	*zurückkommen* – to come back

Separable prefixes separate when conjugated in the present tense, and the prefix goes to the end of the sentence:

> *Ich komme morgen an.*
> *Wir sehen gut aus.*
> *Wir arbeiten gerne mit.*
> *Mein Hund kommt hoffentlich zurück.*

When the verb appears in the infinitive, like after *möchte*, it is written together as one word (not separated):

> *Wir möchten das Zimmer aufräumen.*
> *Sie möchte nicht zurückkommen.*
> *Er möchte gut aussehen.*

A. Meet Birgit   Birgit talks about her typical weekend. Circle the verbs and underline the separable prefixes.

Example: Ich (rufe) Freunde an.

Normalerweise gehe ich mit Freunden aus. Wir kaufen gerne ein. Manchmal schauen wir einen Film an. Abends gehen wir gerne weg. In Göttingen finden auch oft Studentenpartys statt. Dann laden wir noch mehr Freunde ein. Nach einer Party schlafe ich normalerweise spät ein und schlafe am nächsten Morgen aus.

B. Romy and Jochen   Below is a typical morning for Romy and Jochen. Fill in the blanks with the correctly conjugated separable-prefix verbs. Watch out for irregular verbs!

1. aufstehen[1]:   Romy   um 7 Uhr   .

2. ausschlafen[2]:   Jochen   jeden Tag   .

3. aufräumen: Ich   immer   , wenn ich gestresst bin!

4. zubereiten[3]:   Sie   das Frühstück   .

5. anmachen: Die Kaffeemaschine   er   .

6. anfangen[4]:   Dann   Romy und Jochen mit dem Frühstück   .

[1] here: to wake up
[2] to sleep in
[3] to prepare
[4] to start; to begin

C. At the university   Build sentences out of the words to describe Romy and Jochen's day at *Universität Göttingen*.

Example: sie (pl.) / kennenlernen[5] / neue Leute[6] → Sie lernen neue Leute kennen.

1. Romy / vortragen[7] / ein Referat[8]

2. er / aufschreiben[9] / Lösungen[10]

3. Jochen / zurückkommen / von der Uni

4. sie (sg.) / anfangen / mit den Hausaufgaben

[5] to get to know   [6] people   [7] to give (i.e. a speech)   [8] an oral presentation   [9] to write down   [10] answers

D. Your typical day   Use the separable-prefix verbs in the box to write four complete sentences that describe your typical day.

aufstehen	ausschlafen	das Frühstück zubereiten
einkaufen	ausgehen	mit den Hausaufgaben anfangen
Freunde anrufen[11]	Kleider anziehen[12]	aufräumen

[11] to call (so. on the telephone)   [12] to get dressed   [13] to write down

3.4b Inseparable-prefix verbs

In addition to separable prefix verbs, German has a good number of inseparable prefixes for verbs. As you might guess, inseparable prefixes stay with the main verb at all times. Some common inseparable prefixes for verbs are:

be-	*kommen* – to come	*bekommen* – to receive
ent-	*kommen* – to come	*entkommen* – to escape
er-	*kennen* – to know	*erkennen* – to recognize
ge-	*hören* – to hear, listen	*gehören* – to belong to
ver-	*stehen* – to stand	*verstehen* – to understand
zer-	*stören* – to disturb	*zerstören* – to destroy

When pronouncing these words, the stress never falls on inseparable prefixes. If you listen, you can tell whether a prefix is separable or inseparable depending on where the word stress falls:

ANkommen   vs.   *entKOMMen*

This list shows the communication goals and key cultural concepts presented in Unit 3 *Wohnen*. Make sure to look them over and check the knowledge and skills you have developed. The cultural information is found primarily in the Interactive, though much is developed and practiced in the print *Lernbuch* as well.

I can:

- [ ] talk about what I have and would like to have
- [ ] talk about how important my belongings are or are not
- [ ] describe what I bring to class
- [ ] use color terms
- [ ] talk about clothing and what I wear
- [ ] describe the rooms in my home
- [ ] use *nicht* and *kein* to express negation
- [ ] talk about housework

I can explain:

- [ ] German *Mensa*
- [ ] *das Studentenwohnheim*
- [ ] German dorm room vs. American dorm room
- [ ] German university design (physical)
- [ ] *der Hiwi*
- [ ] title of "Professor" in Germany vs. America
- [ ] *privat wohnen*
- [ ] *der Garten*
- [ ] *das Einfamilienhaus*
- [ ] German "*Haus*" vs. American "house"
- [ ] rooms found in German dwellings
- [ ] *Badezimmer* vs. *Toilette*
- [ ] Germany as a mobile society
- [ ] closed doors in German homes and offices
- [ ] German *Fenster* vs. American windows
- [ ] *frische Luft*
- [ ] air conditioning in Germany
- [ ] *die Zugluft*
- [ ] *frische Luft* vs. *Zugluft*
- [ ] gardening in Germany vs. America
- [ ] *Gartenzwerge*
- [ ] *die Kleingärten*
- [ ] Dr. Schreber and *Schrebergärten*
- [ ] Ernst Hauschild and urban gardens

Unit 4 Ausgehen

Feuerwurst, Ulm

Unit 4 *Ausgehen*

In Unit 4 you will learn how to talk about what you eat and drink, whether this involves going out or staying at home. You will learn about many beverages and dishes that are associated with Germany. You will learn how to express preferences about food, drink, night-life and cultural activities. You will also learn about celebrations in Germany, including a variety of different *Partys*, such as *Abipartys* and *Schlagerpartys*.

Below are the cultural, proficiency and grammatical topics and goals:

Kultur

Types of restaurants
Regional and traditional dishes
Types of beer and other beverages
Cultural figures and events

Kommunikation

Describing food or drinks
Ordering in restaurants
Describing places you go
Describing films you like or dislike

Grammatik

4.1   Modal verbs
4.2a Dative with indirect objects
4.2b Dative prepositions
4.3a Telling time
4.3b Time expressions
4.4a Predicate adjectives
4.4b Adjective endings

4.1 Restaurant

A. Assoziationen   What do you associate with the following kinds of food? Write three adjectives for each item, using words from your current and past vocabulary lists.

mexikanisch

indisch

amerikanisch

italienisch

thailändisch

B. Was passt gut zusammen?   From the following list, make pairs of foods that work well with each other in your opinion.

Eis und Schokolade passen gut zusammen.

| Kartoffeln | Salat | Schnitzel | Wurst | Wein |
| Nudeln | Schinken | Suppe | Zwiebel | Bier |

Kreuzberg Café, Berlin

C. Interview   With a partner, ask each other these questions. Be honest!

Kochst du gern?

Kochst du gut?

Bist du Vegetarier?

Wie oft kochst du?

Für wen kochst du?

Was kannst du gut kochen?

D. Restaurants Examine the four advertisements below and answer the questions about them.

Anno 1799
Duck Dich
Bier- und Weinstube
im alten Fachwerk.
Spezialität
„Steaks vom heißen Stein"
Wilhelmshöher Allee 296 · 34131 Kassel
Tel.: 05 61 / 31 28 81 · www.duckdich-kassel.de

Landhaus Meister

- Restaurant
- Terrassencafé
- Felsengarten
- Veranstaltungs- räume
- Kegelbahnen
- täglich ab 17.00 Uhr
- Sommermonate ab 14.30 Uhr
- Sonntag ab 11.30 Uhr
- Montag Ruhetag

Fuldatalstraße 140
 9 87 99 87 · Fax 9 87 99-33

China-Restaurant
GOLDENER LÖWE
Königstor 30–32 · 34117 Kassel
(hinter der Komödie im Hause City-Squash)
 05 61 / 7 39 85 68
Öffnungszeiten: 11.30–15.00, 17.30–23.30 Uhr
Mittagsbüffet Mo.–Sa. für 5,50 €
von 12.00–14.30 Uhr

RISTORANTE *Raffaello*
Erlesene Fisch-, Fleisch- und
Nudelspezialitäten
aus allen Regionen Italiens.
Auf Wunsch liefern wir Ihnen
Ihr kaltes Buffet auch nach Hause.
Feerenstraße 7 · 34121 Kassel-Wehlheiden
Telefon und Fax (05 61) 28 40 07

1. In welcher Stadt sind diese Restaurants?

2. Wo kann man italienisch essen?

3. Wo findet man eine Kegelbahn? Kegeln ist fast so wie Bowling.

4. Ich esse gern Fleisch. Wo soll ich essen gehen?

5. Es ist Montag. Wo kann man essen?

6. Ich möchte wissen, wann *Duck Dich* geöffnet hat. Wie kann ich diese Information finden?

7. Wo kann man billig essen?

8. Ich will eine Party bei mir zu Hause haben. Welche Restaurants bringen mir das Essen ins Haus?

9. *What do you think* Anno 1799 *means?*

10. *Find* Duck Dich, Landhaus Meister *or* Ristorante Raffaello *online, check out the menu and write here what dish you would like to try.*

E. Mein Lieblingsrestaurant   Read Stephanie's (Erfurt, DE) description of her favorite restaurant and answer the questions that follow.

Das Restaurant, in dem ich gerne esse, ist in Kiel. Das ist mein Lieblingsrestaurant. Das ist ganz groß und das ist in einer ehemaligen Lagerhalle[1]. Und sie haben das ausgebaut[2], viel Holz[3], viele kleine Fenster, Kamin[4], drei Etagen[5] und sehr gemütlich, ganz viele Blumen, ganz grün und sehr groß.

[1] *former warehouse*
[2] *renovated*
[3] *wood*
[4] *fireplace*
[5] *level, floor*

1. Welche Adjektive benutzt Stephanie für ihr Lieblingsrestaurant?

2. Welche Substantive oder Dinge assoziiert Stephanie mit ihrem Lieblingsrestaurant?

3. Was isst Stephanie gern?

   a. Fleisch

   b. Holz

   c. Blumen

   d. Das steht nicht im Text[6].

[6] *not in the text*

4. Was ist für Stephanie wichtig?

   a. Das Essen im Restaurant.

   b. Die Atmosphäre im Restaurant.

   c. Das Restaurant ist nicht weit weg.

F. Ein Restaurant   Fill in the blanks to create a description of a restaurant near your college or university.

Das Restaurant ist _____ , _____ und _____ . *(3 adjectives)*

Das Restaurant serviert _____ und _____ . *(2 types of food)*

Das Restaurant ist für _____ bekannt[7].

[7] *well known*

die Atmosphäre	die guten Preise	den schnellen Service
die Musik	die Weinkarte	viele Pizzasorten
die leckeren Nachtische	die vielen Vorspeisen	vegetarisches Essen
die Fischgerichte	die Nudelgerichte	die gute Bedienung

Ein Abendessen kostet so zwischen _____ und _____ Dollar.

Das Restaurant ist in der Nähe von _____ .

G. Rate mal!   Now describe your restaurant using the sentences above as a starting point. Your classmates will try to guess which restaurant you are describing.

H. Was isst du gern?   Check the boxes below and fill in answers where indicated.

GR 2.1b

1. Isst du gern...   *[check applicable]*

☐ persisch?   ☐ Fast Food?   ☐ in der Mensa?   ☐ gut bürgerlich?
☐ indisch?   ☐ Nudeln?   ☐ im Bett?   ☐ beim Italiener?
☐ japanisch?   ☐ Pizza?   ☐ vor dem Fernseher?   ☐ beim Türken?
☐ thailändisch? ☐ Gemüse?   ☐ allein?
☐ mexikanisch? ☐ Pommes frites? ☐ Frühstück?
☐ chinesisch?   ☐ Salat?   ☐ spätabends?

2. Bist du Vegetarier oder Veganer?

☐ Ja, ich bin Vegetarier(in).
☐ Nein, ich bin kein(e) Vegetarier(in).
☐ Ich esse kein Fleisch.
☐ Ich esse keine Eier[1].
☐ Ich esse keine Milchprodukte.
☐ Ich esse am liebsten Fleisch.

[1]   eggs

3. Was isst du lieber?

☐ Fleisch   oder   ☐ Gemüse?
☐ Wurst   oder   ☐ Schinken?
☐ Salat   oder   ☐ Suppe?
☐ Milcheis oder   ☐ Fruchteis?
☐ Reis   oder   ☐ Kartoffeln?

4. Wo isst du am liebsten?

☐ Im Restaurant.
☐ In der Mensa.
☐ In einem Café.
☐ Bei meinen Eltern.
☐ Bei mir zu Hause.
☐ Bei Freunden.

5. Wie heißt dein Lieblingsrestaurant?

Mein Lieblingsrestaurant heißt

Stein am Rhein, CH

Die Hauptgerichte sind teuer.

6. Wie ist dein Lieblingsrestaurant?

Die	sind	.
Die	sind	.
Die	sind	.

Getränke	lecker
Vorspeisen	billig
Salate	teuer
Hauptgerichte	gesund
Nachtische	ungesund

I. Interview   Ask a partner questions from 4.1H above. Answer in full sentences for practice!

Isst du gern persisch?   Ja, ich esse gern persisch.
                           Nein, ich esse nicht gern persisch.

J. In welche Restaurants gehst du gern?   Read the following texts and answer the questions that follow.

GR 2.1b

GR 3.2

Christian (Bad Homburg, DE): Am liebsten gehe ich in italienische Restaurants. Ab und an[1] gehe ich in Restaurants, die teurer sind, und dann ist es ganz egal[2], welches, ob es ein italienisches Restaurant ist oder ein deutsches Restaurant. Was wir gerne essen ist japanisch. Was ich nicht so gerne mag ist chinesisches oder thailändisches Essen.

Emily (Bad Homburg, DE): Also Pizza Hut, das ist bei uns in der Stadt, das mag ich total gerne. Oder wir haben auch ein Restaurant, das heißt Kartoffelküche, das ist ganz lecker dort. Manchmal fahren wir schnell zu McDonald's, wenn die Mama abends keine Zeit zum Kochen hat.

---

[1] *every now and then*
[2] egal sein – *it doesn't matter*

1. Wer isst gern
   asiatisches Essen?

2. Wer kocht gern?

3. Wer isst gern gut
   bürgerlich?

4. Wer wohnt zu Hause
   bei der Familie?

5. Wer isst gern beim
   Italiener?

6. Wer hat vielleicht ein
   Problem mit Laktose?

Sonja (Berlin, DE): Italienisch, türkisch, griechisch, chinesisch. Ich bin ziemlich[3] offen, aber ich koche auch sehr gerne. Mein Mann geht mehr essen, weil er beruflich[4] mehr unterwegs[5] ist.

Laura (Berlin, DE): Es gibt ein vietnamesisches Restaurant im Prenzlauer Berg, das heißt Vietnam Village, und ich mag das ganz gern. Es ist minimalistisch, aber trotzdem noch gemütlich. Dieses vietnamesische Essen kann ich in letzter Zeit ganz gut essen, weil sie nicht so viele Milchsachen verwenden[6]. Und sie haben auch leckere Teesorten und Currysachen.

---

[3] *fairly*
[4] *work-related*
[5] unterwegs sein – *to be traveling*
[6] *to use*

Cron & Lanz, Göttingen

Mögen vs. gern machen:
Circle all the verb forms of mögen *in the texts above, and underline
any form of* gern + *verb (including the superlative* am liebsten*).*

*Based on the interviews above, how can you say the following in German? Write the number of the sentence
here next to the place in the texts above where you find the structure/pattern you are using.*

7. *I'm very open.*

8. *My mother travels often on business.*

9. *I don't really like Mexican food.*

K. Essgewohnheiten

Write four German sentences about your eating habits. Three sentences should be true and one should be false.

Other students will try to guess which of your statements is false – see if you can fool them.

Ich frühstücke nicht.
Ich esse achtmal im Monat bei McDonald's.
Ich esse keine Pizza.
Mein Lieblingsessen ist Catfish mit Ketchup.
Ich esse gern Schnecken[1].

---
[1] *snails*

einmal in der Woche – *once a week*
zweimal im Monat – *twice a month*
dreimal am Tag – *3 times a day*

L. Ratespiel

In small groups, read your sentences from 4.1K above. The others in the group must decide together which statement is false.

Nummer 2 stimmt nicht.	*Number 2 isn't right.*
Ich glaube…	*I think…*
Nein, Nummer 2 stimmt schon.	*No, number 2 is right.*
Ich weiß es nicht.	*I don't know.*
Sagen wir Nummer 5.	*Let's go with number 5.*
Das war gelogen!	*That was a lie!*
Ätsch!	*Ha ha, fooled you!*

M. Was und wo ich gern esse

GR 3.3

GR 4.1

Write an essay about a place where you like to eat. Use the models from 4.1E, 4.1H and the interviews in 4.1J. Your instructor will be thrilled if you include modal verbs and prepositions like *für* and *ohne*.

Ich esse gern in teuren Restaurants. Ich gehe aber nie ohne meine Freunde in ein teures Restaurant. An meinem Geburtstag möchte ich bei meinem Lieblingsitaliener essen. Meine Eltern wollen aber lieber mexikanisches Essen.

Vocabulary 4.1

Nouns:

die Bedienung, -en	service; server	der Salat, -e	lettuce; salad	**chinesisch**	Chinese
das Bier, die Biersorten	beer	der Schinken, -	ham	**geschlossen**	closed
das Eis, die Eissorten	ice; ice cream	die Speisekarte, -n	menu	**gesund**	healthy
das Fleisch, die Fleischsorten	meat	die Suppe, -n	soup	**griechisch**	Greek
das Gemüse, -	vegetables	der Vegetarier, -	vegetarian	**indisch**	Indian
der Imbiss, -e	snack bar; snack	die Vorspeise, -n	appetizer	**italienisch**	Italian
die Kartoffel, -n	potato	das Wasser, -	water	**lecker**	delicious
der Nachtisch, -e	dessert	der Wein, die Weinsorten	wine	**mexikanisch**	Mexican
die Nudel, -n	noodle	die Wurst, ¨-e	sausage	**offen**	open
die Pommes frites (pl.)	French fries	die Zeit, -en	time	**scharf**	sharp; spicy
der Preis, -e	price; prize	die Zwiebel, -n	onion	**schlecht**	bad
				süß	sweet
				thailändisch	Thai
				ziemlich	fairly

Modal verbs (study chart below):

dürfen [darf]	may, to be permitted to
können [kann]	to be able to
mögen [mag]	to like
müssen [muss]	must, to have to
sollen	should
wollen [will]	to want

Verbs:

bringen	to bring
schmecken	to taste (good)
wissen [weiß]	to know (information)

4.1 Modal verbs

Modal verbs modify a main verb and alter its meaning to show things like ability, permission, obligation, desire and probability. English has them too: *can, shall, must, may, ought,* etc. The German modal verbs are:

dürfen	to be allowed to	*sollen*	should
können	can; to be able to	*wollen*	to want (to)
mögen	to like (to)	*müssen*	must; to have to

Modal verbs with an umlaut (*dürfen, können, mögen, müssen*) retain the umlaut in the plural forms, but not in the singular forms. Note that with modal verbs, the 1st and 3rd person singular are identical.

dürfen				**können**			
ich	darf	**wir**	dürfen	**ich**	kann	**wir**	können
du	darfst	**ihr**	dürft	**du**	kannst	**ihr**	könnt
er–sie–es	darf	**(S)ie**	dürfen	**er–sie–es**	kann	**(S)ie**	können
mögen				**müssen**			
ich	mag	**wir**	mögen	**ich**	muss	**wir**	müssen
du	magst	**ihr**	mögt	**du**	musst	**ihr**	müsst
er–sie–es	mag	**(S)ie**	mögen	**er–sie–es**	muss	**(S)ie**	müssen

For those modal verbs that do not have an umlaut in the infinitive (*sollen, wollen*), the conjugated forms are much more regular; *sollen* is the most regular of all modal verbs:

sollen				**wollen**			
ich	soll	**wir**	sollen	**ich**	will	**wir**	wollen
du	sollst	**ihr**	sollt	**du**	willst	**ihr**	wollt
er–sie–es	soll	**(S)ie**	sollen	**er–sie–es**	will	**(S)ie**	wollen

When using modals, other verbs go to the end of the sentence: *Ich **will** Wasser **trinken**.*

A. Shopping at Edeka   Fill in the blanks with a modal verb from the box to complete the dialog.

könnnen
mögen
sollen

Imke: _____ wir Cola kaufen? Lena trinkt keinen Alkohol.

Christoph: Stimmt. Aber _____ wir trotzdem Bier kaufen?

Imke: Na klar! Und Manfred und Jochen _____ kein Bier. Kaufen wir denn auch Wein?

Christoph: Natürlich! Dann gibt es Käse und Baguette dazu.

B. Sei höflich!   Imke and Christoph's son Paul wants to stay up late like the adults. Fill in the blanks with modal verbs from the box. Use subject endings to help you determine where each one goes.

Paul: Ich _____ bis Mitternacht[1] wach bleiben!

möchtest   darf
will   musst

Imke: Also, du _____ ein bisschen höflicher[2] fragen.

Paul: _____ ich bis Mitternacht wach bleiben[3]?

Christoph: Na klar. _____ du auch einen Freund zu Silvester[4] einladen?

Paul: Ja. Danke! Ich lade Peter ein.

[1] *midnight*
[2] *more polite(ly)*
[3] *to stay awake*
[4] *New Year's Eve*

C. Dinner   The party guests are having dinner. Read the dialog, and then mark the correct conjugations of the modal verb *mögen* for each subject.

Imke: Paul, magst du eine Wurst? Manfred und Jochen, mögen Sie auch eine?

Paul: Ja, bitte.

Manfred: Nein, danke! Ich mag Würstchen nicht so sehr. Aber Jochen mag Würstchen.

	mag	magst	mögt	mögen		mag	magst	mögt	mögen
ich	☐	☐	☐	☐	wir	☐	☐	☐	X
du	☐	☐	☐	☐	ihr	☐	☐	X	☐
er–sie–es	☐	☐	☐	☐	(S)ie	☐	☐	☐	☐

D. After the party   Use the words below to write a dialog between Imke and Christoph that takes place after the party. Write at least four sentences using different modal verbs.

das Geschirr spülen[5]   ins Bett gehen   den Müll herausbringen[6]   fernsehen

[5] *to wash the dishes*   [6] *to take out the garbage*

4.2 Trinken

A. Wie oft?   How often do you drink the following?

	nie	nicht oft	oft
Mineralwasser	☐	☐	☐
Kakao	☐	☐	☐
Milch	☐	☐	☐
Kaffee	☐	☐	☐
Tee	☐	☐	☐
Cola	☐	☐	☐
Saft	☐	☐	☐
Bier	☐	☐	☐
Rotwein	☐	☐	☐
Sekt	☐	☐	☐

Göttingen

B. Wie oft und wann?

Working with a partner, ask each other how often you each drink the beverages listed in 4.2A. Also ask your partner when he or she usually drinks them.

morgens / nachmittags / abends / am Wochenende

> Wie oft trinkst du Cola?
> Ich trinke sehr oft Cola.
> Wann?
> Morgens, nachmittags und abends. Immer!

C. Was trinkst du, wenn...?   Answer the questions in complete sentences. Look carefully at the examples for the word order. The verb needs to be the second element in the sentence, even when the first is a phrase or a clause (a group of words that acts as a single unit).

> Wenn ich lerne, **trinke** ich Kaffee.
> Auf Partys **trinke** ich Bier.
> Ich **trinke** Gatorade beim Sport.
> Ich **trinke** Tee, wenn ich im Stress bin.

1. Was trinkst du zum Frühstück?

2. Was trinkst du zum Abendessen?

3. Was trinkst du, wenn du lernst?

4. Was trinkst du, wenn du im Stress bist?

5. Was trinkst du auf Partys?

6. Was trinkst du beim Sport?

D. Interview   Work with a partner and ask the questions in 4.2C. Try to answer without looking at what you already wrote!

E. Eine Geburtstagsparty   Read through the invitation and answer the questions in full sentences.

Einladung zu meiner 30. Geburtstagsfeier!

Wo? In der Alten Ziegelei[1] in Mainz!

(Bei mir zu Hause ist nicht genug Platz!)

Wann? Nächsten Samstag, 14. Juni, ab 18 Uhr

Warum? Weil ich älter werde (und du auch!)

Was gibt es? Bier und Essen. Alkoholfreie Getränke für die Fahrer/Kinder/Hunde

Was kannst du mitbringen? Wein, Sekt und alles, was dein Kopf erträgt[2]!

Was darfst du noch mitbringen? Hunde, Kinder, Partner! Keine Eltern… die sind zu alt!

Geschenke? Keine!

Spenden[3]? Immer willkommen!

Fragen? Ruf mich einfach an!

[1] *brickyard*
[2] *ertragen – to tolerate, bear*
[3] *donations*

1. Warum gibt es eine Party?

2. Ist die Feier an einem Wochentag oder am Wochenende?

3. Wen darf man mitbringen?

4. Was gibt es auf der Feier zu trinken?

5. Was sollen die Gäste zum Trinken mitbringen?

6. Was soll man machen, wenn man Fragen hat?

Just for fun, look up where the birthday party takes place
(try using „Alte Ziegelei Mainz" in a search engine).

F. Leitungswasser

Martin (Göttingen, DE) has typical reservations about tap water in Germany, even though it is usually of very high quality. Answer the questions that follow.

Frage: Was halten Sie von Leitungswasser?

Martin: Also, ich trinke es eigentlich nicht. Ich kaufe immer so „Volvic" oder auch Sprudelwasser[1]. Aber es gibt viele Leute, die es trinken, aber ich halte nicht so viel davon[2]. Weil man auch nicht weiß, wie gut die Leitungen[3] sind und wie gut das Wasser ist, was nun wirklich bei einem ankommt. Also, wenn die es beim Wasserwerk testen, dann ist es so eine Sache[4]. Man weiß nicht, was zu Hause dann wirklich ankommt.

---

[1] *sparkling mineral water*
[2] viel von etwas halten – *to think highly of something*
[3] *pipes*
[4] Das ist so eine Sache – *That's one thing*

1. Trinkt Martin Leitungswasser?

2. Was trinkt Martin, wenn er kein Leitungswasser trinkt?

3. Was meint Martin: Trinken viele Menschen Leitungswasser oder nicht?

4. Warum trinkt er kein Leitungswasser?

☐ Er denkt, dass das Wasserwerk das Wasser nicht testet.

☐ Er weiß nicht, wie gut das Leitungswasser zu Hause ist.

☐ Das Wasser schmeckt nicht gut.

G. Trinkwasser

Discuss what students on your campus do for water consumption. Take a look at the questions to get started.

Trinken die meisten Studenten Wasser aus einem Trinkbrunnen[5]?

Wann trinkst du Leitungswasser?

Hast du wiederbenutzbare[6] Wasserflaschen (z.B. von Klean Kanteen)? Wie viele?

Wann trinkst du Mineralwasser?

Trinkst du genug Wasser am Tag?

Trinkst du Wasser mit Geschmack[7]?

Wie schmeckt das Wasser bei dir zu Hause?

---

[5] *drinking fountain*
[6] *reusable*
[7] Wasser mit Geschmack - *flavored water*

Heurige, Wien, AT

H. Wann isst du?   Write the times you normally have the following meals.

	unter der Woche	am Wochenende
Frühstück		
Mittagessen		
Abendessen		

I. Interview   Ask several students when they eat various meals.

Wann frühstückst du am Wochenende?
Wann isst du unter der Woche zu Mittag?
Wann isst du am Wochenende Abendessen?

J. Trinken: was und wann?   Write six sentences involving beverages, using a different modal verb for each (*müssen, dürfen, sollen, wollen, können*).

GR 4.1

Im Sommer soll man viel Wasser trinken.

Man darf im Deutschunterricht keinen Schnaps trinken.

K. Was passt am besten?   Select pairs of words from the blue box below that you think fit well together. Note briefly in German why you put them together.

Apfelsaft	Obstsaft
Champagner	Wein
Kaffee	Sekt
Limonade	Tee
Milch	Bier
Mineralwasser	Zitrone

Sie schmecken gut zusammen.
Sie passen gut zusammen.
Das ist eine normale Kombination.
Das ist meine eigene Kreation.

L. Almdudler   Katrin (Wien, AT) was asked: *Was vermissen Sie im Ausland am meisten?* Let's look at what she has to say about an Austrian beverage. Read the text and answer the questions that follow.

Den Almdudler. Das ist ein Getränk. Den gibt es nirgend[1]. Das ist aber was ganz typisch Österreichisches. Almdudler ist so eine Kräuterlimonade[2]. Das gibt es, glaube ich, wirklich nur bei uns. In Amerika, das Mountain Dew ist so ähnlich, glaube ich. Aber Almdudler ist ganz eigen[3].

[1]   *nowhere*
[2]   Kräuter – *herbs*
[3]   *unique*

1. Wie beschreibt Katrin den Almdudler?

2. Was glaubst du: Ist der Almdudler ein süßes oder saures Getränk?

3. Denkst du, dass der Almdudler Alkohol enthält[4]?

4. Schmeckt dir Mountain Dew?

[4]   enthalten – *to contain*

The official Almdudler *website states:* „Almdudler gilt als österreichisches Premiumprodukt und ist das Nationalgetränk der Österreicher."

5. Was ist das Nationalgetränk in deinem Land?

M. Getränke in Deutschland   From the beverages listed, choose one which you think you would enjoy and one you would not want to try. Explain your choices in German. Some you will need to look up online.

Alsterwasser	Sturm
Almdudler	Berliner Weiße
Apfelschorle	Eiswein

N. Was trinke ich?

Working with a partner, discuss your preferences for choosing between two options on offer. Then have your partner explain briefly why they chose as they did.

Kakao	Tee
Milch	Cola
Mineralwasser	Cola Light
Leitungswasser	Fanta
Kaffee	Cappuccino
Hellbier	Dunkelbier
Weizenbier	Sekt
Rotwein	Weißwein
Whiskey	Rum

Kate: Was trinkst du lieber, Bier oder Mineralwasser?
Jake: Ich trinke lieber Mineralwasser.
Kate: Warum?
Jake: Ich trinke keinen Alkohol.

Conner: Was trinkst du lieber, Coke oder Pepsi?
Melinda: Ich trinke beide nicht gern.

O. Das will ich aber nicht trinken!

In groups of three, choose from the following scenarios and situations and create a skit involving beverages. Include each of the steps listed. Be as creative as possible!

Scenarios:

GR 4.1

- *at a small restaurant* (in einem kleinen Restaurant)
- *at the* Oktoberfest *in Munich* (auf dem Oktoberfest in München)
- *in a local bar* (in einer Kneipe)
- *on an airplane* (in einem Flugzeug)

Situations:

- *important announcement*
- *personal argument*
- *disagreement about the beverage*
- *annoying waiter or flight attendant*

Steps:

- *greetings*
- *discussion of drink choices*
- *ordering beverage*
- *complaining about or praising the beverage*
- *paying for beverage*

Guten Tag!

Bitte sehr.

Ich möchte (+Akk.)…

Ich hätte gern (+Akk.)…

Wie viel kostet das?

Das ist aber teuer.

Wie sind die Getränke?

Das schmeckt nach Wasser…

Zahlen, bitte!

Auf Wiedersehen!

Vocabulary 4.2

Nouns:

das Abendessen, -	dinner, supper	der Sekt, -e	sparkling wine
das Altbier, -e	dark beer	der Tee, -s, die Teesorten	tea
der Apfelsaft, ˉ-e	apple juice	die Torte, -n	fancy cake with icing; pie
das Frühstück, -e	breakfast	der Weißwein, -e	white wine
das Gasthaus, ˉ-er	inn; restaurant	das Weizenbier, -e	wheat beer
das Gericht, -e	dish (food); courthouse	die Zitrone, -n	lemon
der Kaffee, die Kaffeesorten	coffee	der Zucker	sugar
der Kuchen, -	cake		
die Limo, -s	soft drink	*Verbs:*	
die Milch	milk	anrufen	to call by phone
der Obstsaft, ˉ-e	fruit juice	beschreiben	to describe
das Pils	Pilsener	denken	to think
der Platz, ˉ-e	space; square	feiern	to celebrate
der Rotwein, -e	red wine	glauben	to believe
der Schnaps, ˉ-e	liquor distilled from fruit	*Other:*	
die Schorle, -n	mineral water with fruit juice or wine	ähnlich	similar
		genug	enough

4.2a Dative with indirect objects

The dative case is used in German to indicate who is receiving something or benefiting from an action.

> *Die Studierenden geben dem Dozenten die Aufgabe.*

Die Studierenden is the subject of this sentence, and it is in the nominative case. *Die Aufgabe* is the direct object, the thing being given, and it is in the accusative case. *Dem Dozenten* is the recipient (indirect object).

Here are the dative forms of the definite and indefinite articles:

dem Mann	*der Frau*	*dem Kind*	*den Menschen*
einem Mann	*einer Frau*	*einem Kind*	*keinen Menschen*

A. Professional conduct   How should people act in their respective professions? Fill in the blanks with the best noun in the dative case. Use the singular case and *ein*-words (*einem, einer, einem*).

Example: Der Kunde soll **einem Buchhalter** vertrauen können.

1. Ein Arzt soll _____ die Wahrheit sagen.

2. Ein Direktor soll _____ seine Lohntüte[1] geben.

3. Ein Verkäufer soll _____ das Wechselgeld[2] zurückgeben.

4. Ein Gericht soll _____ schmecken.

ein Arbeiter
~~ein Buchhalter~~
ein Koch
eine Kundin
eine Patientin

[1] *paycheck*   [2] *change (money)*

B. Dative plural nouns   The plural forms of nouns oftentimes add –n in the dative case. Change the following plural nouns from the nominative case to the dative case.   *Example:* die Köche → **den** Köche**n**

1. die Ärzte _____

2. die Arbeiter _____

3. die Männer _____

4. die Rechtsanwälte _____

C. At the university   Write about what the people below do at a university. Use at least one plural noun and both *der-* and *ein*-words in the dative case. Feel free to use the verbs in the box.

der Professor, -en	die Studentin, -innen
Noten[7] geben	Hausaufgaben aufgeben

4.2b Dative prepositions

You have already looked at some prepositions that require the accusative case, such as *für, gegen,* and *ohne*. There are eight prepositions in German that take the dative case. Any noun phrase connected with one of these prepositions needs to have dative case endings.

aus	out of	*Sie geht schnell aus dem Zimmer.*
außer	besides	*Außer Bier und Wein gibt es auch Cola.*
bei	at; next to; with	*Wir essen heute bei meinen Eltern.*
mit	with	*Ich möchte ein Haus mit einer Garage.*
nach	after; to	*Nach dem Deutschunterricht gehe ich nach Hause.*
seit	for (time)	*Ich lerne seit 2 Jahren Deutsch.*
von	from; of	*Das ist das Auto von meinem Mitbewohner.*
zu	to; for	*Zum (= zu + dem) Frühstück trinke ich Kaffee.*

D. Meet Chefket   Learn about Chefket, a hip-hop artist from Berlin. Circle the dative prepositions in the biography below (*aus, außer, bei, mit, nach, seit, von, zu*).

Chefket kommt ursprünglich[1] aus Heidenheim. Er ist ein Rapper mit Migrationshintergrund[2]. Seine Eltern sind aus der Türkei nach Deutschland gekommen. Er ist später von Heidenheim weggezogen[3] und wohnt seit 2006 in Berlin. Er nimmt seine Songs bei der Musikfirma „Edit" auf. Chefket geht auch oft zu Jugendvereinen[4] und rappt dort. Außer neuen Rapsongs singt er auch gern klassische Gedichte.

[1] *originally*
[2] *immigration background*
[3] *moved away*
[4] *youth clubs*

E. Dative preposition practice   What do the dative prepositions in Exercise D mean? Mark (X) the answer that makes the most sense.

	since	from	to	with		besides	from	to	at
1. aus	☐	☐	☐	☐	5. von	☐	☐	☐	☐
2. mit	☐	☐	☐	☐	6. bei	☐	☐	☐	☐
3. nach	☐	☐	☐	☐	7. zu	☐	☐	☐	☐
4. seit	☐	☐	☐	☐	8. außer	☐	☐	☐	☐

F. Song lyrics   Complete the song lyrics with the most appropriate dative prepositions from the pairs given.

Example: (**aus / mit**) → „Andererseits bin ich der Sänger **mit** Soul."

1. „Vielleicht lerne ich _____ meinen Fehlern[5] auch diesmal nicht." (**aus / mit**)

2. „Ich brauchte noch Connection und ein Ticket _____ Berlin." (**nach / bei**)

3. „Mein Herz fand _____ dir nur das Glück." (**nach / bei**)

4. „O komm doch, komm _____ mir." (**von / zu**)

5. „Dann singe ich ein Lied für dich _____ 99 Luftballons." (**von / zu**)

[5] *mistakes*

G. Chefket on tour   Chefket's manager talks about his tour. Fill in the blanks with the best dative preposition.

Chefket ist _____ einem Monat in den USA. Zuerst war er _____ einer Musikfirma in New York. Dann fuhr er _____ einer Freundin _____ Middlebury. Da bot er Workshops an.

bei	mit
nach	seit

Dann fuhr Chefket _____ Vermont _____ einer Sommerschule in Rhode Island. _____ Work-shops hielt er auch ein Konzert. Die vielen Studierenden _____ verschiedenen US-Staaten hatten viel Spaß.

aus	außer
von	zu

143

4.3 Stadtkalender

Culture: Cultural events
Vocabulary: Time terms / going out
Grammar: Telling time / time expressions

A. Nächste Woche

Write one activity you plan to do each day next week. Simply use the present tense and start each sentence with the appropriate day, followed by the verb.

Am Montag gehe ich ins Kino.

GR 4.3b

Mo

Di

Mi

Do

Fr

B. Und du?

Exchange information from activity 4.3A with a partner and take notes.

Was machst du nächsten Montag?

C. Das hab' ich vor!

Answer the questions about your weekend plans, noting two activities for each. No repeating activities!

GR 4.1

Was willst du machen?

Was musst du machen?

Was sollst du machen?

D. Wie sieht das Wochenende aus?

Exchange information from activity 4.3C with a partner, taking notes.

E. Das Wochenende   Read these interviews and answer the questions below. Don't look up all the words you don't know. Try to get the gist of each interview, then look up only one or two words for each interview.

GR 3.3

GR 4.2b

Claudia (Göttingen, DE): Meistens bin ich hier in Göttingen. Also ich fahre nicht so oft nach Hamburg nach Hause. Und wenn meine Freundinnen auch hier sind, dann machen wir mal abends was, wir gehen tanzen oder kochen oder machen irgendwelche Ausflüge[1]. Und ansonsten muss ich eigentlich auch immer noch was für die Uni machen, weil ich das während der Woche immer nicht so schaffe.

[1] *excursions*

Subash (Kassel, DE): Das Wochenende – es ist unterschiedlich. Ich gehe ins Kino oder besuche Freunde oder koche für Freunde. Ich koche gern, weil das mein Beruf ist, der zweite Beruf. Ich gehe ins Theater oder einfach mal spazieren.

Nici (Braunschweig, DE): Ich verbringe meine Wochenenden meistens mit Lernen, besonders in der Prüfungszeit. Aber ansonsten nutze ich das halt, um meine Hobbys auszuüben, zum Beispiel Tauchen. Oder ich schlafe aus und gehe abends halt mit Freunden gerne weg oder auch mal essen.

Marinko (Kroatien): Am Wochenende sind wir manchmal mit Fahrrädern unterwegs mit der ganzen Familie oder manchmal gehen wir schwimmen oder wir gehen einfach spazieren.

1. Wer muss oft lernen?

2. Wer kocht gern?

3. Wer geht gern ins Kino?

4. Wer trifft sich mit Freunden?

5. Wer fährt nach Hause, um die Eltern zu besuchen?

6. Wer ist Student?

7. *Germans use so-called 'flavor words' when they speak informally. Underline the following words in the texts:*

> **mal** - *literally a short form of* einmal *('once'); it doesn't really mean anything but gives an informal feel to the sentence.*

> **halt** - *Another word that doesn't really mean anything, rather like 'you know' or similar filler word in conversational English.*

> **was** - *short for* **etwas** *('something'). Not to be confused with the question word* was *('what').*

8. *You are learning about different prepositions in German, such as* in *and* mit. *Circle all the prepositions you can find in the texts above. Do any of them show case endings?*

F. Ein typisches Wochenende

Write five sentences about your typical weekend in the box provided. Below are some time expressions and phrases that you may wish to use.

GR 1.4

GR 4.3b

Time	*Activity*
freitags	lange schlafen
samstags	etwas für die Uni machen
sonntags	mit Freunden ausgehen
immer	auf eine Party gehen
oft	ins Kino gehen
manchmal	in die Kirche gehen
nie / normalerweise	zu meinen Eltern fahren
von 10.00 Uhr	meinen Freund/meine Freundin besuchen
von 11.00 bis 14.00 Uhr	shoppen/einkaufen gehen

1. *Start your sentences with any time expressions indicating the day.*

2. *Then comes the verb – check your verb ending!*

3. *Put your subject* (ich) *here, immediately after the verb.*

4. *Next put any other expressions such as time of day, frequency, etc.*

5. *Finally put prepositional phrases indicating location as well as any direct objects.*

Freitags gehe ich immer auf eine Party.
Samstags schlafe ich lange.
Sonntags fahre ich oft zu meinen Eltern.

Landshut

G. Wie ist dein typisches Wochenende?

Work with a partner and tell him or her about your typical weekend as described in activity 4.3F. Help each other check that your words are in the correct order as per the models above.

H. Was verbindest du mit... Write three associations (adjectives, short phrases) you have with each term mentioned (*auf Deutsch natürlich!*).

Kino

Theater

Oper

Ballett

Disko

Stadion

Innsbruck, AT

I. Mit wem? Write questions to get the information for each verb and then write your own answers to the questions.

GR 4.2b

mit meiner Mutter / mit meinem Bruder Jason / mit meinem Hund / allein

	Frage	Anworten
frühstücken	Mit wem frühstückst du?	Ich frühstücke mit …
zu Abend essen		
ins Kino gehen		
abends relaxen		
lernen		
weggehen		
trainieren		
über Gott und die Welt reden[1]		
zu Mittag essen		
Filme sehen		

---
[1] to talk about anything & everything

J. Austausch Working with a partner, ask and answer the questions you wrote in 4.3I.

frühstücken: Mit wem frühstückst du?

K. Wilhelm von Shakespeare?   Read the following text about August Wilhelm Schlegel and answer the questions that follow.

Oper Leipzig

„Sein oder Nichtsein, das ist hier die Frage." Dieser Satz stammt natürlich aus Shakespeares *Hamlet*. Aber für die Deutschen ist es auch ein Satz von August Wilhelm Schlegel (1767-1845). Dieser deutsche Schriftsteller[1], Dichter[2] und Kritiker hat die Werke von Shakespeare ins Deutsche übersetzt. Schüler an deutschen Schulen und Studierende an deutschen Universitäten lesen Shakespeare im Original, aber auch in der Übersetzung[3] von A. W. Schlegel. Und wenn man in einem deutschen Theater ein Stück von Shakespeare auf Deutsch sieht, z.B. *Romeo und Julia* oder *Ein Sommernachtstraum*, dann hört man nicht nur Shakespeare, sondern auch[4] A. W. Schlegel.

[1] *writer*
[2] *poet*
[3] *translation*
[4] nicht nur ... sondern auch - *not only ... but also*

Richtig oder falsch? *Mark each statement as true or false. Correct the false ones to make them true.*

richtig	falsch	
☐	☐	A.W. Schlegel war ein deutscher Schriftsteller.
☐	☐	Deutsche Schulkinder lesen Shakespeare auf Englisch.
☐	☐	A.W. Schlegel schrieb *Ein Sommernachtstraum*.
☐	☐	A.W. Schlegel sprach Englisch.
☐	☐	Deutsche Theater spielen Shakespeare nur im Original.
☐	☐	A.W. Schlegel kritisierte Shakespeares Werke oft.

L. Hamlet auf Deutsch   Look at the opening to *Hamlet's* famous monologue in English and German (translated by A.W. Schlegel) and answer the questions below.

To be or not to be, that is the question:
Whether 'tis nobler in the mind to suffer
The slings and arrows of outrageous fortune,
Or to take arms against a sea of troubles,
And by opposing, end them? To die: to sleep

Sein oder Nichtsein; das ist hier die Frage:
Obs edler im Gemüt, die Pfeil und Schleudern
Des wütenden Geschicks erdulden oder,
Sich waffnend gegen eine See von Plagen,
Durch Widerstand sie enden? Sterben – schlafen –

The famous line "To be..." can be translated in German either as „Sein oder nicht sein" or „Sein oder Nichtsein." What is the difference grammatically? What do you think the difference in meaning/sense might be?

Shakespeare used a meter called 'iambic pentameter', in which a line of poetry consists of five iambs (an unstressed syllable followed by a stressed syllable). Look at the lines above and see if you can assign the stress to the syllables, using what you know of German and English pronunciation. Note: if you look up „Hamlet Monolog" or „Sein oder Nichtsein" on YouTube or a similar site, you can hear Germans reading this passage.

M. Stephanies Wochenende

In the left-hand column, fill in *auf Deutsch* what Stephanie (Dresden, DE) normally does on the weekend. In the right-hand column, fill in what you normally do on the weekend, again *auf Deutsch*.

Also, manchmal fahre ich zu meinem Freund nach Kiel oder er kommt zu mir. Und ansonsten schlafe ich lange. Ich sage aber nicht wie lange, weil es peinlich[1] ist. Und tagsüber[2] gehe ich einkaufen und abends gehe ich mit Freunden weg. Und nachmittags mache ich meistens was für die Uni.

---

[1] *embarrassing*
[2] *during the day*

	Stephanie	du
morgens		
vormittags		
nachmittags		
abends		

N. Meine Veranstaltung

Prepare a 1-minute presentation on an event you would like to see. Describe it in your best German and support it with a few images. Your instructor will tell you what format the presentation should be in (e.g., printed on paper, webpage, Power Point). Make it simple and clear since you will be presenting it to your group or class. Your presentation should tell the listeners something about your unique interests.

Ideas: Konzert
Film
Oper
Ballett
Theater
große Party

Film: Am Freitag läuft im Kino ein alter Hitchcock-Film: „*Der unsichtbare Dritte*". Auf Englisch heißt er „North by Northwest" (1959). Der Film ist einer der beliebtesten Filme von Alfred Hitchcock mit Cary Grant und Eva Marie Saint. Der Film handelt von einem Fall verwechselter Identitäten. Grant spielt Roger Thornhill. Gangster glauben, dass Thornhill George Kaplan ist und wollen ihn ermorden. Aber Thornhill ist nicht Kaplan! Der Film spielt in ganz Amerika und endet mit einer dramatischen Szene bei Mount Rushmore.

Vocabulary 4.3

Nouns:

der Beruf, -e	profession	einkaufen	to shop
der Gottesdienst, -e	church service	nutzen	to use
das Jahr, -e	year	schaffen	to accomplish; manage
der Kalender, -	calendar	spazieren gehen	to take a walk
die Kirche, -n	church	tanzen	to dance
der Monat, -e	month	tauchen	to dive
der Satz, ¨-e	sentence	trinken	to drink
das Stadion, die Stadien	stadium	übersetzen	to translate
das Stück, -e	piece	verbringen	to spend (time)
die Stunde, -n	hour	weggehen	to go out
die Uhr, -en	clock; watch		
die Woche, -n	week	**Other:**	
das Wochenende, -n	weekend	abends	in the evening
		ansonsten	otherwise
Verbs:		morgens	in the morning
		nachmittags	in the afternoon
ausschlafen [schläft aus]	to sleep in late	vormittags	in the late morning
besuchen	to visit		

4.3a Telling time

There are two basic ways to tell time in German, one in normal conversation and one for events, public transportation schedules and other more formal situations.

Official time:

For official events like train schedules, movie times, meetings, etc. most Germans use the 24-hour clock.

The morning hours are what you might expect: 1.00 = 1 AM, 5.00 = 5 AM

After noon (12.00) you can calculate the PM time by subtracting 12 from the number in front of the period.

> 15.00 = 15-12 = 3:00 PM

When saying official time in German, say the number for the hour, then *Uhr*, then the minutes:

> 17.54 = *siebzehn Uhr vierundfünfzig*   3.30 = *drei Uhr dreißig*

Conversational time:

Conversational time uses the numbers 0-12 only. When saying full hours, just say the number and then *Uhr*:

> 7.00   *Es ist sieben Uhr.*

The one exception is *ein Uhr* for 1.00 (not *eins Uhr*). You can also leave out the *Uhr* and say the time without it:

> 8.00   *Es ist acht.*

In this situation, for 1.00 you say *Es ist eins*.

Use *Uhr* only for full hours, not if any kind of minutes are indicated.

In conversation, you can add *morgens*, *nachmittags* or *abends* to clarify morning or afternoon.

> 7:00 PM   *sieben Uhr abends*

For time before and after the hour, use *vor* (before) and *nach* (after):

> 1.10   *Es ist zehn nach eins.*   3.50   *Es ist zehn vor vier.*

You can also use *Viertel* (quarter) for 15 minutes or *halb* for 30 minutes before the NEXT hour (this can be unintuitive for the native English speaker, who is used to saying it is half past the previous hour):

2.45   *Es ist Viertel vor drei.*   4.30   *Es ist halb fünf.*

To say at what time something is, use the preposition *um* with the time:

Der Film beginnt um 7.00 abends.   *Der Kurs beginnt um 8.30 morgens.*

To say how long something lasts, use the prepositions *von … bis.*

Der Film läuft von 22.00 bis 23.45.

Summary:

Time	Conversational	24-hour clock
9.00	*neun Uhr*	*9 Uhr*
9.05	*fünf nach neun*	*9 Uhr 5*
9.15	*Viertel nach neun*	*9 Uhr 15*
9.30	*halb zehn*	*9 Uhr 30*
15.45	*Viertel vor vier*	*15 Uhr 45*
15.50	*zehn vor vier*	*15 Uhr 50*
20.10	*zehn nach acht*	*20 Uhr 10*
20.30	*halb neun*	*20 Uhr 30*
24.00/0.00	*Mitternacht*	*24 Uhr oder 0 Uhr*

A. Time expressions   Fill in the blanks with the correct 12-hour clock time expression. Choose from the box.

Example: 5:30 → halb sechs   halb vier   Viertel nach sechs   zehn Uhr   Viertel vor zehn

1. ____   3. ____

2. ____   4. ____

B. Katrin's day   Use the clock to fill in the sentence with the 12-hour clock time that makes most sense. Write out the times, not the numbers, as in Exercise A.

1.   Katrin steht jeden Morgen um _____ auf.

2.   Normalerweise isst sie um _____ Mittagessen.

3.   Sie trinkt manchmal nachmittags um _____ einen Kaffee.

4.   Katrin geht später um _____ nach Hause.

C. Your schedule   Write 4 sentences describing when you do certain activities throughout the day, using the suggestions.

aufstehen   frühstücken   zur Uni gehen   zu Mittag essen   zu Abend essen   ins Bett gehen

4.3b Time expressions

Time expressions help us clarify how often, when, until when or for how long we do something. For now, we will focus on adverbial time expressions. Here is a list of frequently used time expressions:

abends	in the evening	*heute*	today
bald	soon	*jetzt*	now
damals	back then	*mittags*	midday
danach	after that	*morgen*	tomorrow
dann	then	*morgens*	in the morning
einmal	once	*nie*	never
früher	earlier; back then	*oft*	often
gestern	yesterday	*zuerst*	first(ly)

Oftentimes, the time expression is at the beginning of the sentence, as it is an important point of reference, and therefore receives special emphasis:

Gestern bin ich nicht zur Uni gegangen.   *Heute gehe ich mal wieder.*

There are also time expressions that are formed with a determiner and an accusative object:

jeden Tag	every day	*letztes Jahr*	last year
jede Minute	every minute	*nächste Woche*	next week
jedes Mal	every time	*letzten Monat*	last month

As you can see, there is a basic form of *jed-*, *letzt-* and *nächst-*; you will have to add an *–e*, *–en* or *–es* according to the gender of the noun. Such time expressions that are 'floating' in a sentence without a preposition are in the accusative case.

D. Home for the weekend   Anja talks about her weekend activities. Fill in the blanks with the best time expression available.

1. Ich schlafe _____ aus.
2. Ich esse _____ Brunch mit meiner Mutter.
3. Ich mache vor dem Abendessen _____ ein Schläfchen.
4. _____ gehe ich mit meiner Schwester in eine Kneipe.
5. _____ gehe ich endlich ins Bett.

vormittags
nachmittags
abends
danach
morgens

E. Anja's mother   Anja is interviewing her mother for a class project. Fill in the blanks with the correct time expression.

Example: **danach / bald** → Ich gehe **bald** in die Rente[1]. **Danach** werde ich viel reisen.

1. _____ war ich Studentin und _____ arbeite ich. (**jetzt / früher**)
2. Was ich _____ schaffen kann, das verschiebe[2] ich nicht auf _____ . (**heute / morgen**)
3. Ich denke _____ an meine Kindheit. _____ war das eine schöne Zeit. (**damals / oft**)
4. Ich möchte _____ viel reisen. Ich habe aber _____ Zeit dafür. (**immer / nie**)
5. Ich habe _____ für ein Reisebüro gearbeitet. Aber ich habe _____ Urlaub bekommen!
   (**niemals / einmal**)

   [1] to go into retirement   [2] to put off

F. A funny story   Anja's mother is telling about an event that happened to her last week. Fill in the blank in each sentence with the appropriate time expression.   nächst-   jed-   letzt-

Fast _____ Tag arbeite ich im Garten. Wir haben zehn Gartenzwerge im Garten. Als ich jünger war,

habe ich _____ Jahr einen Zwerg gekauft. Aber _____ Woche konnte ich nur noch neun

Zwerge finden. Jemand hat einen Zwerg geklaut[3]! Am _____ Morgen war der Zwerg aber wieder da!

[3] to steal

Fassadenmalerei   Stein am Rhein, Schweiz

4.4 Partys

A. Mein Geburtstag Answer the following questions *auf Deutsch* describing your typical birthday celebration.

Feierst du deinen Geburtstag normalerweise mit einer großen, einer kleinen oder gar keiner Party?

Wen lädst du ein?

Was machst du an deinem Geburtstag?

Was isst du gern an deinem Geburtstag?

Welche Geschenke möchtest du dieses Jahr bekommen?

Wann und wie lange feierst du? Mit wem?

B. Wie feierst du deinen Geburtstag?

Work with a partner and find out about *Mein Geburtstag* above by asking questions and noting the answers here.

C. Wie feiert man

Working with a new partner, explain how the person you worked with in 4.4B celebrates birthdays. You (should)have notes to work with; make sure to change the verb ending so that it refers to another person.

Anna hat eine kleine Party. Sie lädt Freunde, ihre Eltern und Geschwister ein.

Heidelberg

154

D. Was braucht man? Pick one party theme and then do a bit of planning. List some things *auf Deutsch* you would like for your next party!

Partymotto: Geburtstag, Oktoberfestparty, Halloweenparty, Silvesterfeier…

Partymotto

Partymusik

Partydekorationen

zum Essen

zum Trinken

Gäste

E. Was ich brauche Based on your list in 4.4D, make a short list of things you absolutely need. Remember that these are direct objects and will need to be in the accusative case. Throw some adjectives and numbers in there to spice it up.

GR 3.1a

GR 4.4b

Ich brauche meinen iPod mit Musik.

Ich brauche viele Flaschen Cola und Sekt.

F. Feste Which kind of *Fest* would you rather go to among those listed below? Describe why in three German sentences.

Spargelfest
Grillfest
Bierfest
Weinfest
Knoblauchfest
Schützenfest

G. Zum Geburtstag viel Glück! Read the following texts, which are responses to *Wie feierst du deinen Geburtstag?*, and answer the questions that follow.

Elke (Seesen, DE): Meinen Geburtstag feiere ich, wenn es geht, bei meiner Familie. Dann bekomme ich mal einen Geburtstagskuchen und die Geschenke. Früher kamen die Verwandten, und jetzt feiere ich halt mehr mit Freunden. Aber eigentlich ist Geburtstag auch gar nicht so wichtig. Es ist halt ein bisschen wie Silvester[1], weil man den auch immer feiern muss. Und das finde ich nicht immer so gut.

Tanja (Baden-Baden, DE): Meistens bin ich zu Hause. Schön ausschlafen, nachmittags gibt's Kaffee und Kuchen, die Geschenke. Und abends vielleicht ein schönes Essen. Oder man geht aus zum Essen. Und wenn man nach Hause kommt, vielleicht noch eine Flasche Sekt aufmachen. Ja, es ist ganz gemütlich und ruhig. Und wenn Freunde vorbeikommen wollen, ist es so Tag der offenen Tür[2].

[1] New Year's Eve (St. Sylvester's feast day)
[2] lit., "day of the open door" (i.e. open house)

Stephanie (Erfurt, DE): Geburtstag ist sehr wichtig für mich. Also ich mag Geburtstage. Ich will dann immer im Mittelpunkt stehen[3]. Normalerweise, wenn ich weg von zu Hause bin, rufen meine Eltern an. Und dann feiere ich mit Freunden. Ich mache immer eine große Party, meistens bei mir zu Hause.

Lexi (Heidelberg, DE): Geburtstag ist für mich immer etwas ganz Besonderes. Ich möchte gern bei meiner Familie sein an meinem Geburtstag und ich bin wirklich traurig, wenn ich das nicht kann. Ich muss wirklich mit meiner Familie sein und ganz traditionell am Morgen Geschenke auspacken[4] und Kerzen ausblasen[5] und die ganze Familie gratuliert und der Rest des Tages ist verschieden.

[3] to be the center of attention
[4] to unwrap
[5] to blow out candles

	Elke	Tanja	Stephanie	Lexi
1. Wer feiert gern mit der Familie?	☐	☐	☐	☐
2. Wer will immer eine Party schmeißen?	☐	☐	☐	☐
3. Wer findet Geburtstage nicht so wichtig?	☐	☐	☐	☐
4. Wer feiert zu Hause?	☐	☐	☐	☐
5. Wer schläft gern aus?	☐	☐	☐	☐
6. Wer hat Eltern, die immer am Geburtstag anrufen?	☐	☐	☐	☐

7. *Which one of these people celebrates her birthday most like you do? What is similar or dissimilar?* Schreibe drei Sätze auf Deutsch!

H. Eine gute Party

GR 4.4b

Was gehört zu einer guten Party? Make a list of things that contribute to a good party, being sure to use and include adjectives.

gute / laute Musik
viele / nicht zu viele Menschen

I. Feierst du gern?

GR 2.1b

GR 4.1

Not everyone is a party person. Write 3-4 German sentences responding to the question *Gehst du gern auf Partys?*, explaining your feelings on the matter.

Ich mag Partys, weil ich gern tanze. Aber ich gehe nicht jedes Wochenende auf Partys. Das ist mir zu viel. Einmal im Monat ist genug. Wenn ich auf Partys gehe, möchte ich nicht allein sein. Ich tanze lieber mit Freunden!

J. Wie feiert man am besten?

GR 4.1

Describe what you think is the best way to enjoy (or at least tolerate/survive) a party. Write 5 sentences using a different modal verb and *man* in each one.

Auf einer guten Party soll man mit vielen Menschen reden. Man kann auch Musik mitbringen und tanzen.

Marktplatz, Hildesheim

K. Studentenpartys The following parties were all advertised at the University of Göttingen. Read through them and answer the questions that follow.

Die Bio-Party!

Nach der ersten legendären Party im Wintersemester, geht es nun in die zweite Runde. Die Türen öffnen wir ab 22 Uhr, alles findet natürlich wieder im Club Barbilon Göttingen statt. Dort kann man auf Wunsch sogar exzellente Wasserpfeifen rauchen!

Diverse Shots: ab 1€
Markenbiere: 2 €
Longdrinks: 3,50 €

Wir freuen uns auf euch!

die Wasserpfeife – *hookah*
die Marke – *brand name*
sich freuen auf – *to look forward to*

Sowi-Party

Am Donnerstag, ab 22 Uhr findet die beste Party des Jahres wie immer im jt-Keller und Foyer statt.

Der Eintritt beträgt vor 0 Uhr 3 € und danach 4 €.

Unsere Special: Bis 0 Uhr kosten Saurer & Pfeffi Shots nur 50 Cent und danach auch nur 1 €!

Wir freuen uns auf euch und eine geile Party!

Sowi = Sozialwissenschaften
der Eintritt – *admission*
geil – *awesome*

Juristenfete

Die Juristenfete mit super Musik, bester Stimmung und den coolsten Getränken ist am Start!

Unsere DJ's erwarten Euch auf zwei Floors mit den heißesten Beats mit ganz viel Bass-Energy und freshen Clubhits zwischen House, Partymusic, R'n'B und den feinsten Sounds der Elektroszene!

+ Special bis 24.00 Uhr: Beck's für 1 €
+ Flunkyballturnier
+ Chill Area, Fotoboxen u. v. m.

Erasmus Party

Hallo liebe Erasmus[7] Studenten und natürlich auch alle anderen Studenten!

Das harte Semesterleben hat wieder begonnen und wir wollen gemeinsam mit Studenten aus über 50 Nationen eine unvergessliche Partynacht feiern!

Hammer DJ, tolle Leute und günstige Getränke! Also, wenn ihr gerne feiert und neue Leute kennenlernen wollt, kommt einfach vorbei!

Erasmus Program – Europe-wide student exchange

1. *Which academic programs or fields of study are organizing these parties?*

2. *What specific features do these ads advertise to make each party appealing?*

3. *What English words do you notice in these advertisements?*

4. *One party had this additional comment:* Des Weiteren werden auf der Party auch die Göttinger AIDS-Hilfe und Viva con Agua Göttingen vertreten sein. *Which one do you think it was and why?*

5. Auf welche Party möchtest du lieber gehen? Warum?

L. Eine Einladung

Working with a partner or small group, come up with a party or event on your campus and create a German invitation for it. Feel free to steal ideas and language from the ads in the previous activity. Make it appealing for students on your campus!

M. Wie feierst du deinen Geburtstag?   Check which items below are a part of your typical birthday celebrations.

- ☐ Geburtstagstorte
- ☐ Kerzen ausblasen
- ☐ am Morgen Geschenke auspacken
- ☐ abends Geschenke auspacken
- ☐ Bier
- ☐ Wein
- ☐ Sekt
- ☐ Kaffee
- ☐ Tee

- ☐ Eltern anrufen
- ☐ mit Freunden feiern
- ☐ mit der Familie feiern
- ☐ eine Party organisieren
- ☐ zu Hause feiern
- ☐ „Tag der offenen Tür" haben
- ☐ Einladungen verschicken
- ☐ ins Restaurant gehen
- ☐ nichts Besonderes machen

Now write an essay of about 8 sentences in German describing what you usually do on your birthday. Use words and structures from your list above and from the texts in 4.4G to help you.

Copying and personalizing German sentences is a great way to start getting a feel for German.

Ich feiere meinen Geburtstag meistens mit meinen Freunden. Die Gäste kommen abends und bleiben oft über Nacht. Wir essen dann gemeinsam, schauen einen Film oder spielen ein Brettspiel. Ich mag keine großen Feiern – deswegen lade ich immer nur wenige Leute ein.

Vocabulary 4.4

Nouns:

die Feier, -n	private/formal celebration	glücklich	happy
das Fest, -e	public celebration	heftig	intense
die Fete, -n	party	schrecklich	terrible
die Flasche, -n	bottle	traurig	sad
der Geburtstag, -e	birthday	verschieden	different, various
das Geschenk, -e	gift	wichtig	important
die Hochzeit, -en	wedding	wieder	again
die Kleidung	clothing	wirklich	really
die Leute (pl.)	people		
die Stimmung, -en	mood	*Verbs:*	
der/die Verwandte, -n	relative	bekommen	to receive
		einladen [lädt ein]	to invite
Other:		erwarten	to expect
bekannt	well known	rauchen	to smoke
blöd	stupid	stattfinden	to take place
einfach	simple; simply	stehen	to stand
gemeinsam	together; in common	vorbeikommen	to come over

4.4a Predicate adjectives

Adjectives are words that describe nouns, such as 'big' or 'red.' They can be used in two basic ways: as predicate adjectives or as attributive adjectives. We'll look at attributive adjectives in the next section.

A predicate adjective is used to describe the subject of a sentence, and it is usually connected (or linked) to the subject using a linking verb such as *sein*:

> *Mein Hund ist alt.*

The adjective *alt* is used as a predicate adjective here and is linked to the subject with the verb *sein*. Here are some other sentences with predicate adjectives.

> *Meine Eltern sind sympathisch.*   *Die Nudeln sind chinesisch.*
> *Der Salat ist sehr gesund.*   *Ich bin sehr optimistisch.*

The most common linking verb in German is *sein*, but there are other verbs that can use predicative adjectives such as:

> *vorkommen*   *Das kommt mir schwer vor.*   That seems difficult to me.
> *sich anhören*   *Das hört sich gut an.*   That sounds good.

In German, predicate adjectives do not take any endings, so that makes things easier.

4.4b Adjective endings

In addition to being used predicatively, adjectives can also be attached in front of nouns directly. These are called *attributive adjectives* because they describe attributes of a noun without using a linking verb. In English it can be hard to tell the difference because the adjective does not change at all. For example:

> The soup is spicy.   vs.   the spicy soup

The first example uses 'spicy' as a predicate adjective: there is a linking verb (is) and the adjective "spicy" describes the subject of the sentence. In the second example, the adjective is attributive because it idirectly precedes a noun. The spicy soup can be a subject (The spicy soup is hot), a direct object (I like the spicy soup) or even the object of a preposition (I can do without the spicy soup).

One enormous difference between German and English is in adjective endings. German adjectives (and determiners like *mein* and *dies-* for that matter) take endings when used attributively. Learning to place the correct endings on adjectives and determiners being used attributively is a long process because it changes with gender and case. This means that you need to learn the gender of nouns (or get fast at looking it up) and you need to learn to identify the case when you see or hear it or figure out what case you need when speaking.

The table on the next page shows all the endings that you put on adjectives, as well as determiners such as indefinite articles (*ein*), possessives (*mein*), and so-called *der*-words (*dieser, solcher*). You will probably want a printout of this for your binder – there is also another copy of this table on the back cover of your book for reference.

The four columns account for the four cases in German: nominative (A), accusative (B), dative (C) and genitive (D). The 16 rows are composed of four different groups of four. Each member of the group of four shows the three genders plus the plural form. They are ordered as: masculine, feminine, neuter, plural. The four larger groupings of rows show what to do in four situations:

> Rows 1-4: There is a definite article (*der, die, das*, etc.) in front of the adjective.
> Rows 5-8: There is an indefinite article or possessive in front of the adjective.
> Rows 9-12: There is a *der*-word in front of the adjective.
> Rows 13-16: There is nothing in front of the adjective.

Your instructor may have a different system of describing these endings (there are other ways to lay them out), but if you use this method in class, you can refer to each situation with "battleship" coordinates, such as C14 or A1. This can be a convenient way to describe items in the table, and this is much easier than saying "accusative masculine after a *der*-word" for example.

A. Meet Dominik   Dominik is talking about his favorite restaurants in Mainz. Circle the adjectives in his interview (e.g., *gut, scharf, indisch*).

Es gibt ein tolles[1] indisches Restaurant um die Ecke. Die preiswerten[2] Gerichte da sind scharf! In der Stadtmitte gibt es leckere, aber teure Lokale[3]. Zum Beispiel habe ich meinen Geburtstag in einer feinen alten Weinstube gefeiert. Da bekommt man natürlich leckere Weine. Man kann auch ein großes Stück Torte bestellen.

[1] *great*
[2] *inexpensive*
[3] *eating and drinking establishment*

B. Friday in Mainz   Dominik is describing what's going on in Mainz this Friday. Fill in the attributive adjectives that fit the *ein*-word in each sentence.

Example: Am Wochenende gibt es ein **traditionelles** Weinfest (n) in der Stadt.

kostenloses	einmaligen[4]	schicken[5]
große	~~traditionelles~~	angenehme[6]

Am Freitag gibt es eine _____ Studentenparty (f) in der Mensa. Ich habe einen _____ Anzug (m) für die Party gekauft. Da gibt es immer eine _____ Atmosphäre (f). Ab heute gibt es auch ein _____ Open-Air-Kino (n). An der Uni kann man auch einen _____ Vortrag[7] (m) von einer berühmten Professorin hören.

[4] *once in a lifetime*   [5] *cool; fancy*   [6] *enjoyable*   [7] *lecture*

C. Die Mainzer   Describe the citizens of Mainz. Use the pictures to fill in the blanks with the best attributive adjective.

Example: In Mainz gibt es den schnellen Hundefänger[8].

mutige[9]	nackten	nette
ehrliche	~~schnellen~~	

In Mainz gibt es ...

1. ____ die _____ Politikerin.   3. ____ das _____ Blumenmädchen.

2. ____ den _____ Mann.   4. ____ die _____ Feuerwehrfrau.

[8] *dog catcher*   [9] *brave*

D. Auf dem Mainzer Wochenmarkt   Dominik is at the farmer's market. Using *ein*-words and the attributive adjectives given, describe the food following the model. Refer to Exercise B for help.

Example: der Schinken, geräuchert[1] → Es gibt einen geräucherten Schinken.

 1.   das Würstchen, knackig[2]

 2.   der Apfelkuchen, süß

 3.   die Karotte, gesund

[1] *smoked*   [2] *crispy, crunchy*

E. Wochenmarkt continued   Describe what you think of the food at the farmer's market without using an article. Fill in the adjective ending (*–er, –e or –es*) and an additional adjective from the box.

Example: Geräucher**er** Schinken ist **lecker**.

1. Knackig ____   Wurst ist _____ .

2. Süß ____   Apfelkuchen ist _____ .

3. Gesund ____   Gemüse ist _____ .

vitaminhaltig[3]
fettig
saftig[4]
~~lecker~~
reichhaltig[5]

[3] *full of vitamins*   [4] *juicy*   [5] *rich (food)*

Adjective Ending Table

	(A) nom	das ist/sind...		**(B) acc**	ich sehe...		**(C) dat**	mit...		**(D) gen**	trotz...
1	**der**	große Mann		**den**	großen Mann		**dem**	großen Mann		**des**	großen Mannes
2	**die**	große Frau		**die**	große Frau		**der**	großen Frau		**der**	großen Frau
3	**das**	große Kind		**das**	große Kind		**dem**	großen Kind		**des**	großen Kind**es**
4	**die**	großen Hunde		**die**	großen Hunde		**den**	großen Hunden		**der**	großen Hunde
5	mein	groß**er** Mann		mein**en**	großen Mann		meinem	großen Mann		meines	großen Mannes
6	meine	große Frau		meine	große Frau		meiner	großen Frau		meiner	großen Frau
7	mein	groß**es** Kind		mein	groß**es** Kind		meinem	großen Kind		meines	großen Kind**es**
8	meine	großen Hunde		meine	großen Hunde		meinen	großen Hunden		meiner	großen Hunde
9	dieser	große Mann		diesen	großen Mann		diesem	großen Mann		dieses	großen Mannes
10	diese	große Frau		diese	große Frau		dieser	großen Frau		dieser	großen Frau
11	dies**es**	große Kind		dies**es**	große Kind		diesem	großen Kind		dieses	großen Kind**es**
12	diese	großen Hunde		diese	großen Hunde		diesen	großen Hunden		dieser	großen Hunde
13		gut**er** Wein			gut**en** Wein		gut**em** Wein			gut**en** Wein**es**
14		gute Suppe			gute Suppe		gut**er** Suppe			gut**er** Suppe
15		gut**es** Bier			gut**es** Bier		gut**em** Bier			gut**en** Bier**es**
16		gute Leute			gute Leute		gut**en** Leuten			gut**er** Leute

1–4	der, die, das, den, dem, des	definite article
5–8	ein-, kein-, mein-, dein-, sein-, ihr-, unser-, eur-	indefinite and possessive articles
9–12	dies-, jed-, welch-, solch-, all-, manch-	der-words
13-16	Ø, viel	only adjectives

There are some words that deviate from these patterns; however, this table will cover 99% of what you need.

Kuchenbuffet auf einem Weinfest an der Mosel   Ellenz-Poltersdorf, Deutschland

This list shows the communication goals and key cultural concepts presented in Unit 4 *Ausgehen*. Make sure to look them over and check the knowledge and skills you have developed. The cultural information is found primarily in the Interactive, though much is developed and practiced in the print *Lernbuch* as well.

I can:

☐ talk about what restaurants I like going to

☐ describe different kinds of restaurants

☐ talk about my eating habits

☐ order food in German

☐ talk about what I do on the weekend

☐ describe my view of various cultural events

☐ talk about what I can or have to do with modals like *können* and *müssen*

☐ ask and say what time it is

☐ describe my typical birthday celebration

☐ describe things I need

I can explain:

☐ types of eateries: *das Restaurant, das Gasthaus, Café/Bistro, der Imbiss, Fast-Food, die Mensa*

☐ differences between a *Bistro* and a *Kneipe*

☐ types of cuisine: Chinese, Italian, Greek, Pizza, *Döner*, Indian

☐ difference between *die Speise* and *das Gericht*

☐ *gut bürgerliche Küche*

☐ types of *Karten* in a restaurant

☐ *das Tagesmenü*

☐ *das Trinkgeld*, tipping in Germany

☐ *Kaffeestunde*

☐ how Germans say '*Prost!*'

☐ *Getränke: Weizenbier, Pils, Altbier, Exportbier, Kölsch, Alster/Radler, Diesel, Schorle, Sekt, Schnaps*

☐ *Kinotag*

☐ drinking beer in German movie theaters

☐ *synchronisieren*

☐ German cultural figures: Schiller, Brecht, Goethe, Mozart, Wagner, Bach, Beethoven, Händel

☐ Berlin: Bebelplatz, Potsdamer Platz, techno clubs, the Love Parade, the Berlin Wall, *der Reichstag*

☐ birthdays in Germany: customs/traditions, songs, important birthdays

Unit 5 Quer durch Deutschland

Inning am Ammersee

Unit 5 *Quer durch Deutschland*

In Unit 5 you will learn about the tremendous diversity that exists in Germany in terms of region, language, climate and everyday culture of eating and drinking. You will appreciate the differences that exist between the relatively flat north with connections to the sea, the more mountainous and independent south, the eastern area associated with important cultural figures and the *DDR*, and the highly-populated area in the west, including the industrial *Ruhrpott* region and old historical ruins dating back to Roman times.

Below are the cultural, proficiency and grammatical topics and goals:

Kultur

Northern Germany (Nordsee, Ostsee, Sylt, Hamburg, Bremen, *Boßeln*)

Southern Germany (Bayern, Schwaben, *Oktoberfest*, Schwarzwald, Bodensee)

Eastern Germany (Weimar, *Bauhaus*, DDR, *Ossis* vs. *Wessis*, Rügen)

Western Germany (der Rhein, *Römer*, Ruhrgebiet, Märchenstraße, Karl der Große)

Kommunikation

Describing one's home region

Talking about past experiences

Describing one's own cultural roots

Grammatik

5.1 *War* and *hatte*

5.2 Conversational past

5.3 Conversational past with *sein*

5.4 Coordinating conjunctions

5.1 Im Norden

Culture: Northern Germany
Vocabulary: Describing landscapes
Grammar: *War & hatte*

A. Assoziationen After working through the Interactive for 5.1, write your associations with Northern Germany and the cities or activities listed.

Hints: landscape, weather, traditions, activities

der Norden

Nord-Ostsee-Kanal

die Wattwanderung

Boßeln

Hamburg

Lübeck

Bremen

B. Wohin gehört das? For each item below, check all the cities or region it is associated with.

	Hamburg	Bremen	Kiel	die Nordseeinseln
ein großer Hafen	☐	☐	☐	☐
eine Universität	☐	☐	☐	☐
mehr Kanäle als Venedig	☐	☐	☐	☐
im 2. Weltkrieg bombardiert	☐	☐	☐	☐
Wattwanderungen	☐	☐	☐	☐
die Hanse	☐	☐	☐	☐
die zweitgrößte Stadt Deutschlands	☐	☐	☐	☐
eine wunderschöne Altstadt	☐	☐	☐	☐
multikulti	☐	☐	☐	☐
ein beliebter Ferienort	☐	☐	☐	☐

C. Wie ist das Wetter? Describe the weather in the photo above with a partner and compare it to the weather today.

D. Norddeutsches Wetter   The weather is often cold and rainy in Northern Germany, but not all the time, of course, as evident in the graphic below. Look at the weather report and answer the questions.

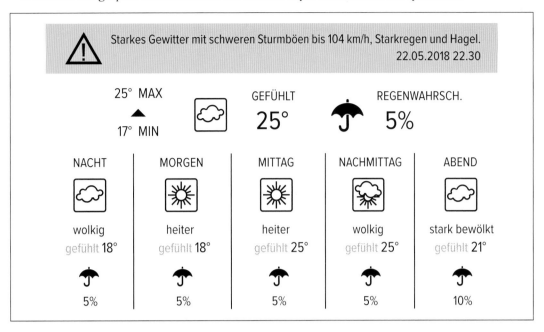

Ein anderes deutsches Wort für sonnig ist:

What do you think gefühlt *means relative to temperatures?*

Wie heißt „Regenwahrscheinlichkeit" auf Englisch?   Ist das Wetter dann kalt, kühl, warm oder heiß?

*Summarize
the weather
warning:*

E. Bilder   Fill in the blanks with the German word for what is pictured in each image. You will use this vocabulary in reading a famous German fairy tale, *Die Bremer Stadtmusikanten*.

F. Vorschau   In order to prepare for reading *Die Bremer Stadtmusikanten* (next page), make some educated guesses. Which animal do you think matches up with each verb most logically? Check all that apply!

	der Hund	die Katze	der Esel	der Hahn
beißen	☐	☐	☐	☐
bellen[1]	☐	☐	☐	☐
schreien[2]	☐	☐	☐	☐
fliegen	☐	☐	☐	☐
hart arbeiten	☐	☐	☐	☐
krähen[3]	☐	☐	☐	☐
kratzen[4]	☐	☐	☐	☐
treten	☐	☐	☐	☐
miauen[5]	☐	☐	☐	☐
springen	☐	☐	☐	☐

[1] *to bark*
[2] *to bray, shout*
[3] *to crow*
[4] *to scratch*
[5] *to meow*

G. Die Bremer Stadtmusikanten (Teil I)

The following fairy tale is closely associated with the city of Bremen in northern Germany. Read this first part and answer the questions that follow.

GR 5.1

GR 5.2

Es war einmal ein alter Esel. Er hatte immer fleißig gearbeitet, aber jetzt war er zu alt, und der Bauer wollte ihn verkaufen. Der Esel hatte Angst und ist weggerannt[1]. Er hatte die Idee, nach Bremen zu gehen, und in Bremen ein Stadtmusikant zu werden.

Auf dem Weg hat er einen alten Hund getroffen. Der Hund hat am Weg gelegen und hat jämmerlich[2] gebellt.

„Warum bellst du so jämmerlich?"

„Ich war immer ein guter Jagdhund[3], aber jetzt bin ich zu alt. Ich kann nicht mehr schnell rennen und habe schon lange keinen Fuchs[4] mehr gefangen, und jetzt will mich mein Herr töten. Ich hatte Angst und bin weggerannt, aber jetzt weiß ich nicht, was ich tun soll."

„Ich gehe nach Bremen und werde Stadtmusikant. Du kannst mit mir kommen und auch Musiker werden."

„Toll[5]", hat der Hund gesagt und ist mitgekommen.

Nach einer Weile[6] haben sie auf dem Weg eine alte Katze getroffen. Die Katze hat am Weg gelegen und hat jämmerlich miaut.

„Warum miaust du so jämmerlich?"

„Ich war immer eine gute Katze, aber jetzt bin ich zu alt. Ich kann nicht mehr schnell rennen und habe schon lange keine Maus mehr gefangen, und die Frau will mich töten. Ich hatte Angst und bin weggerannt, aber jetzt weiß ich nicht, was ich tun soll."

„Wir gehen nach Bremen und werden Stadtmusikanten. Du kannst mit uns kommen und auch Musiker werden."

„Toll", hat die Katze gesagt und ist mitgekommen.

Nach einer Weile haben sie auf dem Weg einen alten Hahn getroffen. Der Hahn hat am Weg gelegen und hat jämmerlich gekräht.

„Warum krähst du so jämmerlich?"

„Ich war immer ein guter Hahn, aber jetzt bin ich zu alt. Die Hühner[7] sind jetzt schneller als ich, und der Bauer und die Bäuerin wollen mich kochen. Ich hatte Angst und bin weggerannt, aber jetzt weiß ich nicht, was ich tun soll."

„Wir gehen nach Bremen und werden Stadtmusikanten. Du kannst mit uns kommen und auch Musiker werden."

„Toll", hat der Hahn gesagt und ist mitgekommen.

Am Abend waren sie in einem Wald. Sie hatten Hunger, aber sie waren zu alt, um Essen zu finden oder etwas zu fangen. Also haben sie sich schlafen gelegt. Der Esel und der Hund haben sich unter einen Baum gelegt, die Katze ist in den Baum geklettert, und der Hahn ist auf den Baum geflogen.

---

[7]   das Huhn – *hen*

[1]   wegrennen – *to run away*
[2]   *pitifully*
[3]   *hunting dog*
[4]   *fox*
[5]   *Great!*
[6]   *after a while*

Bremen

1. Richtig oder falsch? *Working with a partner, take turns saying each statement and then say either* Das stimmt *or* Das stimmt nicht, *depending on whether it is true or not. If it is false, verbally correct it to make it true.*

Die Tiere sind sehr jung.

Die Tiere haben alle Angst.

Die Tiere sind sehr ruhig.

Die Tiere sind sehr glücklich.

Die Tiere gehen alle nach Bremen.

Die Tiere werden alle Musiker.

2. Korrigieren. *Rewrite these sentences to make them correct.*

Der Hund kräht
jämmerlich.

Der Esel ist ein
faules Tier.

Die Katze hat
lange keinen Fuchs
gefangen.

Im Wald haben
die Tiere viel zu
essen gefunden.

3. Wie schreibt man das? *How can you say the following in German? Look through the* Bremer Stadtmusikanten *fairy tale (Teil I) for models. Each of these sentences is based on something in the text - write the letter of each sentence below next to the place in the text where you found the model you needed. Make vocabulary and grammar changes as needed.*

a) *The farmer wanted to
   sell the donkey.*

b) *I met an old friend
   along the way.*

c) *I'm going to New York
   to become a musician.*

d) *I was always a
   good student.*

e) *At night I was
   hungry.*

H. Die Bremer Stadtmusikanten (Teil II)   And now for the exciting conclusion to the fairy tale. Continue reading and answer the questions that follow.

GR 5.1

GR 5.2

Bevor er eingeschlafen ist, hat der Esel ein Licht gesehen. Er hat gedacht, dass das Licht bedeutet, dass es in dem Wald ein Haus gibt. Also sind sie alle zu dem Haus gelaufen. In dem Haus waren Räuber[1], und die Räuber haben am Tisch gesessen und gegessen. Der Esel, der Hund, die Katze und der Hahn hatten Hunger und Durst. Sie hatten eine Idee.

Der Esel hat seine Füße auf das Fenster gestellt. Der Hund ist auf den Esel geklettert, die Katze ist auf den Hund geklettert, und der Hahn ist auf die Katze geflogen. Dann haben sie Musik gemacht: der Esel hat geschrien, der Hund hat gebellt, die Katze hat miaut, und der Hahn hat gekräht. Die Musik war nicht sehr schön, und dann sind sie durch das Fenster in das Haus gefallen. Die Räuber haben gedacht, dass es ein sehr unmusikalisches Gespenst war, hatten große Angst und sind weggerannt.

Der Esel, der Hund, die Katze und der Hahn haben gut gegessen und getrunken, haben das Licht ausgemacht[2] und sind dann eingeschlafen. Der Esel und der Hund haben sich am Herd hingelegt, die Katze hat auf dem Herd geschlafen, und der Hahn ist in die Lampe geflogen.

---
[1]   robbers
[2]   ausmachen – *to turn off*

Als die Räuber gesehen haben, dass in dem Haus kein Licht mehr war, ist ein Räuber zurück in das Haus gegangen. Alles war still. Der Räuber hat mit einem Streichholz Licht gemacht, und in dem Licht hat er die Augen von der Katze gesehen. Er hat gedacht: „Das sind glühende Kohlen. Ich kann mit meinem Streichholz ein Feuer machen und Licht haben." Er ist mit dem Streichholz zu der Katze gegangen. Die Katze hatte Angst und ist in sein Gesicht gesprungen und hat ihn gekratzt. Der Räuber hatte Angst und ist weggerannt, aber er ist über den Hund gefallen, und der Hund hatte Angst und hat ihn gebissen, und dann hat der Esel ihn getreten. Der Hahn hatte Angst und hat laut gekräht.

Der Räuber hatte noch mehr Angst und ist weggerannt. Er hat gedacht, dass in dem Haus eine brutale Hexe[3] ist. Die Räuber sind nie mehr in das Haus zurückgekommen, und der Esel, der Hund, die Katze und der Hahn sind in dem Haus mit dem vielen Essen geblieben. Und wenn sie nicht gestorben sind, dann leben sie noch heute.

---
[3]   *witch*

1. **Was ist passiert?** *Order the following sequence by writing the numbers 1 (the first sentence) to 9 in the boxes.*

Die Tiere essen viel und schlafen ein.

Die Tiere haben Hunger und sehen ein Haus mit viel Essen.

Die Tiere haben Angst und kratzen und beißen und treten und krähen.

Die Tiere wohnen im Haus und sind glücklich.

Es ist dunkel und der Räuber kann nichts sehen.

Der Räuber rennt weg und kommt nie wieder.

Die Räuber haben Angst und rennen weg.

Ein Räuber kommt zurück.

Die Tiere singen und fallen in das Haus herein.

Holm (Schleswig)

2. Look over the text and underline all the verbs in the conversational past tense.

3. Now fill these verbs (there should be lots of them!) in the columns here with the base form (infinitive) and the past participle from the conversational past form. Do each verb just one time.

infinitive	conversational past	infinitive	conversational past
einschlafen	ist eingeschlafen		

I. Und du?

Work with a partner and ask the following questions taken from the reading. Make sure to expand your yes/no answers with details!

1. Hattest du als Kind einen Hund? Hat er oft gebellt?

2. Hattest du eine Katze? Ist sie oft auf Bäume geklettert?

3. Was hast du als Kind gern gegessen und getrunken?

4. Hast du als Teenager gearbeitet?

5. Hast du jemals einen Prominenten[1] getroffen?

6. Hast du letzte Nacht gut geschlafen?

_____
[1] *celebrity*

J. Ein Abenteuer

The animals in *Die Bremer Stadtmusikanten* definitely had an adventure. What about you? Write several sentences detailing a past trip or adventure that you have had, using the conversational past. Use verbs from the text as much as possible!

Als Kind habe ich mit meinem Hund Heidi oft im Wald gespielt. Ich bin gerne auf Bäume geklettert und sie hat gespielt. Sie war nie an der Leine, aber einmal ist ein Reh vorbeigerannt. Und Heidi ist ihm nachgerannt! Und ich bin der Heidi nachgerannt. Das war nicht so toll.

Hamburg

Vocabulary 5.1

Nouns:

die Angst, ¨-e	fear
der Bauer, -n	farmer
der Durst	thirst
der Esel, -	donkey
das Feuer, -	fire
der Hafen, ¨	harbor
der Hahn, ¨-e	rooster
der Hunger	hunger
das Klima, -ta	climate
die Kohle, -n	coal
das Licht, -er	light
das Märchen, -	fairy tale
das Meer, -e	sea
das Tier, -e	animal
der Urlaub, -e	vacation from work
der Wald, ¨-er	forest; woods
der Weg, -e	way; path

Other:

stürmisch	stormy
toll	great; excellent

Verbs:

bedeuten	to mean
beißen	to bite
einschlafen [schläft ein]	to fall asleep
fangen [fängt]	to catch
fliegen	to fly
klettern	to climb
liegen	to lie; be in lying position
rennen	to run
sich hinlegen	to lie down
springen	to jump
töten	to kill
treten [tritt]	to kick

5.1 *War* and *hatte*

In Unit 1, you learned about two very useful and important words in German: *sein* (to be) and *haben* (to have). It is also important to learn these two verbs in the past tense. German has three past tenses, of which the conversational past and the narrative past are the most important. You will learn about the conversational past in this unit, but most German speakers prefer to use the narrative past for the verbs *haben* and *sein*.

Here are the narrative past tense forms of *haben* and *sein*. They are similar to English "was/were" and "had" as you can see. We strongly recommend that you memorize these forms!

	sein					haben			
ich	war	**wir**	waren		**ich**	hatte	**wir**	hatten
du	warst	**ihr**	wart		**du**	hattest	**ihr**	hattet
er–sie–es	war	**(S)ie**	waren		**er–sie–es**	hatte	**(S)ie**	hatten

A. Barbara's childhood   Circle the verb *war* and underline the verb *hatte* in their conjugated forms in the narrative past tense.

Mein Vater war Chemiker. Er hat in einem kleinen Chemiewerk gearbeitet. Wir hatten alles, was wir brauchten. Zuerst waren wir in Bayern und dann in Köln. Meine Mutter war Hausfrau. Sie hatte auch eine Schneiderwerkstatt[1]. Sie hatte ihre Arbeit gern. Aber nach der Schule war sie immer für uns zu Hause. Ich hatte eine ganz enge Beziehung[2] zu meiner Mutter. Meine Geschwister waren auch gern zu Hause.   [1] *tailor shop* [2] *relationship*

B. Forms of *war* and *hatte*   Mark (X) if the bolded verbs are the singular or plural forms of *war* and *hatte*.

	sg.	pl.		sg.	pl.
1. Mein Vater war Chemiker.	☐	☐	4. Wir waren in Bayern.	☐	☐
2. Ich war immer bei meiner Mutter.	☐	☐	5. Meine Mutter hatte eine Schneiderwerkstatt.	☐	☐
3. Wir hatten alles.	☐	☐	6. Ich hatte eine enge Beziehung zu ihr.	☐	☐

C. Practice with *war* and *hatte*   Circle the correctly-conjugated forms of *war* and *hatte*. Look at Exercise A for help.

1. Meine Eltern **war / waren** echt lieb zu uns Kindern.
2. Meine Schwester **war / waren** brav und gut in der Schule.
3. Meine Schwester **hatte / hatten** später auch eine Schneiderwerkstatt.
4. Meine Zwillingsbrüder **hatte / hatten** damals nur Mist gebaut[3].
5. Meine Geschwister **hatte / hatten** viel Spaß zu Hause.

[3] Mist bauen - *to screw things up*

D. Conjugating *war* and *hatte*   Fill in the charts with the correct forms of *war* and *hatte*.

war				hatte		
ich		wir		ich		wir
du		ihr	*wart*	du		ihr	*hattet*
er–sie–es		(S)ie		er–sie–es		(S)ie

E. Family vacations   Barbara talks about places her family visited when she was a child. Fill in the blanks with the correctly-conjugated forms of *war*.

Als ich sehr jung _____, sind wir jeden Sommer in den Urlaub[4] gefahren. Wir _____ oftmals in der Schweiz. Meine Mutter _____ von Luzern sehr begeistert[5]. Mein Vater _____ eher für Basel. Ich _____ immer im Schwimmbad, egal ob wir in Luzern oder in Basel _____.

[4] vacation   [5] enthusiastic (about sth.)

F. Vacation in the DDR   Barbara describes a family vacation in former East Germany. Fill in the blanks with the correctly conjugated forms of *hatte*.

Meine Mutter _____ eine Schwester in der DDR. Meine Tante und ihr Mann _____ damals einen Bauernhof[6]. Sie _____ viele Kühe und Schweine. Ich _____ immer Angst vor den Kühen. Mein Cousin aber _____ keine Angst. Er musste jeden Tag die Kühe füttern[7].

[6] farm   [7] to feed animals

G. Spring vacation in Sylt   Fill in the blanks with the correctly-conjugated forms of *war* or *hatte*.

Meine Großeltern _____ eine Ferienwohnung auf Sylt, als ich klein _____. Sie _____ auch ein kleines Segelboot[8]. Ich _____ immer Lust zu segeln. Das Wetter _____ aber manchmal zu rau[9] dafür. Wir _____ trotzdem immer an der See. Ich _____ damals auch Wattwanderungen[10] gern.

[8] sailboat   [9] rough   [10] mudflat hiking tour

H. Your family vacation   Write four sentences about a summer vacation from your childhood. Use both *war* and *hatte* in their singular and plural forms. Use the ideas in the box, if you wish.

Als ich klein war, bin ich oft ins Schwimmbad gegangen. …	Familie besuchen	schwimmen	der Schwimmunterricht
	Spaß haben	Angst haben	eine Reise machen

5.2 Im Süden

A. Der Süden   After going through the Interactive for 5.2, list as many associations with Southern Germany as you can in the space provided.

die Landschaft

Bayern

München

Ammersee

Heidelberg

Freiburg

Stuttgart

B. Liste ergänzen   For each pair of words, add a third word that you think fits well. Note in German how they fit together.

freundlich, hilfsbereit, …

erfolgreich, entschlossen, …

zuverlässig, selbstbewusst, …

schwimmen, segeln, …

der Sturm, der Wind, …

der Frühling, der Herbst, …

der Berg, der Wald, …

C. Vergleiche   For each group, add one German word you think fits well. Be ready to explain your reason in German.

der Winter / kalt: Der Winter hier ist kälter als der Herbst.

1. der Frühling / warm

2. der See / groß

3. das Klima / schön

4. meine Heimat / freundlich

5. der Süden / konservativ

174

D. Im Norden/Im Süden Consider everything you know about Northern and Southern Germany and give informed and specific answers *auf Deutsch* to the following questions.

1. Ich will segeln. Wo kann ich das machen?

2. Ich will in den Bergen wandern. Wo kann ich das machen?

3. Ich will einen Strandurlaub machen. Wohin sollte ich fahren?

4. Ich liebe das flache Land. Wohin sollte ich reisen?

5. Ich liebe alte Schlösser. Wo kann ich welche besuchen?

6. Ich will eine Großstadt besuchen. Wohin soll ich gehen?

E. Ein bayrisches Fest im September Read Torgunn's thoughts about the *Oktoberfest* and complete the activity that follows.

Das Oktoberfest, das ist in München und was die Amerikaner immer mit Deutschland verbinden. Es ist im September in München und ist das größte Volksfest in Deutschland, wo massig viel Bier getrunken wird, ganz viele Karussells sind und wo die ganze Welt hinschaut[1], wenn das stattfindet. Ich war da einmal. Das war echt witzig[2]. Da sind sieben Riesen-Bierzelte. Die Leute tanzen dann zu später Stunde auf dem Tisch. Es ist sehr gute Stimmung[3] da immer, aber halt sehr übertrieben[4], weil es eigentlich nicht immer so ist in Bayern, und auch nicht in Deutschland.

[1] hinschauen – *to watch*
[2] *funny; fun*
[3] *mood, atmosphere*
[4] *excessive; overdone*

Schwäbisch Hall

Das Oktoberfest findet   statt.

Das Oktoberfest ist ein   Volksfest.

Auf dem Oktoberfest trinkt man   .

Die Leute auf dem Oktoberfest   auf den Tischen.

Amerikaner   das Oktoberfest immer mit Deutschland.

In Bayern ist es   wie beim Oktoberfest.

Warst du schon einmal auf dem Oktoberfest? Möchtest du einmal das Oktoberfest besuchen? Warum oder warum nicht?

F. Norden – Süden Read the following associations with northern and southern Germany and write in all the associations they mention for *Norddeutschland* and *Süddeutschland*. Remember to include items relating to: *Landschaft, Wetter, Industrien, Städte und Freizeitaktivitäten.*

Lothar (Bremen, DE): Ja, mit Norddeutschland verbindet man natürlich die See, vor allem noch die große Stadt Hamburg mit ihrem großen Hafen[1]. Vielleicht auch ein bisschen kühles stürmisches Wetter. Und von der Landschaft her natürlich diese typische Seelandschaft, die sehr flach ist, ohne Berge und ohne viele Wälder.

Stephanie (Berlin, DE): Ja, mit Süddeutschland verbindet man natürlich die Alpen und große Städte wie München. Da kann man auch sehr schön Urlaub machen, sowohl im Sommer zum Bergwandern, als auch im Winter zum Skilaufen. Und es ist meistens etwas wärmer und häufig[2] etwas sonniger als in den übrigen[3] Teilen Deutschlands und es ist landschaftlich sehr schön.

Barbara (Kassel, DE): Süddeutschland – damit verbinde ich Sonne, Wärme, Bodensee, diesen großen See an der Grenze zur Schweiz, Wein – dort wird Wein angebaut, weil es schön warm ist. Damit verbinde ich auch Städte wie Stuttgart, eine große Stadt, und München vor allen Dingen. München liegt in Bayern und ist eine wunderschöne Stadt mit einer großen Tradition.

Uwe (Göttingen, DE): Süddeutschland – Urlaub, Berge, sehr viel Freizeit, Bier trinken, Wandern würde ich sagen.

München

Angelika (Berlin, DE): Süddeutschland ist für mich vor allem Bayern. Da ist es wärmer als hier, hügelig[4], ja, bayerisches Bier, Weißbier, sowas in der Art.

Johannes (Kassel, DE): Ja, mit Norddeutschland verbinden wir natürlich vor allem das Meer, die Nordsee und die Inseln, die in der Nordsee liegen, zum Beispiel die Insel Sylt oder die Insel Spiekeroog. Und wir genießen[5] den starken Wind und die saubere[6] Luft[7] und das saubere Meer. Sonst verbinden wir mit Norddeutschland natürlich Hamburg.

Martin (Bern, CH): Norddeutschland – Ostfriesen, Ostfriesenwitze, Tee, Muscheln[8] sammeln[9], Meer …

---

[1] *harbor*	[4] *hilly*
[2] *often*	[5] *to enjoy*
[3] *other*	[6] *clean*
	[7] *air*
	[8] *sea shells*
	[9] *to gather / collect*

Norddeutschland

die See (Nordsee)

Süddeutschland

die Alpen

G. Wo ich herkomme

As you can see from the texts in 5.2F, different regions offer different things throughout the year. What about your *Heimat*? Write four sentences about your home area, listing what you can do in each season.

GR 4.1

im Frühling / im Sommer / im Herbst / im Winter

können / müssen / sollen / wollen / dürfen

In Michigan kann man im Sommer zum Strand gehen oder in den Dünen wandern.

Bamberg

H. Meine Region

Work with a partner or small group and ask the following questions about your *Region*.

Woher kommst du?

Was kann man dort im Sommer machen?

Was muss man dort gesehen haben?

Was kann man im Winter machen?

Was will man im Frühling machen?

Was soll man im Herbst machen?

I. Mein Foto

Find a photograph - either one that you took yourself or one that you can find online - and bring it to class. Tell your classmates why this photo is representative of your hometown or the region you grew up in.

J. Heidelberg

As you work with this text on Heidelberg, you will also be focusing on some reading strategies.

1. Scan the text (read it quickly) for two minutes.

2. Highlight up to five words (only!) to look up. Write each one's definition next to it. Don't look up any other words, so make these count.

3. Now read the text carefully and write two short German sentences in the boxes near each paragraph with information you figured out from the text.

Heidelberg

Heidelberg ist von seinem Image her eine der weltweit bekanntesten[1] Städte. Sie ist für viele ein Synonym für die deutsche Romantik. Diese Stadt ist circa 80 km südlich von Frankfurt und circa 120 km nordwestlich von Stuttgart entfernt. Sie liegt schön am Neckar[2], wo der leicht bergische Odenwald an die Rheinebene[3] grenzt[4].

[1]   *well known*
[2]   Neckar – *a river*
[3]   *wide, flat area on either side of the Rhine River*
[4]   grenzen – *to border*

Heidelberg ist eine alte Stadt (1196 oder früher gegründet) mit mehreren alten Sehenswürdigkeiten. Im 2. Weltkrieg fielen keine Bomben auf Heidelberg und die Altstadt blieb intakt. Hier findet man die berühmteste Schlossruine Deutschlands. Viele In- und Ausländer besuchen diese Ruine und die schöne Altstadt Heidelbergs.

In Heidelberg gibt es auch eine alte Universität. An dieser Uni haben Theologen im 16. Jahrhundert den Heidelberger Katechismus geschrieben. Das ist eine wichtige Bekenntnisschrift[5] für die Reformation und die evangelische Kirche.

[5]   *creed*

Heidelberg hat nur 149.000 Einwohner, ist aber die fünfgrößte Stadt in Baden-Württemberg. Die Landschaft ist schön und das Klima ist für Deutschland auch gut. Dazu hat Heidelberg auch einen urbanen Flair und bietet[6] seinen Besuchern und Einwohnern viele Freizeitmöglichkeiten[7].

[6]   bieten – *to offer*
[7]   *free time activities*

K. Auf nach Bayern   Two friends took a trip through Bavaria. Below are notes from their excursion. Form them into complete sentences using the conversational past und the personal pronoun *wir*.

nach München fahren
im Englischen Garten in München ein Picknick machen
in den Alpen wandern

in die Pinakothek der Moderne gehen
Schloss Neuschwanstein besuchen
viel Wurst essen

If you aren't familiar with some of these locations (die Pinakothek der Moderne, der Englische Garten, Schloss Neuschwanstein) *look them up online. Which of these activities would you add to a travel itinerary? Why?*

Was willst du
sehen oder
machen?
Warum?

L. Eine Stadt beschreiben   Describe a city other than your hometown. Borrow and adapt phrases from the Heidelberg text and other writing assignments. Your essay should have three paragraphs of 3-5 sentences each.

paragraph 1 – general description and location

paragraph 2 – more description and something unusual or famous

paragraph 3 – compare the city and weather to where you are currently living or studying

Hans-im-Glück-Brunnen, Stuttgart

Grand Rapids ist nicht weltweit bekannt. Diese Stadt liegt im Bundesstaat Michigan, im Mittleren Westen der USA. Sie ist circa drei Stunden westlich von Detroit und drei Stunden nordöstlich von Chicago entfernt. Sie liegt schön am Grand River und ist 60 Kilometer vom Michigansee entfernt.

Grand Rapids ist eine mittelgroße Stadt in Michigan. Sie ist nicht sehr alt (im 19. Jahrhundert gegründet). Diese Stadt war für ihre Möbel bekannt, jetzt aber nicht mehr. Hier findet man eine berühmte Skulptur von Calder, Meijers botanischen Garten und die Firma Amway. In der Nähe gibt es auch viele Colleges und Universitäten.

Im Vergleich zu anderen mittelgroßen Städten gibt es hier viel Wasser, viele Bäume und viele kleine Seen. Das Klima ist nicht so gut. Es ist heiß im Sommer und kalt im Winter mit viel Schnee. Aber der Herbst und der Frühling sind schön.

Vocabulary 5.2

Nouns:

der Berg, -e	mountain
das Brötchen, -	bread roll
der Chef, -s	boss
der Einwohner, -	inhabitant
die Grenze, -n	border
die Heimat	home, region
die Hütte, -n	cabin, hut
die Landschaft, -en	landscape
die Luft, ¨-e	air
die Mannschaft, -en	team
die Regel, -n	rule
das Schloss, ¨-er	castle
der See, -n	lake
die Sehenswürdigkeit, -en	tourist site
der Tourist, -en	tourist
der Wind, -e	wind
das Zelt, -e	tent

Other:

berühmt	famous
entschlossen	determined
erfolgreich	successful
katholisch	Catholic
sauber	clean
vor allem	primarily
zum Beispiel (z.B.)	for example; (often abbreviated as: z.B.)

Verbs:

bieten	to offer
genießen	to enjoy
gründen	to found; establish
lassen [lässt]	to let
Lass das sein.	Let that be.
leiden	to tolerate; suffer
Das kann ich nicht leiden	I can't stand / tolerate that.
verbinden	to associate; connect

5.2 Conversational past

To talk about past events, the best tense to use is the conversational past. Structurally this tense exists in English as well, where it is called the **present perfect**, but its use is more restricted in English than in German.

To put a verb in the conversational past, you need to use an auxiliary verb (usually *haben*, sometimes *sein*) and the past participle form of the verb:

I **have** already **eaten** today.	*Ich **habe** heute schon **gegessen**.*

English uses the auxiliary 'to have' while German uses *haben*. English uses the past participle (eaten) just like German (*gegessen*). One difference is that the past participle comes at the end of the sentence in German.

You can see the parallels in other sentences:

I **have** already **seen** this movie.	*Ich **habe** diesen Film schon **gesehen**.*
He **has made** a few mistakes.	*Er **hat** einige Fehler **gemacht**.*

You will note that the auxiliary verb (*haben*) agrees with the subject but the participle does not change.

I have eaten.	*Ich habe gegessen.*
He has eaten.	*Er hat gegessen.*

The conversational past is used extensively in German, while English will often favor the regular past tense:

I **ate** too much.	*Ich **habe** zu viel **gegessen**.*

In English it would sound a bit strange to say "I have eaten too much" out of the blue. In German, *Ich habe zu viel gegessen* sounds natural.

Forming the past participle:

There are two basic kinds of verbs in German and English: regular verbs and irregular verbs. Regular verbs all follow an identical pattern when forming the past participle (*ge* + stem + *t*), while irregular verbs have several different patterns you have to memorize. This book has a list of irregular verbs inside the back cover. It doesn't include every single irregular verb in the German language, but it does include all of the most common ones. It's a good idea to refer to it often or to print a list out for your notebook. If you are writing a sentences with a verb, check the list of irregular verbs: if the verb (or its root) is there, you can see what the past participle is. If it's not on the list (and is a regular verb), form the past participle by adding *ge-* to the root and replacing the *-en* ending with *-t*:

machen	→	**ge**macht
tanzen	→	**ge**tanzt
arbeiten	→	**ge**arbeitet

Irregular verbs have various patterns that you will need to memorize or look up. They typically have an *-en* ending instead of *-t* and will also use a *ge-* prefix, BUT the verb stem itself may or may not change:

schlafen	→	*geschlafen*
finden	→	*gefunden*
stehen	→	*gestanden*

English also has irregular verbs which often behave similarly to German irregular verbs. English and German both come from the same source, a language called Germanic, and thus they both continue to share many features despite being separated by at least 1500 years:

I have sung.	*Ich habe gesungen.*
I have found it.	*Ich habe es gefunden.*
I have already eaten.	*Ich habe schon gegessen.*

Verbs with prefixes:

You have already looked at separable and inseparable prefixes in Unit 3. These prefixes affect past participles differently.

Verbs with inseparable prefixes do NOT add a *ge-* to the past participle. Compare *suchen* and *besuchen*:

suchen → gesucht	*Ich habe meinen Hund gesucht.*
besuchen → besucht	*Ich habe meine Mutter besucht.*

Verbs with separable prefixes DO add the *ge-* prefix, and it comes between the separable prefix and the verb:

schlafen → geschlafen	*Ich habe lange geschlafen.*	I slept a long time.
ausschlafen → ausgeschlafen	*Ich habe lange ausgeschlafen.*	I slept in a long time.

A. Studying abroad   Italian students Luana and Patrizia talk about their time studying in Kiel. In each sentence, underline the conjugated forms of the helping verbs *haben* and *sein*. Then circle the past participle that goes along with each helping verb.

Luana: In Kiel habe ich ein Jahr gelebt. Vorher habe ich die Stadt überhaupt nicht gekannt. Erst an der Uni habe ich Deutsch gelernt. Ich habe in einer großen Studentensiedlung gewohnt.

Patrizia: Ich bin auch für ein Jahr nach Deutschland gegangen. Da habe ich Germanistik studiert. Luana habe ich in der Studentensiedlung kennengelernt. Wir sind schnell beste Freunde geworden. Wir haben aber manchmal zu viel Italienisch gesprochen.

B. Regular and irregular verbs   Mark (X) if the verbs below are regular or irregular according to how their participles are constructed in the conversational past.

	Regular verb (ge- + -t)	Irregular verb (ge + -en)		Regular verb (ge- + -t)	Irregular verb (ge + -en)
1. gelebt	☐	☐	5. kennengelernt	☐	☐
2. gelernt	☐	☐	6. geworden	☐	☐
3. gegangen	☐	☐	7. gesprochen	☐	☐
4. gewohnt	☐	☐	8. gegessen	☐	☐

C. First days in Deutschland   Luana is talking about her first days in Germany. Build the past participles of the regular verbs to complete the sentences. Remember the rule: **ge- + -t**.

Example: suchen → Ich habe mein Wohnheim **gesucht**.

1. kaufen   →   Ich habe Brot und Käse _____ .

2. machen   →   Ich habe ein Sandwich _____ .

3. kennenlernen →   Ich habe neue Leute _____ .

4. kochen   →   Wir haben zusammen _____ .

5. tanzen   →   Wir haben Salsa _____ .

D. A day in Kiel   Luana describes a day in Kiel. Fill in the blanks with the best fitting verb in the conversational past.

besuchen   haben   kaufen   machen   reden   zeigen

Zuerst haben wir neue Kleidung in einem Einkaufszentrum _____ . Dann haben wir eine kurze Pause in einem Café _____ . Ich habe so einen Durst _____ ! Zum Schluss haben wir den Hafen _____ . Wir haben mit einem Schiffskapitän _____ . Er hat uns sein Schiff _____ .

E. A new friend   Patrizia talks about her friendship with Luana. Build the past participles of the irregular verbs to complete the sentences. Remember the rule of thumb: *ge- + -en*.

Example: sehen (**seh**) → Wir haben einander auf einer Tanzparty in unserer Studentensiedlung ge**seh**en.

1. sprechen (**sproch**) → Ich habe mit Luana über die Uni _____ .

2. trinken (**trunk**) → Wir haben Bier _____ .

3. bleiben (**blieb**) → Sie ist lange bei mir in meinem Zimmer _____ .

4. gehen (**gang**)   → Wir sind kurz spazieren _____ .

5. treffen (**troff**) → Wir haben uns am nächsten Tag in der Stadt _____ .

F. German class   Complete the sentences by writing the conversational past tense forms of the irregular verbs given. Use the *ge + -en* pattern. Refer to Exercise E for help.

Example: lesen (**les**) → Für den Kurs habe ich viel ge**les**en.

1. aufgeben (**geb**) → Der Lehrer hat jeden Tag Hausaufgaben _____ .

2. nehmen (**nomm**) → Ich habe mir jeden Tag Zeit zum Lernen _____ .

3. werden (**word**) → Ich bin von der vielen Arbeit fast wahnsinnig _____ .

4. bleiben (**blieb**) → Ich bin trotzdem im Kurs _____ .

G. Away from home   Write five sentences about a time you were away from home. Use regular verbs and at least two different types of irregular verbs.

Spazieren am Fluss   Passau, Deutschland

5.3 Im Osten

Culture: Eastern Germany
Vocabulary: Describing regions & landmarks
Grammar: Conversational past with *sein*

A. Assoziationen

After going through the Interactive for 5.3, list as many associations with Eastern Germany as you can in the space provided.

die Landschaft

Dresden

Geschichte

Leipzig

Berlin

Weimar

B. Welche Stadt?

Match the items to the corresponding city. Some may apply to more than one.

	Berlin	Dresden	Leipzig	Weimar
wurde im 2. Weltkrieg bombardiert	☐	☐	☐	☐
hat eine berühmte Frauenkirche	☐	☐	☐	☐
hat einen Fluss	☐	☐	☐	☐
Goethe und Schiller	☐	☐	☐	☐
Bach und Musik	☐	☐	☐	☐
die Hauptstadt	☐	☐	☐	☐
war eine geteilte Stadt	☐	☐	☐	☐
hat viele Seen in der Nähe	☐	☐	☐	☐

Kap Arkona, Rügen

C. Deine Assoziationen

With a partner, go over your answers for 5.3A-B and compare what you wrote.

Was assoziierst du mit dem Osten?

Wie ist die Landschaft?

Was weißt du über Dresden? Über Berlin? Über Leipzig? Über Weimar?

D. Kein oder nicht?

Working with a partner, ask each other these questions. Decide whether to use *kein* or *nicht* in the answers.

Hat Leipzig einen Fluss?

Gibt es im Osten hohe Berge?

Kann man im Osten Ski fahren?

Hat Bach in Berlin gewohnt?

Existiert die Berliner Mauer immer noch?

Gibt es eine Universität auf Rügen?

Weimar

E. Guter Rat ist teuer   Give your best advice in German to the questions below. Show your deep cultural understanding!

1. Ich fahre gern Rad. Wo kann ich im Osten eine Fahrradtour machen?

2. Ich finde Musik toll. Wohin soll ich im Osten gehen?

3. Ich segele ganz gern. Wo kann ich das im Osten machen?

4. Ich interessiere mich für Architektur. Welche Städte soll ich besuchen?

5. Ich lese sehr viel deutsche Literatur. Was soll ich im Osten machen?

6. Ich lerne sehr gern etwas über Geschichte. Was kann ich im Osten machen?

F. Wer war das?   Connect the famous person with the short description of their life. Put their initials in the box.

Franz Liszt (FL)

☐ 1708 ist er von Mühlhausen nach Weimar gekommen, wo er bis 1717 als Hoforganist[1] und Konzertmeister gearbeitet hat.

Johann Sebastian Bach (JB)

☐ 1775 ist er nach Weimar gekommen. Sein altes Haus ist jetzt ein Museum.

Friedrich Schiller (FS)

☐ 1776 hat er in Weimar als erster Prediger[2] an der Stadtkirche zu Weimar gearbeitet.

Johann Gottfried Herder (JH)

☐ 1804 hat er *Wilhelm Tell* geschrieben.

Walter Gropius (WG)

☐ 1848 ist dieser Mann Hofkapellmeister in Weimar geworden[3]. Er hat bis 1861 in Weimar gewohnt.

Johann Wolfgang von Goethe (JG)

☐ 1919 hat er das „Staatliche Bauhaus" gegründet[4]. Das Bauhaus ist eine sehr innovative Bewegung[5] in der Architektur.

---

1   *court organist*
2   *preacher*
3   ist geworden – *became*
4   hat gegründet – *founded*
5   *movement*

G. Warum ich Berlin liebe

Sara (Königstein im Taunus) gives her thoughts about Berlin. Read what she has to say, then complete the exercises that follow.

Berlin

Es gibt keine Stadt in der Welt, die ich mehr liebe als Berlin. Seit ich sie das erste Mal besucht habe, wusste ich, dass ich eines Tages dort wohnen musste. Berlin ist perfekt.

Berlin: Hauptstadt und größte Stadt Deutschlands, Zentrum der Politik, eine Stadt mit einer interessanten und oft schrecklichen Vergangenheit.

Aber das sind nicht die Gründe, warum ich Berlin liebe. Ich liebe Berlin nicht wegen der Stadt, die sie einmal war, nicht wegen ihrer Geschichte. Ich liebe sie wegen der Stadt, die sie heute ist: eine tolle Kunstszene, überall Street Art, die besten Restaurants, besonders vietnamesische und türkische, viele Parks und Seen. Offen, progressiv, modern. Hipster überall. Berlin ist eine Stadt, in der man gut leben kann.

Als ich dort gewohnt habe, hatte ich oft Besuch und habe daher schon oft Reiseführer gespielt.

Was muss man also unbedingt sehen und machen, wenn man Berlin besucht? Hier meine Liste:

Das Brandenburger Tor, weil es das Symbol für das neue, wiedervereinte Berlin ist. Die Reichstagskuppel ist sehr schön und man lernt dort auch viel über die heutige Politik. Das Denkmal für die ermordeten Juden Europas muss man sehen, aber ich gehe lieber abends oder nachts oder im Regen dahin, wenn weniger Menschen dort sind. Der Berliner Dom ist von außen sehr schön. Und dann muss man natürlich den Mauerpark besuchen, wo man schön mit einem Glas Wein und einem Buch relaxen kann. Die Alte Nationalgalerie ist mein Lieblingsmuseum. Und dann einfach die Stadt genießen, spazieren gehen besonders in Berlin-Mitte und im Prenzlauer Berg, die tollen Cafés erkunden. Und dann noch Brunch am Kollwitzplatz, Eis essen im Prenzlauer Berg, Kaffee trinken in der Bergmannstraße und abends einen Spaziergang machen am Landwehrkanal entlang. Und wenn das Wetter schön ist, zu einem See radeln und dort schwimmen.

1. Which specific sites are mentioned?

2. What activities are mentioned?

3. What neighborhoods are mentioned?

4. What other facts about Berlin are mentioned?

H. Mein Berlin

Looking over the text about Berlin, search online for information about some interesting places that Sara mentioned. Then, write a few sentences *auf Deutsch* about which of these activities or sites you would love to see one day when you visit Berlin.

> Ich will die Alte Nationalgalerie besuchen, weil ich Kunst liebe. …

I. interview

Talk to someone in class you haven't often chatted with and ask them about what they chose for the exercise above and why. Then tell them about your chosen items as well.

> Was willst du in Berlin sehen oder machen?
> Ich will …

J. Universitäten in Berlin

Along with two other universities, Berlin has a *Technische Universität (TU)*. What majors do you think would be more prevalent at the *TU* vs. the other two Unis?

Germanistik	Bauingenieurwesen	Jura
Medizin	Physik	Mathematik
Maschinenbau	Kunstgeschichte	Psychologie
VWL	Geschichte	Kommunikationswissenschaft
Informatik	Architektur	Politikwissenschaft

Reichstagsgebäude, Berlin

K. Dessau und Bauhaus Read the following text about *Bauhaus* and answer the questions that follow.

Hast du schon einmal von der ostdeutschen Stadt Dessau gehört? Sie hat ca. 77.000 Einwohner und ist sehr alt: 1213 wurde sie zum ersten Mal erwähnt[1]. Im 2. Weltkrieg wurde Dessau wegen seiner Militärindustrie schwer zerstört.

Meisterhäuser von Walter Gropius, Dessau

International bekannt ist die Stadt aber vor allem wegen der Kunst-, Design- und Architekturhochschule Bauhaus, die hier von 1925 bis 1932 ihren Sitz hatte. Gegründet wurde das Bauhaus 1919 in Weimar, aber die konservative Stadtregierung wollte das Bauhaus nicht in ihrer Stadt. Dessau wurde dann das neue Zuhause des Bauhauses bis 1932. Danach musste das Bauhaus wieder umziehen, diesmal nach Berlin. 1933 wurde die Kunsthochschule geschlossen, denn die Nationalsozialisten hassten die Kunst und Ideen des Bauhauses. Viele Bauhaus-Künstler sind in die USA gezogen, wo Moholy-Nagy 1937 The New Bauhaus gründete, was heute das Institute of Design in Chicago ist.

[1] wurde erwähnt – *was mentioned*

Das Bauhaus lebt in unserer modernen Architektur und unserem modernen Design noch heute weiter, besonders in den Ideen zum Minimalismus und Zero-Waste-Living. Das Motto des Bauhauses war Form und Funktion, was damals etwas Neues war. Denn damals gab es viele schöne Sachen, aber sie hatten keine Funktion. Und es gab Sachen, die funktionierten, aber nicht schön waren. Für das Bauhaus was das nicht akzeptabel: Sachen (Häuser, Möbel, alles) musste beide Kriterien erfüllen: schön sein und eine Funktion haben. Schön hieß damals klare Linien und viel Glas. Form und Funktion: eine Idee, die die Welt des Designs verändert hat.

Here are three buildings from Dessau. Write auf Deutsch *if you think it's a* Bauhaus *design – include your reasons.*

L. Bauhaus bei mir

There are many *Bauhaus*-esque objects around us, things that combine form and function. One example is the mason jar that holds your coffee beans. Beautiful to look at because of its simple and clean lines, it also serves a very real function of storing coffee. Think a bit and tell your classmates about at least five things in your life that are influenced by *Bauhaus*.

M. Trabis Read the following text. Then write three German sentences comparing a *Trabi* to either your car or a car your parents or other relatives/friends own.

Der Trabant ist das berühmte ostdeutsche Auto aus Zwickau. Der Trabi war ein Held[1] der ostdeutschen Autoindustrie. Das kleine Volksauto war nicht sehr schnell und auch kein besonders sicheres Auto. Es war aber billig, einfach und schnell zu bauen. Seine Qualität war nicht sehr hoch, aber trotzdem war der Trabi Luxus. Oft musste man nach der Bestellung[2] bis zu zehn Jahre auf seinen Trabi warten.

Der Trabi wird heute nicht mehr gebaut, aber das kleine Auto bleibt ein Symbol für die DDR. Es gibt noch viele Trabi-Witze.

F. Was ist passiert, wenn ein Trabi bei Grün noch an der Ampel[3] steht?
A. Der Reifen klebt[4] an einem Kaugummi.

F. Was ist ein Trabi auf einem Berg?
A. Ein Wunder.

F. Wie verdoppelt[5] man den Wert des Trabis?
A. Man tankt ihn voll[6].

---

[1] *hero*
[2] *order*
[3] *traffic light*
[4] kleben – *to stick to*
[5] *to double*
[6] volltanken – *to fill the gas tank*

N. Reise gen Osten The East offers many travel options. There is vibrant Berlin, romantic Dresden, hipster Leipzig, quaint villages like Meißen and Quedlinburg, the island of Rügen, and spectacular hiking in Saxon Switzerland. Which would you prefer to visit someday, and why? Write a paragraph detailing your choice and reason.

Ich will eines Tages in die Sächsische Schweiz fahren. Ich will dort wandern und viele Fotos machen, weil ich auf Instagram viele Fotos gesehen habe und es sieht so wunderschön aus! Ich interessiere mich auch für Kunst und der Künstler Casper David Friedrich hat oft die Landschaft der Sächsischen Schweiz gemalt. Also will ich erst ein Buch über seine Kunst lesen und dann dort wandern gehen.

Vocabulary 5.3

Nouns:

die **Besatzungszone**, -n	occupation zone
die **Entwicklung**, -en	development
die **Fabrik**, -en	factory
die **Flut**, -en	flood
das **Gebiet**, -e	region
die **Gesundheit**	health
der/die **Jugendliche**, -n	young person ; teenager
der **Kommunismus**	communism
die **Kraft**, ¨-e	physical strength
der **Leuchtturm**, ¨-e	lighthouse
der **Nationalpark**, -s	national park
der **Ostblock**	Eastern Bloc
die **Schlacht**, -en	battle
die **Sicherheit**	security
der **Turm**, ¨-e	tower
der **Wiederaufbau**	reconstruction
die **Zeitung**, -en	newspaper

Other:

arbeitslos	unemployed
besonders	particularly
deutlich	clear
je	ever
wirtschaftlich	economic

Verbs:

ausprobieren	to try out
bleiben	to stay, remain
bauen	to build
gehören	to belong to
versuchen	to try; to attempt
umziehen	to move house
verlassen [verlässt]	to leave, abandon
ziehen	to move; to pull

5.3 Conversational past with *sein*

As we learned in 5.2, most German verbs use the auxiliary *haben* when forming the conversational past. This includes all transitive verbs, which means verbs that use a direct object.

> *Ich **habe** dich gesehen.*   I saw you.
> *Wir **haben** gestern meinen Vater getroffen.*   We met my father yesterday.

A limited number of German verbs use the auxiliary **sein** rather than *haben* when forming the conversational past. These tend to be verbs of motion and verbs that show some sort of change of state. These verbs are intransitive, which means that they cannot have a direct object. It may be easiest just to remember which verbs use **sein** rather than *haben*.

> *Ich **bin** nach Deutschland gereist.*   I traveled to Germany.
> *Wir **sind** nach Hause gegangen.*   We went home.
> *Opa **ist** vor Jahren gestorben.*   Grandpa died years ago.
> ***Bist** du zu Hause geblieben?*   Did you stay home?

These are some of the verbs you'll encounter that take **sein** instead of *haben* in the conversational past:

aufstehen	to get up	*gehen*	to go; walk
bleiben	to stay	*kommen*	to come
einschlafen	to fall asleep	*laufen*	to run
fahren	to drive, go	*reisen*	to travel
fallen	to fall	*schwimmen*	to swim
fliegen	to fly	*umziehen*	to move house

In a few situations, verbs that use *sein* for the conversational past can take a direct object. If this occurs, they use *haben* instead of *sein* as an exception.

	*Ich **bin** nach Hause gefahren.*	I drove home. vs.
(w/direct object)	*Ich **habe meinen Vater** nach Hause gefahren.*	I drove my father home.
	*Der Pilot **ist** letzte Woche geflogen.*	The pilot flew last week. vs
(w/direct object)	*Der Pilot **hat den Jet** geflogen.*	The pilot flew the jet plane.

A. Looking back   Katrin talks about her working days. In each sentence, underline the conjugated forms of the helping verbs *haben* and *sein*. Then circle the past tense verb forms that go with each helping verb you underlined.

Ich habe 40 Jahre lang als Lehrerin gearbeitet. Jetzt bin ich pensioniert[1]. Früher

habe ich in Sachsen-Anhalt gelebt. Ich bin dort aufgewachsen. Da habe ich auch

meinen Mann Christian kennengelernt. Er hat als Bankier gearbeitet. Wir haben

dort auch unsere Kinder großgezogen[2]. Jetzt sind die Erziehungsjahre vorbei. Die

Kinder haben mittlerweile ihre Familien gegründet. Christian und ich sind auch

neulich nach Gotha umgezogen[3]. Wir haben da eine kleine Wohnung gekauft.

[1] *retired*
[2] *past tense of* großziehen: *to raise (e.g. a child)*
[3] *past tense of* umziehen: *to move (i.e. change one's residence)*

B. Helping verbs   Mark (X) whether the verbs below use the helping verb *haben* or *sein* in the conversational past.

	haben	sein		haben	sein		haben	sein
1. arbeiten	☐	☐	4. aufwachsen	☐	☐	7. gründen	☐	☐
2. kaufen	☐	☐	5. kennenlernen	☐	☐	8. umziehen	☐	☐
3. leben	☐	☐	6. großziehen	☐	☐			

C. A new apartment in Gotha   Fill in the blanks with the correctly-conjugated forms of the helping verb *haben*.

Wir _____ lange eine Wohnung gesucht. Ich _____ Freunde um Rat gefragt[4]. Meine beste Freundin Natasha _____ früher in Gotha gelebt. Sie _____ ihre alte Maklerin[5] angerufen. Wir _____ Glück gehabt. Wir _____ eine wunderschöne Wohnung gekauft!

[4] *to ask for advice*
[5] Maklerin - *real estate agent*

D. Moving in   Katrin is writing to her sister about the first day she spent in her new apartment. Fill in the blanks with the correctly conjugated forms of the helping verb *sein*.

Liebe Julia, wir _____ gestern wirklich in Gotha angekommen! Etwas Schönes _____ passiert. Die Kinder _____ auf eine tolle Idee gekommen. Sie _____ durch die Nachbarschaft gegangen und haben alle Nachbarn eingeladen! Die Party _____ echt gut gelaufen. Die Kinder _____ heute morgen abgefahren[6]. Ich bin jetzt erschöpft[7], aber glücklich.

[6] *past tense of* abfahren: *to leave*   [7] *exhausted*

E. Sein or haben?   Place the verbs from exercises C and D used in the conversational past in the columns below according to which helping verb they use. Write the infinitive forms of the verbs.

haben   **sein**

F. Was ist passiert?   Describe a party you've been to in 4 complete sentences. Use a mixture of verbs that take *sein* and *haben* in the conversational past. Refer to the lists you made in Exercise E for suggestions.

5.4 Im Westen

A. Assoziationen After going through the Interactive for 5.4, list as many associations with Western Germany as you can.

die Landschaft

Frankfurt

Köln

Ruhrgebiet

andere Städte

Wachenheim an der Weinstraße

B. Auf großer Fahrt Gustav had one week to travel through the western part of Germany. Fill in the correct verb forms for the conversational past, including the helping verbs *haben* and *sein*.

GR 5.2

GR 5.3

Am Montag _____ ich am Frankfurter Flughafen _____ (ankommen). Ich _____ erst einmal ein Frankurter Würstchen _____ (essen). Manchmal muss man einfach ein richtiger Tourist sein! Dann war ich so müde, dass ich früh ins Bett _____ (gehen) und gut _____ (schlafen) .

Am Dienstag _____ ich dann mit dem Zug nach Köln _____ (fahren), um den Dom zu sehen. Er ist beeindruckend! Am nächsten Tag _____ ich eine Schiffstour den Rhein herunter _____ (machen). Auf dem Schiff _____ ich einen Bekannten aus meiner Heimatstadt _____ (treffen) und wir _____ über unsere Reisepläne _____ sprechen. Am Donnerstag _____ ich mich _____ (ausruhen).

Am Freitag _____ ich zurück nach Frankfurt _____ (fahren), weil ich dort Freunde habe. Meine Freunde und ich _____ uns am Samstag ein Theaterstück _____ (ansehen) und leider einen Ebbelwoi zu viel _____ (trinken). Am Sonntag _____ ich dann zurück in die USA _____ (fliegen).

C. Und du? Working with a partner, ask what you both did during the last week.

Hallo David! Was hast du am Montag gemacht?
Ich bin um 8.30 Uhr zum Deutschkurs gegangen.

D. Frankfurt Read through this text about Frankfurt am Main and respond to the questions that follow.

Frankfurt am Main ist eine der wichtigsten Städte Deutschlands, weil es Deutschlands Finanzzentrum ist und eine der größten Börsen[1] der Welt hat. Es ist auch das Zuhause der Europäischen Zentralbank, also des Euros. Weil Frankfurt die deutsche Version von Wall Street ist, hat die Stadt auch den Spitznamen[2] Mainhattan. Viele internationale Banken haben hier ihren Sitz, weswegen Frankfurt ein internationales Flair hat. Mehr als 30% der Einwohner wurden nicht in Deutschland geboren.

Frankfurt ist auch die einzige Stadt Deutschlands mit einer richtigen Skyline mit vielen Wolkenkratzern. Die Stadt wurde im 2. Weltkrieg schwer beschädigt und, anders als andere bombardierte Städte wie Dresden oder München, wollte Frankfurt nach dem Krieg eine moderne Architektur haben. Das Resultat? Die Wolkenkratzer sind wunderschön, aber die Altstadt wurde im Stil der 1950er Jahre aufgebaut und war nicht so schön. Also hatte Frankfurt vor ein paar Jahren eine Idee! In den letzten Jahren haben die Frankfurter ihre neue Altstadt demoliert und jetzt diese alte Altstadt

Frankfurt am Main

wieder neu aufgebaut – im alten, traditionellen Stil. Das Dom-Römer-Projekt wurde 2018 beendet. Jetzt hat Frankfurt beides: eine super moderne Skyline und ein wunderschönes „altes" Stadtzentrum. Damit ist die Stadt wirklich einzigartig in Deutschland.

---

[1] die Börse – *stock exchange*
[2] der Spitzname - *nickname*

Richtig oder falsch?

richtig	falsch	
☐	☐	1. Frankfurt hat viele Banken.
☐	☐	2. Frankfurt ist nicht sehr multikulturell.
☐	☐	3. Viele Frankfurter kommen nicht aus Deutschland.
☐	☐	4. Frankfurt ist das wichtigste Finanzzentrum Deutschlands und der EU.
☐	☐	5. Frankfurt hat eine kleine Börse.
☐	☐	6. Frankfurt hat keine Wolkenkratzer.
☐	☐	7. Die Stadt wurde bombardiert.
☐	☐	8. Die Stadt wurde nach dem Krieg wieder im alten Stil aufgebaut.
☐	☐	9. Frankfurt hat heute eine sehr schöne Skyline.
☐	☐	10. Frankfurt hat heute eine neue Altstadt.

Was denkst du: Willst du Frankfurt besuchen? Warum oder warum nicht?

E. Köln   Read these texts and answer the questions that follow in English. Before reading, think for a moment about the history of Western Germany – how old do you think Cologne is?

1 Im 21. Jahrhundert ist Köln eine moderne Großstadt. Sie liegt am Rhein, ca. 200 km nordwestlich von Frankfurt und 80 km östlich von Belgien. Hier findet man viel Industrie, Kultur und einen bedeutenden Dom. Hier findet auch jedes Jahr ein großer Karneval statt. Der Karneval ist eine wilde Zeit zum Feiern direkt vor der Fastenzeit, wo es dann 40 Tage lang ruhiger zugeht im traditionell katholischen Köln.

2 Köln ist auch eine der ältesten Städte Deutschlands. Die Kaiserin Agrippina, die Mutter von Nero, wurde hier geboren. Wegen Agrippina wird diese damalige Kleinstadt schon im 1. Jahrhundert eine „Colonia" des Römerreiches. Teile der römischen Mauer und Wasserleitungen kann man heute im Römisch-Germanischen Museum sehen.

3 Im 12. Jahrhundert wird Köln „Heiliges Köln" genannt und Karl der Große (im Englischen Charlemagne genannt) gründet hier das Erzbistum Köln. Der Kölner Erzbischof wird zu einer sehr mächtigen Person im Heiligen Römischen Reich.

4 Im Mittelalter wird Köln zu einer der wichtigsten und größten Städte Deutschlands. 1388 hat Köln eine der ersten Universitäten Europas. Im 15. Jahrhundert ist Köln die reichste Stadt im

deutschen Raum. (Es gibt noch kein Deutschland.) Aber das Mittelalter hat auch eine dunkle Seite. Im 15. Jahrhundert müssen Juden aus der Stadt fliehen. Im 16. Jahrhundert müssen dann viele Protestanten fliehen. Und im 17. Jahrhundert sterben viele Kölnerinnen, weil man glaubt, dass sie Hexen sind. Heute ist die Stadt viel toleranter, aber immer noch sehr katholisch.

5 Im 18. Jahrhundert wird das Kölnisch Wasser ein kommerzieller Erfolg. Aber damals hat man es nicht nur benutzt, um gut zu riechen. Es wurde auch getrunken! Man dachte, dass man dadurch gesund bleibt.

6 Im 19. Jahrhundert ist der Dom endlich fertig! Wie lange hat der Bau gedauert? Mehr als 600 Jahre! Der Dom ist schon lange für Pilger wichtig gewesen, weil die Gebeine der Heiligen Drei Könige (die bei der Geburt Jesu da waren) im Dom liegen. 1823 findet der erste Rosenmontagsumzug statt, den es auch heute noch zum Karneval gibt!

7 Im 20. Jahrhundert ist Konrad Adenauer von 1917 bis 1933 Bürgermeister von Köln, aber die Nazis haben Schwierigkeiten mit ihm. Von 1949-1963 war Adenauer dann der erste westdeutsche Bundeskanzler. Köln ist eine wichtige Industriestadt und wird im 2. Weltkrieg schwer bombardiert. 90% der Innenstadt wird zerstört. Nach dem Krieg wird alles wieder neu aufgebaut, aber nicht im alten Stil. Deswegen ist Köln heute nicht unbedingt schön, abgesehen vom Dom und einigen kleinen Straßen am Rhein entlang. Aber der Dom ist wunderschön und du solltest ihn dir ansehen!

Groß St. Martin, Köln

1. Wie alt ist Köln?

2. Woher kommt der Name "Köln"?

3. Wer war Konrad Adenauer?

4. Seit wann gibt es den Kölner Karneval?

5. Was hat Nero mit Köln zu tun?

6. Nenne zwei wichtige Gebäude in Köln.

7. Was hat Eau de Cologne mit Köln zu tun?

8. *To which paragraph do these sentences belong?*

    a. Die Universität wird 1388 gegründet, schließt aber 1798. Erst 1919 wird sie neu eröffnet.   Nr.

    b. Napoleon verbannte das Sonderwasser als Medikament. Aber viele Firmen verkaufen es als Parfüm.   Nr.

    c. Nach dem Krieg wird er der erste Bundeskanzler von Westdeutschland.   Nr.

F. Köln heute   Köln is a city that offers many things to do and see. Which of these activities fit you best? Rank them from 1-6 according to your interest (1=most interesting).

☐ den Dom besichtigen und den Turm besteigen

☐ ins Römisch-Germanische Museum gehen

☐ ins NS-Dokumentationszentrum gehen, um etwas über das Dritte Reich zu lernen

☐ ins Museum Ludwig gehen, um Gemälde von Picasso zu sehen

☐ im Rheingarten relaxen und ein Buch lesen

☐ in der Stadt einkaufen gehen

G. Und du?   Share your answers from 5.4F with a partner or in a small group, explaining in German why you ranked them as you did.

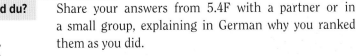

H. Was weißt du über den Westen?

Using the notes you took for 5.4.A and the info you have learned from the reading texts and the Interactive, talk to a classmate and quiz each other on what you've learned about Western Germany.

Porta Nigra, Trier

Welche wichtigen Städte gibt es im Westen?

Welche Stadt ist eine Bankenstadt?

Wo findet der Karneval statt?

Welche Stadt hat einen großen Dom?

Welche Region ist sehr industriell?

Gibt es Berge im Westen?

Was weißt du über Trier und Aachen?

Was ist die Märchenstraße?

Wo kann man im Westen guten Wein finden?

Welche Flüsse gibt es im Westen?

Warst du schon einmal in Deutschland? In welcher Region?

I. Eine Reise planen

In this chapter we have talked a lot about traveling in Germany, and ideas for future travels are probably swirling through your head. But before you go, there are things you should do to prepare for the adventure. Using the ideas in the box, talk to a classmate and decide on which items are most important in the week leading up to a trip.

einen Reiseführer kaufen	Reisewebseiten lesen	Deutsch üben
Sport treiben	bequeme Schuhe kaufen	einen Reisepass beantragen
gesund essen	Geld sparen	einen Reiseplan erstellen

1. Sollte man einen Reiseführer kaufen?

2. Wie wichtig ist das?

3. Sollte man…?

4. Warum?

5. Muss man…?

J. Regionen in Deutschland

Now that we have covered all German regions, what stood out to you? In 3 minutes, work with a group and list as many things (cities, sites, etc) as you can!

Im Norden

Im Süden

Im Osten

Im Westen

K. Wohin ich möchte

Now that you have learned about all regions of Germany, think over which cities and areas seem most exciting to you, and write an essay describing which places you would like to see and why.

Ich würde gern …   besuchen.

Ich finde [Stadt/Region] … interessant, weil sie…   alt   ist.
modern
multikulti
progressiv
bergig
flach
romantisch

Es gibt   dort …   schöne Natur
viele Museen
viel Geschichte
gutes Essen
guten Wein / gutes Bier
schöne Architektur

Ich will …   [Attraktion]   sehen.

Ich will dort …   wandern gehen
segeln
in der Stadt spazieren gehen
ein Picknick machen
ein Schloss sehen
an der Uni studieren
in Cafés gehen und Menschen beobachten

Die perfekte Jahreszeit für meine Reise wäre …   der Frühling
der Sommer
der Herbst
der Winter

Vocabulary 5.4

Nouns:

der Dom, -e	cathedral
der Fluss, ¨-e	river
die Hauptstadt, ¨-e	capital city
das Jahrhundert, -e	century
der Jude, -n	Jew (male)
die Jüdin, -nen	Jew (female)
der Kampf, ¨-e	fight; struggle
das Latein	Latin
die Mauer, -n	outdoor wall
das Mittelalter	Middle Ages
die Münze, -n	coin
der Nachteil, -e	disadvantage
das Reich, -e	empire
der Rhein	Rhine River
der Römer, -	Roman (person)
die Straße, -n	street; road
der Teil, -e	part
der Vorteil, -e	advantage

Other:

endlich	finally
fertig	finished; ready
heilig	holy
hilfreich	helpful
natürlich	natural
sogar	even
überall	everywhere
wahr	true

Verbs:

fliehen	to flee
sterben [stirbt]	to die
stimmen	to be correct; to vote
zerstören	to destroy

5.4 Coordinating conjunctions

Conjunctions are words that connect sentences, clauses or words together. A coordinating conjunction connects independent sentences together into one sentence. This does not change the basic word order of each clause. These coordinating conjunctions are:

und	and	*denn*	for; because
aber	but	*sondern*	instead (but)
oder	or		

Here are sample sentences that illustrate the usage of each of these coordinating conjunctions. *Und* and *aber* are more common, but you will run into the other conjunctions as well. *Oder* is most often used to combine words and phrases rather than entire sentences. Use *sondern* to say that it is not this but rather that instead.

> *Der Esel war zu alt **und** der Bauer wollte ihn verkaufen.*
>
> *Die Tiere waren zu alt, um Essen zu finden **oder** etwas zu fangen.*
>
> *Wir haben nichts zu essen, **denn** wir haben nichts eingekauft.*
>
> *Ich war immer ein guter Jagdhund, **aber** jetzt bin ich zu alt.*
>
> *Unser Musik ist nicht traurig, **sondern** lustig.*

A. Meet Mischi   Circle the coordinating conjunctions in the text below (e.g., *und, oder, denn, aber, sondern*).

Mischi arbeitet als Architekt und Künstler in Hamburg. Als Architektur zeichnet[1] er keine Häuser, sondern Brücken. Hamburg hat mehr als 2.300 Brücken, denn es gibt zwei Flüsse und einen riesigen Hafen. Mischi zeichnet gern in Italien oder Spanien, denn er liebt die Sonne. Er malt als Künstler auch Brücken, aber er malt lieber Landschaften.

[1] *to draw*

B. Meanings   What do the coordinating conjunctions you saw in Exercise A mean? Mark (X) the best answer.

	but	*but rather*	*because*	*and*	*or*
1. und	☐	☐	☐	☐	☐
2. oder	☐	☐	☐	☐	☐
3. denn	☐	☐	☐	☐	☐
4. aber	☐	☐	☐	☐	☐
5. sondern	☐	☐	☐	☐	☐

C. Painting landscapes   Fill in the blanks with the most appropriate coordinating conjunction.

und   oder   ~~denn~~   aber   sondern

Example: Mischi möchte gern nach San Francisco, **denn** es gibt da die Bay Bridge.

1. Er malt zwar gerne Bäume,   er malt lieber ein Ufer[2].

2. Er mag Architekturzeichnungen[3]   Landschaftsmalereien[4].

3. Er zeichnet ungern drinnen,   lieber draußen.

4. Er möchte einmal entweder die Landschaft in den USA   in Kanada malen.

[2] *shore*   [3] *architectural drawings*   [4] *landscape paintings*

D. Landschaften   Fill in the blanks with the landscape features from the box that make sense.

Mount McKinley (6.194 m)   die Nordsee
der Mount Blanc (4.810 m)   Wüste (f.)
steile[5] Straßen (f., pl.)   Brücken (f., pl.)

Example: Es gibt in Kalifornien eine Wüste[6] und eine Küste[7].

1. In San Francisco gibt es zwei   und   .

2. Das Wetter in Las Vegas ist sehr heiß, denn es liegt in einer   .

3. In Hamburg gibt es keinen Ozean, sondern   .

4.   ist hoch, aber   ist höher.

[5]*steep*   [6]*desert*   [7]*coast*

E. Your neck of the woods   Describe the landscape where you live in three sentences using coordinating conjunctions. Feel free to use the vocabulary from the previous exercises, as well.

F. What do you like to do?   Use coordinating conjunctions to write four sentences about your interests.

malen   Sport treiben
zeichnen   Bücher lesen
tanzen   fotografieren

Unit 5: Quer durch Deutschland

Cultural and Communication Goals

This list shows the communication goals and key cultural concepts presented in Unit 5 *Quer durch Deutschland*. Make sure to look them over and check the knowledge and skills you have developed. The cultural information is found primarily in the Interactive, though much is developed and practiced in the print *Lernbuch* as well.

I can:

☐ talk about past events using the conversational past

I can explain:

Im Norden

☐ *Bundesländer:* Niedersachsen, Hamburg, Bremen, Schleswig-Holstein

☐ landscape and climate

☐ *die Hanse*

☐ *die Ostsee und die Nordsee*

☐ *die Insel Sylt*

☐ *Plattdeutsch*

☐ *Backsteinhäuser*

☐ *Boßeln*

☐ *Wattwanderung*

☐ major cities and associations: Kiel, Hamburg, Bremen, Göttingen, Hannover, Oldenburg

☐ *die Bremer Stadtmusikanten*

☐ *Kohl und Pinkel*

Im Süden

☐ *Bundesländer:* Bayern, Baden-Württemberg

☐ *der Bodensee*

☐ basis of most stereotypes about Germans

☐ *der Föhn*

☐ associations with Bavaria

☐ *Freistaat Bayern*

☐ der Schwarzwald

☐ *Schwaben*

☐ *Maultaschen*

☐ major cities and associations: München, Stuttgart, Nürnberg, Regensburg, Freiburg, Heidelberg, Ulm, Würzburg

☐ Oktoberfest

☐ the Nuremberg Trials

☐ *Weihnachtsmärkte*

☐ *Achtundsechziger*

☐ *Studentenverbindungen*

Im Osten

☐ *Bundesländer:* Mecklenburg-Vorpommern, Brandenburg, Berlin, Sachsen-Anhalt, Sachsen, Thüringen

☐ *Besatzungszonen* in Berlin after WWII

☐ *Deutsche Demokratische Republik (DDR)*

☐ *Bundesrepublik Deutschland (BRD)*

☐ *der Ostblock*

☐ *soziale Sicherheit*

☐ *Ossis und Wessis*

☐ *Ellenbogengesellschaft*

☐ *der Mauerfall* and *die Wiedervereinigung*

☐ current relationship between former East and West Germans

☐ *die Insel Rügen*

☐ major cities and associations: Dessau, Dresden, Leipzig, Berlin, Weimar, Wittenberg

☐ *die Berliner Luftbrücke*

☐ *Bauhaus* movement

Im Westen

☐ *Bundesländer:* Hessen, Rheinland-Pfalz, Saarland, Nordrhein-Westfalen

☐ der Rhein

☐ Tacitus

☐ Roman influence

☐ *Teutoburger Wald*

☐ *das Ruhrgebiet*

☐ *die Märchenstraße*

☐ dialect spoken by some West Germans

☐ major cities and associations: Trier, Frankfurt am Main, Köln, Düsseldorf, Dortmund

☐ Charlemagne, Aachen, *Dom*

Unit 6 In der Stadt

Hamburger Rathaus

Unit 6 *In der Stadt*

In Unit 6 you will learn about public transportation in Germany (*Bahn, U-Bahn, Straßenbahn, Bus*) as well as the extensive culture built around the *Auto*, including the world-famous *Autobahnen*. You will also learn about shopping in Germany and how stores and goods are organized differently from those in North America. You will also learn about maps and navigating in Germany and how to give and understand directions in German.

Below are the cultural, proficiency and grammatical topics and goals:

Kultur

Öffentliche Verkehrsmittel
Attitudes towards driving
Shopping and daily life
Getting around in Germany

Grammatik

6.1   *Wo* vs. *wohin*
6.2   Two-way prepositions (motion)
6.3   Verb-preposition combinations
6.4   Subordinating conjunctions

Kommunikation

Expressing movement
Describing travel
Giving directions
Describing weekly routines

6.1 Verkehrsmittel

Culture: Getting around town
Vocabulary: Transportation
Grammar: *Wo* vs. *wohin*

A. Wie kommt Klaus dahin? Describe how Klaus gets where he's going using the means of transportation pictured.

mit dem Bus fahren
mit dem Zug fahren

GR 2.1a

Klaus fährt mit dem Taxi.

When not using a means of transportation, use a verb such as *laufen* or *wandern*.

GR 4.2b

[1] das Motorrad   [2] *Use the verb* fliegen   [3] das Schiff

---

B. Wie kommt man dahin?   Answer the questions below.

GR 2.1a

GR 4.2b

When using man, *the verb is conjugated for one person such as Klaus:*

Klaus **fährt** mit dem Taxi.   Man **fährt** mit der U-Bahn.

Fahren *and* laufen *are stem-changing verbs:*

Ich fahre.   Du fährst.   Man fährt.
Ich laufe.   Du läufst.   Man läuft.

1. Wie kommst du zur Uni?

2. Wie kommst du zur Arbeit?

3. Wie kommst du zum Supermarkt?

4. Wie kommt man von den USA nach Deutschland?

5. Wie kommt man am besten von New York nach Washington, D.C.?

6. Wie kommt man von der Wall Street zum Central Park in NYC?

C. Verkehrsmittel

Which means of transportation from activity 6.1A fit the following descriptions? Use as many different kinds as you can!

sehr teuer
sehr billig
sehr schnell
eher langsam
laut
gefährlich
sehr bequem
umweltfreundlich
unkonventionell

Hafenfährlinie 62, Hamburg

D. Interview   Interview your classmates about their most recent travel experiences.

GR 5.3

vor einem Jahr – *one year ago*
vor drei Jahren – *three years ago*
noch nie – *never (not yet ever)*
schon oft – *often already*
einmal, zweimal, dreimal – *once, twice, three times*
nach Deutschland – *to Germany*
in die Schweiz – *to Switzerland*
in der Schweiz – *in Switzerland*

Wann bist du das erste Mal mit dem Zug gefahren?

Bist du schon einmal mit Uber gefahren? Wohin?

Wann bist du das letzte Mal geflogen?

Wie oft fährst du im Sommer Fahrrad?

Wann bist du letztes Jahr mit dem Bus gefahren?

Warst du schon einmal im Ausland? Wo?

Fährst du gern Skateboard? Warum/warum nicht?

E. Wo oder wohin?   German has two words for "where": *wo* (for location) and *wohin* (for direction or a place you are going to). For each sentence, decide on whether it answers the question *wo* or *wohin*, and then create a German question that would elicit that answer.

GR 6.1

wo	wohin	
☐	☐	Ich bin nach Chicago gereist.
☐	☐	Wir waren in der Bibliothek.
☐	☐	Wir sind nach Hause gefahren.
☐	☐	Er ist zur Uni gegangen.
☐	☐	Sie ist bei ihren Eltern geblieben.
☐	☐	Ich habe im Hotel übernachtet.

F. Wie kommst du zur Uni? Read the texts and answer the questions below.

Catharina (Göttingen, DE): Zur Uni fahre ich jeden Morgen mit dem Fahrrad, weil das nur ungefähr drei Minuten dauert, weil ich sehr nah[1] an der Universität dran wohne. Und das tun eigentlich alle in Göttingen, weil die Stadt so klein ist.

Marinko (Kroatien): Ich arbeite am Flughafen, Frankfurter Flughafen. Und bis zur Arbeit brauche ich ungefähr mit dem Auto fünfzehn Minuten. Und dann vom Parkplatz werden wir mit den Bussen an unsere Arbeitsstellen befördert[2]. Das dauert nochmal zehn Minuten.

Torgunn (Göttingen, DE): Ich fahre jeden Tag mit meinem Fahrrad zur Uni, und wenn das kaputt ist, was mir schon zweimal passiert ist, dann muss ich laufen. Ich brauche zehn Minuten, um zur Zentraluni zu kommen, und eine Viertelstunde mindestens, um zum Sportinstitut zu kommen, weil das oben auf dem Berg ist. Ich wohne nicht so zentral wie die meisten.

---

[1] *near*
[2] *transported*

1. Wer fährt am längsten zur Uni oder zur Arbeit?

2. Wer fährt am schnellsten zur Uni oder zur Arbeit?

3. Wer fährt mit dem Fahrrad?

4. Wer fährt mit dem Auto?

5. Wie kommt Nici am schnellsten zur Uni?

Burgtor, Lübeck

Lars (Braunschweig, DE): Im Auto. Zwischen dreieinhalb und zehn Minuten. Wenn man alle Ampeln in Grün erwischt[3], dann sehr schnell fährt, dann schafft man es in dreieinhalb Minuten.

Nici (Braunschweig, DE): Mit dem Fahrrad habe ich die neue Bestzeit aufgestellt[4], neun Minuten. Ansonsten[5] wenn ich langsam fahre, zwölf Minuten. Und mit dem Auto dauert es auch zehn Minuten.

---

[3] Ampeln in Grün erwischt – *hit green traffic lights*
[4] aufstellen – *to establish*
[5] *otherwise*

6. *You will be learning about subordinating conjunctions in this unit. These are words like* weil *and* wenn *that connect two sentences into one sentence.*

Underline all the instances of weil *and* wenn, *and then find the verb for each of these clauses. Where do the verbs appear? Is that their normal location?*

G. Welches Wort passt nicht?

For each group of words, circle the word that does not fit with the other three in your opinion. Discuss in German why that word does not fit. There might be different ways to approach or analyze each set of words, so be open to different interpretations!

die Fahrkarte	die Hinfahrt
die Rückfahrt	die Einfahrt
das Flugzeug	der Schaffner
die Haltestelle	die Fahrkarte
der Bus	das Fahrrad
das Taxi	die Straßenbahn
geradeaus	bis
rechts	links
der Dom	das Kaufhaus
die Kirche	das Schloss
die Autobahn	die Schnellstraße
der Gehweg	die Landstraße
fliegen	sitzen
laufen	fahren

Berlin

H. Und dieses Jahr?

Work with a partner and ask questions based on the prompts in the blue box below. Choose whether to put it in the conversational past or present tense depending on what is most appropriate. When you respond, answer *ja* or *nein*, and then continue adding more information with *aber*.

GR 5.2

diesen Frühling einen Wanderurlaub machen

GR 5.4

dieses Jahr zu Weihnachten nach Deutschland fliegen

dieses Jahr über Thanksgiving deine Familie besuchen

diesen Sommer durch die USA reisen

dieses Jahr in den Semesterferien an den Strand fahren

dieses Jahr nach New York fahren:
diesen Sommer jobben:

Fährst du dieses Jahr nach New York?
Möchtest du diesen Sommer jobben?

Nein, ich fahre dieses Jahr nicht nach New York, **aber** letztes Jahr bin ich nach New York gefahren.

Ja, ich möchte diesen Sommer jobben, **aber** nächsten Sommer möchte ich nicht jobben.

I. Mit wem?

Interview a partner with these questions. When you answer, focus on using the dative case correctly (e.g., *mit meiner Schwester, von meinem Freund*).

GR 4.2b

GR 4.4b

Mit wem möchtest du eine Weltreise machen?

Von wem hast du deine letzte Postkarte bekommen?

Mit wem willst du das Oktoberfest in München besuchen?

Von wem hast du Deutsch gelernt?

Von wem hast du etwas Interessantes über andere Länder gehört?

Mit wem willst du am Wochenende verreisen?

J. Die Bahn   Read this short text about trains in Germany and answer the questions that follow.

Jedes Jahr reisen fast 2 Milliarden Menschen mit der Deutschen Bahn. Im Vergleich dazu hat Amtrak ca. 32 Millionen Reisende pro Jahr. Die Deutsche Bahn ist für ihre Pünktlichkeit, Effizienz und ihre schnellen Züge bekannt: der neue ICE kann über 300 km/h schnell fahren. Die schnellsten Züge von Amtrak transportieren ihre Passagiere mit 240 km/h durch die USA. Obwohl immer mehr Amerikaner mit dem Zug fahren, sind das Auto und das Flugzeug immer noch die Lieblingstransportmittel der Amerikaner.

1. Wie viele Deutsche reisen im Vergleich zu den Amerikanern mit der Bahn?

2. Warum ist das Zugfahren in Deutschland so beliebt?

3. Was denkst du: Warum reisen Amerikaner lieber mit dem Auto oder dem Flugzeug?

K. Eine Zugreise in Österreich   Traveling by train in Austria requires using the *ÖBB (Österreichische Bundesbahnen)*. Go to their website (currently: www.oebb.at) and plan a trip within Austria.

Finde zwei Städte in Österreich, die dich interessieren. Schau auf die Karte in deinem Lernbuch:

Abfahrtsstadt:

Ankunftsstadt:

Enter the cities into the website, get information on possible connections, and answer the following questions:

1. Wie viele mögliche Verbindungen gibt es?

3. Wann fährt der letzte Zug ab?

2. Wann fährt der erste Zug ab?

4. Wie lange dauert die Fahrt?

L. Interview   Interview three different students with the questions below.

1. Wie kommst du zur Uni?

2. Wie lange dauert das?

3. Welche Transportmittel benutzt du, wenn du deine Eltern besuchst?

4. Wie lange dauert die Fahrt?

5. Wie viel kostet das?

M. Womit fährst du?   Write a sentence for each picture describing when you use (or might use) that means of transportation.

When you use *wenn*, the conjugated verb should go at the end of the clause, as shown in the model sentences here. Review 6.1A for structures you might need.

Ich fahre mit dem Auto, wenn ich Urlaub mache.

Wenn ich meine Eltern besuche, fliege ich.

Vocabulary 6.1

Nouns:

die Ankunft, ¨-e	arrival		die Strecke, -n	route
der Automat, -en	vending machine		das Taxi, -s	taxi
die Bahn, -en	railroad		die U-Bahn, -en	subway
der Bahnhof, ¨-e	train station		das Verkehrsmittel, -	means of transportation
der Bus, -se	bus		der Zug, ¨-e	train
die Fahrkarte, -n	ticket			
die Fahrt, -en	trip		*Verbs:*	
der Gehweg, -e	pedestrian walkway		abfahren [fährt ab]	to depart
das Gleis	train track		ankommen	to arrive
die Haltestelle, -n	stop (for buses, trams, etc.)		passieren	to happen
der Hauptbahnhof, ¨-e	main train station		tun	to do
die Hinfahrt, -en	outbound trip		wandern	to hike
der ICE	intercity express train			
die Rückfahrt, -en	return trip		*Other:*	
die S-Bahn, -en	commuter train		gefährlich	dangerous
das Schiff, -e	ship		im Vergleich zu	in comparison to
die Straßenbahn, -en	street car; tram		mindestens	at least
			ungefähr	approximately

6.1 *Wo* vs. *wohin*

Both *wo* (where) and *wohin* (where [to]) are question words that deal with location. *Wo* inquires about a location that is assumed to be static, while *wohin* asks about a change in location. As a review, here are two sentences:

Wo wohnst du?   Where do you live?
Wohin gehst du?   Where are you going (to)?

A. Wie heißt das?   Match (X) the correct translation for each question with *wo* or *wohin*.

	Where do you need to go?	*Where are you going?*	*Where are you?*
1. Wo bist du?	☐	☐	☐
2. Wohin gehst du?	☐	☐	☐
3. Wohin musst du?	☐	☐	☐

B. Flight plan   Wonneken works as a pilot for Lufthansa and is showing her daughter Gabi the different places she will be stopping at on her trip. Fill in the blanks with the appropriate question word, *wo* or *wohin*.

Wonneken: _____ wohnen wir? Kannst du unsere Stadt auf der Karte finden?

Gabi: Wir wohnen in Frankfurt. Und _____ ist der Flughafen?

Wonneken: Hier, südwestlich von Frankfurt. Und _____ fliege ich morgen?

Gabi: Du fliegst nach München, oder?

Wonneken: Richtig. Und _____ fliege ich dann?

Gabi: Nach Mallorca. Und ich weiß, _____ das ist: im Mittelmeer!

C. The info desk   Flight passengers are asking questions at the info desk in the Frankfurt airport. Fill in the blanks with the appropriate question word, *wo* or *wohin*.

Wo ist das Gate für den Flug nach Rumänien?   →   Es ist im Terminal 2.

1. _____ fahren die ICE-Züge?   →   Sie fahren in alle Städte Deutschlands.

2. _____ ist der Bahnhof?   →   Direkt hier im Flughafen.

3. _____ fliegt die Lufthansa?   →   In alle Welt.

4. _____ fährt die S-8?   →   Bis nach Wiesbaden.

5. _____ ist das Rathaus in Frankfurt?   →   In der Altstadt.

D. Am Schalter   Customers are purchasing tickets. Fill in the blanks with the answers that make the most sense.

in Leipzig   nach Leipzig   in die Schweiz   in der Schweiz

Kunde 1:   Ich muss nach Hause in die Nähe von Zürich. Ich brauche also einen Flug _____ und ein Zugticket.

Kundendienst: Selbstverständlich. Wo _____ genau wohnen Sie ?

Kunde 1:   In Winterthur.

Kunde 2:   Ich muss zur Leipziger Buchmesse[1]. Ich brauche also einen Flug _____ .

Kundendienst: Gerne. Und wo genau _____ findet die Buchmesse statt?

Kunde 2:   Auf dem Messegelände[2].

[1] *book fair*   [2] *fairgrounds; exhibition site*

Fiaker vor dem Äußeren Burgtor   Wien, AT

6.2 Das Auto

Culture: Driving in Germany
Vocabulary: Car & driver terms
Grammar: Two-way prepositions (motion)

A. Wortschatz — For each pair of words, add another word that fits into the group and then write a German word or phrase that describes their connection. There may be multiple ways to do each set.

| das Kennzeichen | der Kofferraum | *der Motor* | *das Auto* |

der Stau | der LKW

der Schaffner | der ICE

die Straßenbahn | der Bus

der Flugplatz | die Landebahn

der Entwerter | der Automat

B. Schilder lesen

Take a look at the photo to the right to answer the questions below with a partner.

In welchem Land sind wir?

Wie schnell darf man in der Stadt fahren?

Wie schnell darf man außerhalb der Stadt fahren?

Was ist das Symbol unten links?

Warum ist die Zahl 130 in blau und nicht in einem roten Kreis?

C. Wortfeld — In the space below, write as many German expressions as you can think of relating to transportation with vehicles (*fahren*) and graph them where you think they belong on the axes of *billig-teuer* and *langsam-schnell*.

teuer

langsam - - - - - - - - - - - - - - - - FAHREN - - - - - - - - - - - - - - - - schnell

billig

D. Traumauto   If you were to buy a new or used car, what information would you want to know about it before buying?

Now fill in the blanks with information about your car or a car you would like to own. See if you can figure out what the German terms mean. An internet search might help you with the more difficult descriptors.

Baujahr[1]

Hersteller[2]

Modell

Kilometerstand[3]

Farbe

Türen

Benzinverbrauch

    innerorts[4]   l/100 km

    außerorts   l/100 km

    kombiniert   l/100 km

[1]   bauen – *to build, manufacture*
[2]   herstellen – *to manufacture*
[3]   der Stand – *status, standing*
[4]   *inside town*

Explain in a sentence the relationship between L/100km and mpg. What is the L/100km for the car you drive most often? See the blue box above.

Karosserieart

	Converting mpg - l/100 km	
	l/100 km	mpg (US)
☐ Cabrio[5]	5	47
☐ Coupé	6	39
☐ Geländewagen	7	33
☐ Limousine	8	29
	9	26
☐ Van	10	23
☐ andere	11	21
	12	19

[5]   *convertible*

Was ist dein Traumauto? (Geld spielt keine Rolle!)

Review the words above and write here all compound words you can find. A compound word is a word built from two or more separate words.

E. Mit dem Auto oder mit dem Zug?   Is it better to go by car or by train? Read the statements and answer the questions below.

Großglockner Hochalpenstraße, AT

Susanne (Göttingen, DE): Mit dem Zug. Also, ich fahre lieber mit dem Zug, weil ich dann nicht selber fahren muss. Außerdem[1] habe ich auch gar kein eigenes Auto[2]. Und Zug ist halt teuer, aber trotzdem steht man nicht im Stau.

[1] *besides*
[2] eigenes Auto – *(my) own car*

Henning (Bremen, DE): Es ist besser, mit dem Zug zu fahren, in den meisten Fällen[3]. Also, wenn man in irgendwelche kleinen Orte[4] will, da kann es sehr viel besser sein, ein Auto zu haben, weil es einfach schneller geht und Zugverbindungen[5] nicht immer sehr gut sind.

[3] in den meisten Fällen – *in most cases*
[4] *towns*
[5] train connections

Catharina (Hamburg, DE): Es kommt darauf an[6], wo man hinfahren möchte. Wenn ich jetzt zu meinen Eltern fahre, finde ich es meistens besser, mit dem Zug zu fahren, weil man die Zeit im Zug noch nutzen[7] kann, um zu lesen, zu schlafen, ein bisschen zu lernen. Wenn ich aber am Ende des Semesters oder der Semesterferien wieder fahre und viele Taschen und anderen Kram mitzunehmen habe, dann finde ich das Auto einfach besser, weil man die Sachen nicht tragen muss.

[6] Es kommt darauf an – *It depends*
[7] *to use*

Was sind die Vorteile und Nachteile vom Auto und vom Zug?

	Vorteile	Nachteile
das Auto		
der Zug		

F. Was passt zu dir?   Which vehicle most suits your personality, interests and future plans? Explain your choice to your partner and ask them about their most desired mode of personal transporation.

der Geländewagen *(SUV)*   das Elektroauto   der Porsche 911   der Honda Accord   das Fahrrad

Zu mir passt ein Elektroauto am besten. Ich bin sehr umweltfreundlich.

Und was passt zu dir?

G. Verkehrsschilder   Here are a number of traffic signs from Germany. Guess the correct name/meaning under each sign.

Stau	Wildwechsel	Baustelle	Brücke
Doppelkurve	Fahrrad	Fußgängerweg	Ampel
Kinder	Haltestelle	Parkplatz	Halt
Autobahn	Seitenwind	Einfahrtsverbot	Tankstelle

There are a number of compound words here. What does each part of these compound nouns literally mean?

Doppel + Kurve =

Auto + Bahn =

Fahr + Rad =

Halt + Stelle =

Seite + Wind =

Bau + Stelle =

Fuß + Gänger + Weg =

Park + Platz =

Einfahrt + Verbot =

Tank + Stelle =

What do you think the following mean?

der Kinderspielplatz

die Fußgängerbrücke

der Handschuh

die Jahreskarte

der Tiergarten

die Halteverbotszone

H. Mitfahrzentrale   One way to travel cheaply in Germany/Austria/Switzerland is to find (or offer) a ride with a *Mitfahrzentrale,* an agency for arranging rides. Read the information below about the *Mitfahrzentrale mitfahren.de* and check the correct answer(s).

Kostenlose Mitfahrzentrale seit 1998

Willkommen bei mitfahren.de, die Online-Mitfahrzentrale für Deutschland und Europa! Mitfahren verfügt über[1] eine der größten Fahrtendatenbanken Europas. Als Fahrer und Mitfahrer könnt ihr hier einfach und kostenlos eure Angebote und Gesuche[2] eingeben[3]. Gemeinsam fahren spart[4] Geld und schützt[5] die Umwelt. Nebenbei lernt man auch noch nette Leute kennen.

[1] has available
[2] requests
[3] to enter data in a form
[4] sparen – *to save*
[5] schützen – *to protect*

1. Mitfahren findet man nur

☐ in deutschen Zeitungen.

☐ in europäischen Zeitschriften.

☐ im Internet.

2. Der Service von Mitfahren

☐ kostet nichts.

☐ kostet nur in Deutschland etwas.

☐ kostet wenig.

3. Warum sollte man eine Mitfahrzentrale benutzen? *(Check all that apply!)*

☐ Weil das umweltbewusst ist.

☐ Weil das Geld spart.

☐ Weil das sehr teuer ist.

☐ Weil man neue Menschen kennenlernen kann.

I. Mitfahrgesuch   Find a ride for yourself inside of Germany/Austria/Switzerland, using *www.mitfahren.de* or a similar website. Decide on your starting city, destination and time frame. Then print out or write down one possible ride share (find an interesting one!). You will need to present or explain your findings in class. Answer as many of the following questions as you can:

1. Ist der Fahrer ein Mann oder eine Frau?
2. Wie viele Personen können mitfahren?
3. Darf man rauchen?

4. Gibt es Platz für Gepäck?
5. Wann ist Abfahrt (Datum und Uhrzeit)?
6. Wie kann man den Fahrer am besten kontaktieren?

J. Mitfahrangebot   In a small group, write a *Mitfahrangebot* going anywhere in the world you like. Make it as unusual and creative as you can. You and your fellow students can vote on the best one!

Komm, fahr mit! Ich bin nicht nett, aber ich fahre gern Auto. Und jeden Samstag fahre ich nach Moskau! Die Fahrt von Berlin nach Moskau kostet nur 15 € pro Person. Rauchen ist verboten! Aber Sprechen ist erlaubt! Vergiss nicht deinen Ausweis…

Schanfiggerstrasse, CH

K. Probleme! We have all had difficulties traveling. Check the top three problems you experience or have experienced. Then write two sentences in German about one that you have experienced, using the conversational past.

- [ ] keine Fußgängerübergänge
- [ ] viel Stau
- [ ] zu viele Ampeln
- [ ] zu viele Stoppschilder
- [ ] Baustellen
- [ ] zu langsame Fahrer
- [ ] zu schnelle Fahrer
- [ ] keine Bürgersteige
- [ ] junge Fahrer
- [ ] betrunkene Fahrer
- [ ] keine Radwege
- [ ] aggressive Fahrer
- [ ] extremes Wetter
- [ ] verspätetes Flugzeug
- [ ] falsche Autobahn

Ich habe zu viele rote Ampeln gehabt.

Auf der Straße sind aggressive Autofahrer gefahren.

L. Fliegen Write an essay *auf Deutsch* outlining arguments for and against air travel. Think about costs, convenience, reliability, luggage, and, of course, your personal preferences.

Fliegen ist	besser / schlechter	*better / worse*
	schneller / langsamer	*faster / slower*
	billiger / teurer	*cheaper / more expensive*
	sicherer / unsicherer	*safer / less safe*
	gemütlicher / ungemütlicher	*more comfortable / less comfortable*
	zuverlässiger / unzuverlässiger	*more reliable / less reliable*
Man kann (nicht)	lesen	*read*
	schlafen	*sleep*
	liegen	*lie down*
	laufen	*walk around*
	essen	*eat*
Man muss (nicht)	früh am Flughafen ankommen	*arrive early at the airport*
	die Schuhe ausziehen	*take your shoes off*
	lange warten	*wait a long time*
Ich finde Fliegen	besser / teurer / gemütlicher	als Fahren.

Vocabulary 6.2

Nouns:

die Ausfahrt, -en	exit; offramp	der Personenkraftwagen, -; (PKW, -s)	car; vehicle
das Auto, -s	car	der Reifen, -	tire
die Autobahn, -en	freeway	die Spur, -en	lane; track
die Automatik	automatic transmission	die Strafe, -n	fine; punishment
das Benzin	gasoline	der Stau, -s	traffic jam
das Bußgeld, -er	traffic fine	die Stundenkilometer	kilometers per hour
der Fahrer, -	driver	die Tankstelle, -n	gas station
die Fahrstunden (pl.)*	driving lessons	das Verkehrsschild, -er	traffic sign
die Farbe, -n	color	die Werkstätte, -n	workshop
der Führerschein, -e	driver's license		
der Fußgängerweg, -e	pedestrian walkway	*Other:*	
das Kennzeichen, -	license plate	selber	myself; self
der Kofferraum, ¨-e	trunk		
der Lastkraftwagen, -; (LKW, -s)	commercial truck	*Verbs:*	
der Mechaniker, -	mechanic	halten [hält]	to hold; to stop
der Motor, -en	engine	bremsen	to brake
das Motorrad, ¨-er	motorcycle	tanken	to fill up car with gasoline
die Panne, -n	breakdown		

*The singular, *die Fahrstunde*, refers to a single class session. Usually used in the plural.

6.2 Two-way prepositions (motion)

You have already learned that prepositions take specific cases: there are prepositions that always take accusative and some that always take dative. One group we have seen but not worked with specifically are the two-way prepositions, which can take either the accusative or the dative case. When used to describe a location, what matters is whether motion with a change of location is described or not. If it is, then use the accusative case. If not, then use the dative case.

an	at; up to	*in*	in; into	*unter*	under		
auf	on top of; up; onto	*neben*	next to	*vor*	in front of		
hinter	behind	*über*	over; above	*zwischen*	between; in between		

The question words *wo* and *wohin* are an important support tool when looking at two-way prepositions. If the question *wohin* best fits with the sentence, that implies motion with a change of location and thus these prepositions will take the accusative. If not, use the dative.

Take a look at these sample sentences for the two-way prepositions with both accusative and dative. Pay particular attention to the change of the definite article, which shows the change in case.

an	**A:** *Ich gehe **an die** Ecke.*	I'm walking to the corner.
	D: *Ich warte **an der** Ecke.*	I'm waiting at the corner.
auf	**A:** *Du steigst **auf den** Berg.*	You're hiking up the mountain.
	D: *Du stehst **auf dem** Berg.*	You're standing on top of the mountain.
hinter	**A:** *Wir gehen **hinter das** Haus.*	We're walking behind the house.
	D: *Wir stehen **hinter dem** Haus.*	We're standing behind the house.
in	**A:** *Ich gehe **in den** Laden.*	I'm stepping into the store.
	D: *Ich bin **im Laden**. (in + dem = im)*	I'm in the store.
neben	**A:** *Er stellt sich **neben die** Ampel.*	He's stepping next to the traffic light.
	D: *Er wartet **neben der** Ampel.*	He's waiting next to the traffic light.
über	**A:** *Der Vogel fliegt **über die** Brücke.*	The bird is flying over the bridge.
	D: *Der Vogel schwebt **über der** Brücke.*	The bird is gliding above the bridge.

unter	A: *Sie gehen **unter den** Baum.* D: *Sie stehen **unter dem** Baum.*	They're walking under the tree. They're standing under the tree.
vor	A: *Ich stelle mich **vor die** Kirche.* D: *Ich stehe **vor der** Kirche.*	I'm stepping in front of the church. I'm standing in front of the church.
zwischen	A: *Sie läuft **zwischen das** Kind und **den** Ball.* D: *Sie ist **zwischen dem** Kind und **dem** Ball.*	She's running between the child and the ball. She is between the child and the ball.

A. Black Forest Vacation   Two university students talk about a German road trip. Circle the prepositions in each sentence.

Jake: Heute fahren wir in den Schwarzwald[1]. Da wollen wir auf den Feldberg steigen. Auf dem Berg machen wir ein kleines Picknick. Zur Zeit ist das Wetter im Schwarzwald sehr angenehm[2].

Donnie: Unser Hotel liegt hinter dem Berg. Zum Wanderweg[3] müssen wir nur hinter das Hotel gehen. Das Hotel ist echt schön gelegen.
[1] *Black Forest* [2] *pleasant* [3] *hiking trail*

B. Preposition practice   Fill in the blanks with the correct prepositions.

1. Normalerweise liegt eine Einfahrt[4] _____ dem Haus und ein Garten liegt _____ dem Haus. **(vor / hinter)**

2. Das Dach[5] ist _____ meinem Kopf und der Boden[6] ist _____ meinen Füßen. **(über / unter)**

3. _____ einem Haus steht ein Zaun[7]. Der Zaun steht _____ zwei Häusern. **(neben / zwischen)**
[4] *driveway* [5] *roof* [6] *floor* [7] *fence*

C. Case practice   Mark (X) whether the prepositions below take the accusative case or the dative case.

	accusative	*dative*		*accusative*	*dative*
1. in den Schwarzwald	☐	☐	4. auf den Feldberg	☐	☐
2. im (in dem) Schwarzwald	☐	☐	5. hinter dem Berg	☐	☐
3. auf dem Berg	☐	☐	6. hinter das Hotel	☐	☐

D. A day in Freiburg   Donnie and Jake are asking the hotel receptionist for directions around Freiburg. Fill in the blanks with the correct articles (*den, die, das*) to complete the accusative prepositional phrases.

Jake: Wie kommen wir zum Freiburger Münster?

Der Portier: Es gibt zwei Optionen: Gehen Sie einfach vor _____ Hotel (n) und nehmen Sie ein Taxi in die Stadt. Oder gehen Sie über _____ Straße (f) und fahren Sie mit der Straßenbahn.

Jake: Ja. Ich fahre vielleicht mit der Straßenbahn. Aber es regnet...

Donnie: Komm einfach unter _____ Schirm (m).

E. Going to a restaurant   Complete the sentences with the prepositions and nouns given. Follow the example provided.

Example: **vor / das Gasthaus** → Wir treffen uns **vor dem Gasthaus**.

1. Wir gehen _____. **(in / das Gasthaus)**

2. Hängen Sie Ihre Jacke _____. **(an / die Wand)**

3. Stellen Sie Ihre Tasche _____. **(neben / der Tisch)**

4. Das Tagesgericht steht _____. **(auf / die Tafel[8])**

5. Die Toilette ist _____.

(zwischen / die Theke[9] / die Küche)
[8] *board* [9] *counter*

6.3 Einkaufen

A. Was kauft man da?   What does one buy there? Name three things for each place listed below.

z. B. im Schreibwarenladen   Kugelschreiber, Zeitschrift, Heft

1. beim Bäcker

2. beim Metzger

3. in der Drogerie

4. auf dem Markt

5. im Kaufhaus

6. im Supermarkt

7. in der Apotheke

B. Märkte   Study the photos on this page of two markets in Austria and Germany. Circle the items in the word bank that you see in the photos. Then use the box to write down the colors for each food product.

Naschmarkt, Wien, AT

Orangen	Pfirsiche
Bananen	Kohl
Eier	Birnen
Marmelade	Feigen
Äpfel	Paprika
Brokkoli	Kirschen
Zitronen	Bohnen
Erdbeeren	Trauben

Kassel

C. Schnell einkaufen

Look at the different shopping needs listed below and decide how to get them done most efficiently in a medium-sized German city. Write a German sentence for each, elaborating on your selection.

1. Auf dem Wochenmarkt in der Fußgängerzone willst du Gemüse, Obst und Eier einkaufen.

☐ Ich nehme natürlich mein Auto.
☐ In die Innenstadt fahre ich mit dem Fahrrad.
☐ Wenn ich viel einkaufen muss, nehme ich den Bus.

2. Für eine Party musst du fünf Kästen Wasser, Bier und Limonade einkaufen.

☐ Mein Fahrrad ist immer am besten!
☐ Ein Auto ist hier am praktischsten.
☐ Vielleicht laufe ich zu Fuß und trage alles selbst.

3. Manchmal kaufst du dein Gemüse direkt beim Bauern außerhalb der Stadt.

☐ Wenn es einen Bus gibt, schütze ich so gerne die Umwelt.
☐ Ich nehme den schönen Fahrradweg zum Bauern.
☐ Auch hier ist das Auto meine einzige logische Option.

4. Morgens holst du dir frische Brötchen und Brot beim Bäcker um die Ecke.

☐ Mein Auto steht direkt vor der Tür... also warum nicht?!
☐ Ich muss nur zwei Minuten zu Fuß gehen und mache das gerne.
☐ Mit dem Fahrrad kann ich noch schneller sein und nehme das!

D. Warum?

Share your answers from 6.3C above in a small group and be prepared to summarize your answers for the whole class.

> Zwei von uns fahren am liebsten mit dem Auto. Aber das Auto ist nicht immer praktisch. In der Stadt ist auch der Bus gut. Drei von uns fahren auch gerne mit dem Fahrrad. Zum Bäcker gehen wir alle zu Fuß!

E. Wohin gehst du?

GR 6.2

Work with a partner and ask where she or he goes to do the various things listed. Think about what preposition you will need and what case it takes.

nach - *cities, countries*
zu - *for people* (e.g., zu meiner Mutter, zum Arzt)
zu - *for stores* (zum Supermarkt, zur Apotheke)
in - *for things like* Kino, Konzert, Theater *and stores* (in den Supermarkt)
bei - *at a person's house, at a store*

Wohin gehst du, wenn du Musik hören willst?
Wo kaufst du Lebensmittel ein?
Wohin gehst du, wenn du einen Film sehen willst?
Wo isst du gern spätabends?
Wohin gehst du, wenn du lernen musst?
Wo treibst du Sport?

F. Hamburger Fischmarkt   Germans (and Europeans in general) are fans of outdoor markets. Summarize each paragraph in three simple German sentences in the text box provided.

Eine der beliebtesten[1] Attraktionen der Hansestadt Hamburg ist der Fischmarkt. Die Öffnungszeiten (sonntags im Sommer von 5 bis 10 Uhr morgens bzw. im Winter von 7 Uhr bis 10 Uhr) lassen dem Besucher keine Möglichkeit[2] zum Ausschlafen. Aber die Frühaufsteher[3] können hier jede Woche Fisch, Meeresfrüchte, Obst, Gemüse, Blumen, Souvenirs und sogar Haustiere kaufen, an zahlreichen[4] Imbissständen ihr Morgenkaffeechen trinken und ein belegtes Brötchen mit Fisch essen – oder auch einfach nur herumgucken.

[1]   *favorite*
[2]   *possibility*
[3]   *early risers*
[4]   *numerous*

Die Atmosphäre ist typisch für Sonntagsmärkte: das Riesengedränge[5] von Leuten, ein Paar Marktschreier[6] (Aale-Dieter und Bananen-Harry ist bei den Marktbesuchern besonders beliebt), appetitliche Farben und Aromen. Dazu bietet der Markt einen schönen Blick auf die Elbe und den Hafen.

[5]   *huge crowd*
[6]   *salesperson who calls out to the crowds*

G. Ein Vergleich   Compare the *Hamburger Fischmarkt* described above to any outdoor market that you have been to or know of with three good sentences.

Der Farmers Market in Cleveland ist kleiner als der Hamburger Fischmarkt. Auf dem Fischmarkt gibt es Meeresfrüchte, aber auf dem Farmers Market gibt es nur Obst und Gemüse.

H. So schmeckt's   List the major ingredients (in German of course) you feel are best for the following food dishes.

der Salat

der Obstsalat

der Kuchen

das Omelett

I. Was braucht man?   With a number of students, ask what everyone thinks is needed for a good salad, fruit salad, etc. from 6.3H. To ask, use the phrase: *Was braucht man für…*

GR 3.1a

Man braucht…

Man braucht aber kein/keine/keinen…

Was braucht man für einen guten Salat?

Was braucht man für ein gutes Omelett?

J. Online oder im Laden?   Indicate how you prefer to buy the following items. Then share your answers with a partner, asking each other the appropriate questions and starting your answer with the direct object (i.e., the thing you are buying).

Einen Laptop kaufe ich online.

	im Laden	online
der Laptop	☐	☐
die Kleidung	☐	☐
die Bücher	☐	☐
die Musik	☐	☐
die Pizza	☐	☐
die Schuhe	☐	☐
das Toilettenpapier	☐	☐
die Lebensmittel	☐	☐
die Computerspiele	☐	☐
der Kaffee	☐	☐

Bad Homburg vor der Höhe

K. Im Kühlschrank

What's in your fridge? Read the following responses and answer the questions that follow.

Fatima (Göttingen, DE): In meinem Kühlschrank? Joghurt, Brokkoli, Milch, Käse, Wurst, Erdbeeren, Sahne.

Hoa (Göttingen, DE): In meinem Kühlschrank gibt es Milch, Nutella, Bier, Fleisch, ein bisschen Wurst, Obst und Salat.

Stephanie (Göttingen, DE): Ich habe versucht, letzte Woche ein bisschen mehr Gemüse und Obst zu essen, weil ich das sonst nicht tue, und deswegen sind da noch alte, verschrumpelte Gurken, ein paar Kiwis und sowas. Ansonsten sehe ich immer zu, dass ich frische Milch da habe und so ein paar Sachen, um mir mal zwischendurch ein Brot zu machen[1].

Christian (Göttingen, DE): Mir wird immer vorgeworfen, mein Kühlschrank wäre ziemlich leer. Das stimmt auch. Da steht im wesentlichen Bier, eine Packung Multivitaminsaft und eine Packung Milch drin.

Dorothee (Göttingen, DE): Ich koche sehr gerne, deshalb ist mein Kühlschrank immer gut gefüllt, und ich esse auch gerne, also gibt es auch immer genug zu essen. Also, bei mir gibt es immer Senf, Mayonnaise, verschiedene Pasten, die man zu indischen oder asiatischen Gerichten braucht. Basilikum, Käse, Wurst und Champignons sind drin, Milch, Sahne, Paprika, Ingwer und im Gefrierfach sind gefrorene Chilischoten und teilweise gefrorenes Gemüse und ja, viel.

---

[1] *ein Brot machen* - to make a sandwich

1. Wer isst gern Milchprodukte?

2. Wer isst gern Fleisch?

3. Wer kocht gern asiatisch?

4. Wer möchte gesünder essen?

5. Bei wem ist der Kühlschrank ziemlich leer?

6. Was hast du im Kühlschrank? Wenn du keinen Kühlschrank hast, dann schreib über den Kühlschrank von deinen Eltern (oder deinem Vater oder deiner Mutter oder deinen Freunden).

L. Wo kaufst du gern ein? Answer the three questions below.

GR 3.1a

das Medikament, -e
der Verkäufer, -
die Einkäufe
die Plastiktüte, -n
die Einkaufstasche, -n

der Käse
das Brot, -e
die Kreditkarte, -n
der Parkplatz, ¨-e
das Bargeld

1. Wo kaufst du Kleidung? Was findest du gut an diesem Laden?

2. Wo kaufst du deine Lebensmittel? Warum kaufst du in diesem Laden ein?

3. Wo kaufst du gar nicht gern ein? Warum?

M. Einkaufen bei uns

The international student advisor has hired you to write an introduction about shopping in the US or Canada for new German exchange students. Give appropriate comparisons based on what you have learned about German shopping.

> Die meisten Supermärkte in den USA sind…
> In amerikanischen Supermärkten kann man…
> Andere Unterschiede zwischen den USA (oder Kanada) und Deutschland sind…
> In Amerika kann man auch überall… , aber in Deutschland…

Im Supermarkt kann man… kaufen.
In Deutschland… , aber in den USA… .

Lebensmittel	*groceries*
Medikamente	*medicine*
die Verkäufer	*sales people*
die Einkäufe	*purchases*
die Kreditkarte	*credit card*
die Plastiktüte	*plastic bag*
die Stofftasche	*canvas bag*

Vocabulary 6.3

Nouns:

der Apfel, ¨-	apple	die Marmelade, -n	jam, marmalade
die Apotheke, -n	pharmacy	das Medikament, -e	medicine
die Bäckerei, -en	bakery	die Metzgerei, -en	butcher shop
die Banane, -n	banana	das Milchprodukt, -e	dairy product
das Bargeld	cash	das Obst	fruit
die Birne, -n	pear	die Orange, -n	orange
die Bohne, -n	bean	die Paprika, -s	paprika (vegetable)
das Brot, -e	bread	der Pfirsich, -e	peach
die Butter	butter	der Quark	type of creamy cottage cheese
der Champignon, -s	button mushroom	das Rezept, -e	prescription; recipe
die Drogerie, -n	drugstore	die Sahne	cream
das Ei, -er	egg	die Seife, -n	soap
die Erbse, -n	pea	der Senf, -e	mustard
die Erdbeere, -n	strawberry	das Shampoo, -s	shampoo
der Hustensaft, ¨-e	cough syrup	der Speck	bacon
die Innenstadt, ¨-e	downtown; city center	die Tomate, -n	tomato
die / der / das Joghurt, -s	yogurt	die Traube, -n	grape
die Karotte, -n	carrot	die Tüte, -n	bag
das Kaufhaus, ¨-er	department store	der Verkäufer, -	salesman
der Käse, die Käsesorten	cheese	die Zahnpasta, -s	toothpaste
die Kirsche, -n	cherry		
der Kohl, -e	cabbage	*Other:*	
die Kopfschmerztablette, -n	headache pill	leer	empty
		schon	already

6.3 Verb-preposition combinations

There are many cases when two-way prepositions are used with verbs for situations that have nothing to do with location or movement. For these uses, you must memorize or look up whether accusative or dative is used. Dictionaries and vocabulary lists will indicate whether accusative or dative is used for these combinations.

an + dat.	on a specific day	*Am Mittwoch gehen wir ins Kino.*
Angst haben vor + dat.	to be scared of something	*Wir haben Angst vor Monstern.*
arbeiten an + dat.	to work on something	*Er arbeitet an seinen Hausaufgaben.*
denken an + akk.	to think about, of	*Ich denke an meinen Vater.*
in + dat.	in + time	*In einer Woche haben wir Ferien.*
reden über + akk.	to talk about	*Wir reden über unsere Probleme.*
schreiben über + akk.	to write about	*Wir schreiben über die neuesten Produkte.*
warten auf + akk.	to wait for	*Ich warte auf gutes Wetter.*

A. Identifying prepositions   Identify the verb-preposition pair by underlining the verb or time expression and circling the preposition.

1. Ich denke oft an meinen Bruder.

2. Im Sommer haben wir uns das letzte Mal gesehen.

3. Wir haben zusammen an unserem Haus gearbeitet.

4. Wir reden nicht oft über unsere Gefühle.

5. Aber in unseren Briefen schreiben wir über unsere Gefühle und auch über unsere Abenteuer in anderen Ländern.

6. Leider habe ich Angst vor großen Insekten. Du auch?

B. Preposition practice   Fill in the blanks with the correct prepositions.

1. Ich denke oft   leckeres Essen!

2. Zum Glück gibt es   Sommer viele Wochenmärkte.

3. Ich gehe diese Woche   Samstag einkaufen.

4. Natürlich warte ich schon ungeduldig   die Spargelzeit!

5. Ich denke auch oft   meinen letzten Sommer in Berlin zurück.

6.   den paar Monaten dort habe ich so viel gemacht und gesehen.

7. Ich habe deshalb einen Blog   meine Erlebnisse geschrieben.

C. Case practice   Circle the correct case.

1. Ich denke oft an **meine / meiner** Zeit (f) in Deutschland.

2. **In / Im** Juli (m) kann man dort auf dem Wochenmarkt leckere Erdbeeren kaufen.

3. Meine Freunde reden oft über **ihre / ihren** Reisepläne (pl).

4. Leider habe ich Angst vor **das / dem** Fliegen (n).

5. Und hast du gehört, dass es **an / am** Montag (m) in der Mensa Pizza gibt?

6. Nein, aber ich arbeite auch schon den ganzen Tag an **meine / meinen** Hausaufgaben!

7. Worüber schreibst du **deine / deiner** Hausarbeit?

Bodensee, Lindau

6.4 Geradeaus

A. Wie heißt das?   For each icon, write a German word or phrase that describes it. Include the article to review them.

B. Wie kommst du dahin?   Interview two other students and note their responses here.

Wie kommst du zu deinen
   Eltern?

Wie kommst du zur Uni?

Wie kommst du zum
   Supermarkt?

Wie kommst du ins Kino?

Wie kommst du zu deiner
   Lieblingspizzeria?

Wie kommst du in deine
   Heimatstadt?

C. Unterwegs mit Bus und Bahn   Working with a partner, look at the timetable for Bus 16 from the Kasseler Verkehrs-Gesellschaft (KVG) and try to answer the questions that follow in German.

	Montag-Feitag		Samstag		Sonn- u. Feiertag
	8-11	**12-19**	**8-14**	**15-19**	**9-19**
	F				
Auestadion ab	47	47	47	40	40
Kegelzentrum	48	48	48	41	41
Giesewiesen	49	49	49	42	42
Damaschkebrücke	50	50	50	43	43
Siebenbergen	51	51	51	44	44
Gärtnerplatzbrücke	52	52	52	45	45
Clubhaus HSS	53	53	53	46	46
Schwimmstadion	54	54	54	47	47
Clubhaus CSK 98	55	55	55	48	48
Orangerie	56	56	56	49	49
Staatstheater	58	58	58	51	51
Altmarkt/Regpräs.	**01**	**01**	**01**	**54**	**54**
Königsplatz/Mauerstraße	**05**	**05**	**05**	**58**	**58**
Hbf/Kurfürstenstraße	07	07	07	00	00
Hauptbahnhof an	**08**	**08**	**08**	**01**	**01**

F fährt nur in den Sommerferien

1. Wie heißt die Endhaltestelle von der Buslinie 16?

2. Wann fährt der erste Bus am Samstag ab?

3. Wie oft fährt der Bus montags bis freitags zwischen 8 Uhr und 19 Uhr?

4. Wie lange dauert die Fahrt zwischen dem Kegelzentrum und der Orangerie?

5. Wie oft pro Stunde fährt dieser Bus am Sonntag?

6. *What do you think „Hbf" stands for? Hint: The answer is actually in the schedule itself.*

7. *How would you translate „ab" and „an" here?*

D. In Berlin   You are in Berlin standing in front of the *Gedächtniskirche* (at the red dot). Write on the map the number of each of the five places below based on reading the directions on how to get there from where you are standing.

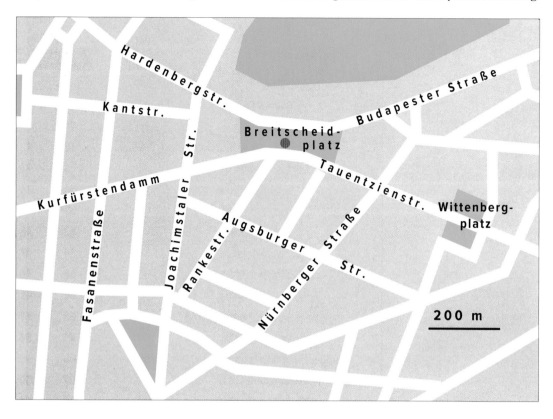

1. Wo kann ich einen berühmten *Berliner*[1] genießen?

Einen wirklich guten *Berliner* bekommst du nur in einer Bäckerei oder Konditorei! Geh von der Gedächtniskirche aus den Kurfürstendamm entlang[2]. Biege rechts in die Joachimstaler Straße ein und dann wenig später links in die Kantstraße. Geh über die Fasanenstraße. Dann gibt es auf der linken Straßenseite das Café *Paris Bar*.

2. Wo kann ich eine Apotheke finden?

Geh die Rankestraße entlang. An der ersten Kreuzung[3] mit der Augsburger Straße biege nach links ab[4]. Nach weniger als hundert Metern siehst du auf der linken Straßenseite die *Luitpold-Apotheke*.

3. Wo kann ich in einem schönen Biergarten sitzen und ein *Berliner Kindl* trinken?

Geh um die Gedächtniskirche herum und biege nach links in die Hardenbergstraße ab. Laufe über die Joachimstaler Straße bis du links die Fasanenstraße siehst. Biege wieder links ab und dann siehst du gleich den gemütlichen Biergarten des *Quasimodo-Cafés*.

4. In welchem Geschäft kann ich Shampoo und Haarspülung kaufen?

Geh zum *dm-Drogeriemarkt* im Europa-Center. Geh links die Tauentzienstraße herunter. Nach zweihundert Metern siehst du links einen großen Komplex von unterschiedlichen[5] Gebäuden[6] mit Geschäften und Cafés. Im Europa-Center findest du dann im Erdgeschoss den Drogeriemarkt mit vielen Hygieneprodukten. Falls du die Nürnberger Straße siehst, musst du zurückgehen.

5. Wo ist das Kaufhaus *KaDeWe*?

Geh ungefähr 500 Meter die Tauentzienstraße entlang, bis zum Wittenbergplatz. Kurz vor dem Platz siehst du rechts ein großes Gebäude, wo viele Leute hineinströmen[7]. Das ist das berühmte *KaDeWe*, das größte Kaufhaus Kontinentaleuropas.

[5]   *different*
[6]   *buildings*
[7]   *to pour in*

[1]   *a donut filled with strawberry jam or plum butter*
[2]   *along*
[3]   *intersection*
[4]   abbiegen – *to turn*

E. In Berlin (2)   Go to an internet map site such as Google Maps, look up the locations you traced in 6.4D and make sure you are at the right place. Make any corrections necessary.

F. Ein Laden   Examine in greater detail one of the places listed in 6.4D and summarize in three simple German sentences what you find out about it. Look at pictures, customer reviews, websites, and similar resources.

G. Anweisungen   Write the correct English match for each phrase.

Geh geradeaus!   *Stop!*

Geh links!   *Go right!*

Geh ein bisschen zurück!   *Go left!*

Halt!   *Go straight!*

Geh rechts!   *Back up a little!*

H. Was hat meine Stadt?   Have a conversation with a partner about the type of public transportation that your respective hometowns offers and what you would like to see expanded. Here are some guiding questions.

1. Gibt es Busse in deiner Stadt?

2. Welche anderen Transportmittel gibt es in deiner Stadt?

3. Was möchtest du idealerweise in deiner Stadt haben?

4. Bonusfrage: Kann man in deiner Stadt gut mit dem Fahrrad fahren?

I. Auf dem Campus   With a partner, practice asking how to get to various locations on your own campus from your current classroom. Review the phrases in 6.4G to get started. It might be handy to have a campus map with you if you go to a large university.

Wie komme ich zum Uni-Kino?

Geh aus diesem Gebäude heraus und dann rechts die College Avenue entlang! Geh zwei Straßen geradeaus bis zur 8th Street! Geh dann nach rechts! Geh die 8th Street entlang! Nach 200m siehst du dann rechts das Kino.

J. Bahn oder Auto?   Rolf (Marburg, DE) now lives outside of Frankfurt. He describes when he drives and when he takes the train. Read what he says and answer the questions in German.

GR 6.2

GR 6.3

Ich fahre sehr selten Auto. Also ich fahre vielleicht einmal im Monat mit dem Auto in die Stadt. Meistens benutze ich die Bahn, weil die Bahn sehr viel einfacher ist. Das Problem ist, wir wohnen nicht weit weg von Frankfurt. Das sind etwa 30 km. Aber zwischen unserem Ort und der Autobahn gibt es eine Stelle wo immer Stau ist, morgens, zwischen halb acht und halb zehn. Egal, wann man fährt, man steht immer 20-30 Minuten im Stau. Und wenn man dann auf der Autobahn ist, steht man wieder im Stau, weil die A5, die vom Norden nach Frankfurt reinfährt, auch sehr stark befahren ist und morgens so um die Rushhour Zeit ist das sehr problematisch.

Wir fahren manchmal nach Frankfurt, wenn ich abends einen Termin habe, oder wenn wir mal etwas Besonderes einkaufen, und mittlerweile kenne ich mich so gut in Frankfurt aus, dass das für mich keinen Stress bedeutet.

Frankfurter Hauptbahnhof

1. Warum fährt Rolf meistens mit dem Zug?

2. Wo gibt es oft Stau?

3. Wie weit entfernt von Frankfurt wohnt Rolf?

4. Wann fährt Rolf mit dem Auto nach Frankfurt?

5. Findet er es stressig, mit dem Auto nach Frankfurt hineinzufahren? Warum oder warum nicht?

Write a brief email in German to Rolf about the traffic situation you usually encounter in either your hometown or the town/city you study in. How do you usually get around?

Circle all prepositions that use the dative case in the text above. This will include prepositions that are always dative and others that are dative only sometimes.

You are learning about subordinate clauses, where the verb is placed at the end of the clause. Underline all verbs in the text above that occur at the end of the clause (after words like dass, wenn, *etc.).*

K. Wien
Study the map of downtown Vienna (Wien) and then answer the questions below in German.

1. Was liegt zwischen der Hofburg und dem Naturhistorischen Museum?

2. Welche Gebäude sind neben dem Rathauspark?

3. Was gibt es am Parkring?

4. Was sehe ich, wenn der Rathauspark hinter mir liegt?

5. An welcher Straße liegt der Stephansdom?

6. Bonusfrage: Wie heißt der Fluss oben rechts?

L. Von A nach B

Think of one or two longer trips you make regularly and describe them in German. Feel free to use the models provided or take some from texts in *Themen* 6.3 and 6.4. Show your instructor you know how to write about traveling with various means of transportation.

Einmal im Monat fahre ich zu meinen Eltern. Meistens fahre ich mit dem Auto, aber ich nehme auch manchmal den Bus. Wenn ich mit dem Bus fahre, kann ich schlafen. Meine Freunde müssen immer fliegen, weil ihre Eltern weit weg wohnen.

Vocabulary 6.4

Nouns:

die Bushaltestelle, -n	bus station	die Post, die Postämter	post office
das Erdgeschoss, -e	ground floor	die Richtung, -en	direction
der Flughafen, ¨-	airport	die Stelle, -n	place; spot
das Gebäude, -	building	der Termin, -e	appointment
das Hotel, -s	hotel		
die Information, -en	information desk	*Verbs:*	
das Krankenhaus, ¨-er	hospital	abbiegen	to turn
die Kreuzung, -en	intersection	benutzen	to use
das Parkhaus, ¨-er	parking garage	stehen bleiben	to stay; to stand still
die Polizei	police	überqueren	to cross

Other:

an der Ecke	on the corner
falls	in case
geradeaus	straight ahead
hinauf	up (there)
hinunter	down (there)
links	left
rechts	right
selbst	(one)self
selten	seldom
um die Ecke	around the corner
unterschiedlich	different; various
weiter	further

Phrases:

Fahr nicht so schnell!	Don't drive so fast!
Heute saß ich zwei Stunden im Stau.	Today I was stuck in a traffic jam for two hours.
Ich fahre das Auto meiner Eltern.	I've got my parents' car.
Ich fahre mit der Straßenbahn.	I take the tram.
Ich gehe heute in der Stadt einkaufen.	I'm going shopping downtown today.
Ich gehe zu Fuß.	I walk.
Ich habe ein gebrauchtes Auto gekauft.	I bought a used car.
Ich habe ein neues Auto.	I've got a new car.
Ich nehme den Bus.	I take the bus.
Man darf hier nicht parken.	You can't park here.
Meine Eltern bezahlen die Versicherung.	My parents pay for the insurance.
Verzeihung, wie komme ich zum Rathaus?	Excuse me, how do I get to city hall?
Welche Straße ist das?	What street is that?
Wo kann man hier gut essen?	What's a good place to eat nearby?

6.4 Subordinating conjunctions

Subordinating conjunctions connect a subordinate clause to main sentences. Subordinate clauses have a subject and a verb, but they cannot stand alone without being attached to a main sentence. English has subordinating conjunctions as well:

Although she didn't study much, she aced the test.

"Although" is a subordinating conjunction, and the clause it goes with can't be its own sentence. You can't say or write just: *Although she didn't study much.*

As you might expect, German has a great number of subordinating conjunctions and you have already encountered many throughout the *Auf geht's!* program. Like English, German subordinating conjunctions attach clauses to main sentences, and these subordinate clauses can't stand on their own. But unlike English, the word order inside these subordinate clauses is changed: the conjugated verb (the one that agrees with the subject) is moved to the end of the clause.

*Wir **haben** morgen ein Quiz.*	We have a quiz tomorrow.
*Er weiß nicht, dass wir morgen ein Quiz **haben**.*	He doesn't know that we have a quiz tomorrow.

In English the word order is the same within the dependent clause, but in German the conjugated verb goes to the end of the clause.

Here is a short list of some common subordinating conjunctions:

als	when (in past)	*ob*	whether; if (for indirect questions)
bevor	before	*obwohl*	although
damit	so that	*seidtem*	since
dass	that	*während*	while; whereas
indem	while, by doing	*weil*	because
nachdem	after	*wenn*	when; whenever; if

Als *ich jünger war, bin ich oft ins Kino gegangen.*   When I was younger I went to the movies often.
Ich habe bald gemerkt, **dass** *es dort eher laut ist.*   I soon realized that it is rather loud there.

A. Meanings   Choose the correct translations for the subordinating conjunctions in bold.

	so that	since	when
1. **Wenn** das Wetter schön ist, …	☐	☐	☐
2. **Damit** ich fit bleibe, …	☐	☐	☐
3. **Seitdem** es eine Buslinie gibt, …	☐	☐	☐

	although	before	after
4. **Bevor** wir nach Berlin gezogen sind, …	☐	☐	☐
5. **Nachdem** wir von Mainz weggezogen waren, …	☐	☐	☐
6. **Obwohl** ich gerne Auto fahre, …	☐	☐	☐

B. Conjunction practice   Fill in the blanks with the most appropriate subordinating conjunctions from the pairs given.

1. Ich spare Geld, _____ ich mit öffentlichen Verkehrsmitteln fahre. **(ob / indem)**

2. Aber ich weiß nicht, _____ das immer am schnellsten ist. **(ob / indem)**

3. _____ ich noch in Mainz gewohnt habe, bin ich mit der Straßenbahn gefahren. **(als / dass)**

4. Ich finde es toll, _____ die Straßenbahn so pünktlich ist. **(als / dass)**

5. Ich lese gern, _____ ich auf den Bus warte. **(weil / während)**

6. Manchmal verpasse ich meine Haltestelle, _____ das Buch so spannend ist. **(weil / während)**

C. Shopping in town   Write compound sentences using subordinating conjunctions and the two sentences given.

Example: Rosi muss zur Bäckerei. Sie braucht Brot. **(weil)** → Rosi muss zur Bäckerei, **weil** sie Brot braucht.

1. Levent geht zur Metzgerei. Rosi ist beim Bäcker. **(während)**

2. Rosi kauft ein zweites Baguette. Sie hat schon ein Baguette zu Hause. **(obwohl)**

3. Levent probiert ein Stück Schinken. Er kauft ihn. **(bevor)**

D. More conjunctions   Now write compound sentences using subordinating conjunctions, from the choices given in the box.

1. Er bestellt einen Espresso. Er wird wach.

2. Levent unterhält Rosi. Er erzählt ihr Geschichten.

3. Sie bezahlen die Rechnung. Sie gehen.

bevor

indem

damit

Unit 6: In der Stadt

Cultural and Communication Goals

This list shows the communication goals and key cultural concepts presented in Unit 6 *In der Stadt*. Make sure to look them over and check the knowledge and skills you have developed. The cultural information is found primarily in the Interactive, though much is developed and practiced in the print *Lernbuch* as well.

I can:

- [ ] describe how I get to the university
- [ ] describe how I travel home
- [ ] talk about my use of public transportation
- [ ] explain public transportation in my city
- [ ] talk about my (family) car

- [ ] discuss pros and cons of forms of transportation
- [ ] understand German traffic signs
- [ ] talk about my shopping habits
- [ ] understand directions
- [ ] give basic directions

I can explain:

Die öffentlichen Verkehrsmittel

- [ ] reasons why Germans use public transportation more than Americans
- [ ] types of public transportation in Germany
- [ ] ways of buying public transportation tickets
- [ ] *der Entwerter*
- [ ] *Schwarzfahren*
- [ ] *Intercity-Express (ICE)*
- [ ] *der Zuschlag*

Das Auto

- [ ] *TÜV*
- [ ] using cell phones while driving in Germany
- [ ] *Allgemeiner Deutscher Automobilclub (ADAC)*
- [ ] *geblitzt werden/blitzen*
- [ ] *0,5 Promille*
- [ ] *Vorfahrt haben*
- [ ] German cars (drink holders, radios)

Einkaufen

- [ ] where most people in Germany prefer to shop
- [ ] types of stores: *die Bäckerei, die Metzgerei, die Konditorei, die Apotheke, die Drogerie, das Kaufhaus, das Einkaufszentrum*
- [ ] *die Fußgängerzone*
- [ ] *Mehrwertsteuer*
- [ ] *der Grüne Punkt*
- [ ] service people in Germany
- [ ] Walmart's experience in Germany
- [ ] typical German view of overly-helpful salespeople

Auf der Autobahn fahren

- [ ] speed limits on German *Autobahnen*
- [ ] Staus in Germany
- [ ] *Fahrverbot für LKWs*
- [ ] standard icons used in German maps and on *Autobahnschilder*
- [ ] design of transportation network in Germany
- [ ] how directions are given in Germany

Unit 7 Bildung

Schulweg, Hall in Tirol, AT

Unit 7 *Bildung*

In Unit 7 you will learn to talk about your schooling and compare it to the very different German educational system. You will also learn how to talk about your university studies in more depth. Finally, you will learn about German apprenticeship and job training that is very systematic, compared to that found in North America.

Below are the cultural, proficiency and grammatical topics and goals:

Kultur

Kindergarten and *Kita*
Primary education (*Grundschule*)
Secondary education (*Hauptschule, Realschule, Gymnasium*)
Post-secondary education
Job training and apprenticeships

Kommunikation

Describing school experiences
Comparing educational systems
Comparing educational experiences
Writing about past events using narrative past

Grammatik

7.1 Narrative past
7.2 Modals in narrative past
7.3 Narrative vs. conversational past
7.4 Imperative

7.1 Grundschule

A. Grundschule

GR 4.3a

Can you remember your time in elementary school? Answer these questions about any routine from grades 1-4 you remember.

so um – used for approximate time
so um 14.00 Uhr
    means "at about 2:00 PM"

The verb forms in the questions will help you form answers.

1. Um wie viel Uhr hat die Schule angefangen?

2. Wann war die Schule zu Ende?

3. Wann hast du zu Mittag gegessen?

4. Wann hattest du deine Pausen (*recess*)?

5. Wann bist du nach Hause gegangen?

6. Wie bist du zur Schule gekommen?

7. Hast du in der Schule viele Hausaufgaben gehabt?

8. Bist du gern zur Schule gegangen?

B. Der erste Schultag

Evi (Göttingen, DE) talks about her first day of school. Read her description and answer the questions.

Das war in der Bonifatiusschule hier in Göttingen. Die ist unten an der Bürgerstraße. Und ich hatte so eine Riesenschultüte gekriegt[1] und war noch ganz aufgeregt[2], weil meine großen Geschwister auch noch zur Schule gingen. Und sie haben mir so erzählt[3]: „Ja, es ist alles so streng und es ist alles so schlimm." Und ich habe gedacht: „Oh, ich will da nicht hin. Ich will da nicht hin." Und im Nachhinein[4] habe ich dann auch nur vier Stunden gehabt und dann habe ich gedacht: „Oh, das ist ja doch ganz gut. Es macht Spaß!" Und seitdem hat mir die Schule eigentlich regelmäßig Spaß gemacht.

[1] kriegen – *to get*
[2] *excited*
[3] erzählen – *to tell*
[4] im Nachhinein – *in retrospect*

1. Wie heißt Evis Schule?

2. In welcher Straße ist ihre Schule?

3. War Evis Schultüte groß?

4. Was haben Evis große Geschwister über die Schule gesagt?

5. Wie viele Stunden hatte Evi am ersten Schultag?

6. Mag Evi die Schule?

C. Anikas Stundenplan   Read Anika's schedule for the second grade in elementary school and answer the questions below.

MNK stands for **Mensch, Natur, Kunst** *and combines* Heimat- und
Sachunterricht, Musik, Bildende Kunst und Textiles Werken.

Zeit	Montag	Dienstag	Mittwoch	Donnerstag	Freitag
7.45-8.30	**Sport**				
8.35-9.20	**Französisch**	**Deutsch**	**Mathematik**	**Deutsch**	**MNK**
1. gr. Pause					
9.40-10.25	**Deutsch**	**Französisch**	**Schwimmen**	**Deutsch**	**Sport**
10.30-11.15	**Mathematik**	**Mathematik**	**Deutsch**	**Mathematik**	**Deutsch**
2. gr. Pause					
11.30-12.15	**MNK**	**Religion**	**MNK**	**MNK**	**Mathematik**
12.20-13.05		**MNK**	**MNK**		**Religion**

1. Welche Fächer hattest du nicht
   in der Grundschule?

2. Endete der Schultag für dich
   auch oft um 12 oder 13 Uhr?

3. Wie viele Stunden am Tag
   warst du in der Schule?

4. Wie viele Stunden Unterricht
   am Tag haben diese Kinder?

5. Lernt Anika schon in
   der Grundschule eine
   Fremdsprache?

6. Welche Fremdsprache(n) hast
   du in der Schule gelernt?

7. Waren deine Pausen länger
   oder kürzer als Annikas?

D. Meine Grundschule   Compare your elementary school experience to Evi's description and Anika's schedule.

GR 5.2

GR 7.1

Meine Schule war nicht besonders
groß, aber sehr schön. Wir haben
drei bis vier Stunden pro Tag gelernt
und eine große und mehrere kleine
Pausen gehabt. Ich habe in der
Schulcafeteria gegessen, weil ich
am Nachmittag noch Unterricht
hatte. Meine Lieblingsfächer waren
Mathe und Kunst. Die Schule hat
mir Spaß gemacht, obwohl manche
Lehrer sehr streng waren.

E. Kindergarten und Schule in Deutschland

You will already have noticed some differences between the German school system and the prevailing system in the USA and Canada. Read more about how German schooling is organized, especially at the lower grades, and answer the questions that follow.

Alle Kinder in Deutschland müssen zur Schule gehen. Im Allgemeinen muss ein Kind 9 Jahre lang zur Schule gehen (von der 1. Klasse bis zur 9. Klasse). Unterricht zu Hause, so wie in den USA das „homeschooling", ist keine Option.

Mit 6 Monaten kann ein Kind in eine Kindertagesstätte (Kita) kommen, wenn die Eltern das möchten. Aber es gibt keine allgemeine Kindergartenpflicht[1] in Deutschland. Viele Kinder in Deutschland gehen mit 2,5 Jahren in einen Kindergarten. Aber in der Schweiz und Österreich müssen alle Kinder für zwei Jahre in den Kindergarten gehen.

In Deutschland haben die 16 Bundesländer teilweise[2] unterschiedliche Schulsysteme. Hier sind ein paar prinzipielle Ideen: Alle Kinder beginnen mit der Grundschule (1. bis 4. Klasse). Danach gehen Kinder auf eine von vier möglichen Schulen: auf eine Gesamtschule, eine Hauptschule, eine Realschule oder ein Gymnasium.

Inklusion im Kindergarten und an der Schule ist ein wichtiges Thema in Deutschland. Deshalb lernen alle

[1] die Pflicht - *requirement*
[2] teilweise – *partly*

Kinder an den meisten Schulen zusammen. Aber es gibt Förderschulen[3], wo Schulkinder mit psychischen Schwierigkeiten oder körperlichen Einschränkungen[4] (z.B. taube[5], blinde oder autistische Kinder) Unterricht bekommen.

Auf welche Schule geht ein Kind nach der Grundschule? Es gibt viele Faktoren für diese Entscheidung. Was wollen die Eltern? Was denken die Lehrer? Wie gut sind die Noten? Was möchte das Kind? Das Gymnasium hat am meisten Prestige in Deutschland, weil man dort das Abitur machen kann. Das Abitur braucht man, um an einer Universität zu studieren.

[3] special-needs schools
[4] limitations
[5] deaf

1. Wie viele Jahre muss ein Kind in Deutschland zur Schule gehen?

2. „Homeschooling" ist in Deutschland verboten. *(circle one)*   richtig   falsch

3. Kinder in Deutschland können mit _____ in eine Kita kommen.

4. Haben alle deutschen Bundesländer das gleiche Schulsystem?   ja   nein

5. Deutschland hat vier unterschiedliche Schulen:

6. Was ist die Idee von „Inklusion" hier in diesem Kontext? *(Keep it in simple German)*.

7. Welche Faktoren entscheiden, auf welche Schule ein Kind nach der Grundschule geht?

Meine Schule: *Write in German about two differences between your country's school system and what you just read about the German educational system.*

F. Hast du das gehabt?

Work with a partner and ask if you had various things in elementary school. You can use these prompts, but also add some from your recent vocabulary lists. Remember to use *nicht* or *kein-* if you didn't have it! And, of course, whatever you had or didn't have is a direct object.

Hausaufgaben   die Federtasche   der Schulhof   die Schultüte   der Rucksack   der Bleistift

Hast du Hausaufgaben gehabt?	Ja, wir haben Hausaufgaben gehabt.
Hast du eine Federtasche gehabt?	Nein, ich habe keine Federtasche gehabt.

G. Der Schulweg   Ask your partner the following questions and jot down their answers.

1. Wie bist du zur Schule gekommen?

mit der Straßenbahn
mit dem Schulbus
mit dem Stadtbus
mit dem Auto
zu Fuß
mit dem Fahrrad

2. Wie kommen die meisten amerikanischen oder kanadischen Kinder zur Schule?

3. Wie kommen wohl (*probably*) die meisten deutschen Schüler zur Schule?

4. Was denkst du: Hat man in Deutschland auch gelbe Schulbusse wie in Amerika oder Kanada?

H. Was ist dir wichtig?   What do you find important when it comes to schooling?

	nicht sehr wichtig	wichtig	sehr wichtig
Pausen haben	☐	☐	☐
Prüfungen schreiben	☐	☐	☐
Hausaufgaben machen	☐	☐	☐
Beziehung zur Lehrerin/zum Lehrer	☐	☐	☐
Ganztagsschule	☐	☐	☐
Sozialisation	☐	☐	☐
kleine Klassen	☐	☐	☐

I. Das Prinzip Waldorfschule   Anika's schedule in 7.1C is a typical schedule for a 1st or 2nd grade German elementary school student. Read about a very different school concept – the *Waldorfschule* – and answer the questions that follow.

Das Prinzip Waldorfschule

Rudolf Steiner (1861-1925) eröffnete 1919 in Stuttgart die erste Waldorfschule. Das Prinzip für eine Waldorfschule ist einfach: Alle Kinder bekommen die gleichen Chancen im Leben. Der soziale Status der Eltern oder die Intelligenz des Kindes oder die spätere Karriere sind nicht wichtig. Alle Schülerinnen und Schüler gehen für zwölf Jahre zur Schule – und sie können nicht sitzenbleiben[1]. Sofort ab dem 1. Schuljahr gibt es künstlerischen, handwerklichen, fremdsprachlichen und wissenschaftlichen Unterricht. Die Kinder sollen viel lernen, aber sie sollen auch menschliche Freiheit erleben. Am Ende des Schuljahres geben die Lehrer keine traditionellen Zeugnisse mit Noten, sondern ein Zeugnis ohne Noten. Was bekommen also die Kinder? Sie bekommen ein Textzeugnis mit detaillierten Kommentaren und konstruktiver Kritik. Lehrer an Waldorfschulen müssen viel wissen, aber sie sollen auch kreativ sein, weil sie den SchülerInnen viele verschiedene Perspektiven zeigen sollen.

---

[1] sitzenbleiben – *to repeat a grade*

1. Wer gründete die Waldorfschule?

2. Was ist das Hauptprinzip der Waldorfschulen?

3. Ab welchem Schuljahr lernen die Kinder eine Fremdsprache?

4. Was sollen die Kinder auch lernen?

5. Was bekommen die SchülerInnen am Ende des Schuljahres?

6. Was denkst du: Welche Kompetenzen haben ideale Lehrer an einer Waldorfschule?

7. Was glaubst du: Können nur Eltern mit viel Geld ihre Kinder auf eine Waldorfschule schicken? Warum oder warum nicht?

8. Gibt es in deiner Heimatstadt eine Waldorfschule?

J. Schultüten

On the first day of first grade, German children receive a *Schultüte*. Imagine that you'd like to start this tradition at your college or university. In small groups, decide on the contents of the perfect „*Unitüte*". Your *Unitüte* must contain 5-7 items. Sorry, no cash, credit cards, or checks.

K. Meine Schulzeit

Write a short essay describing your time in elementary school. What did you learn? What did you like to do? What was your schedule like? Use structures from Evi's story in 7.1B and Anika's schedule in 7.1C. Remember to use the Converstational past tense for your short essay.

GR 5.2

GR 7.1

Meine Schulzeit war	schön / toll / langweilig.		*great / fantastic / boring*
	nicht so gut / furchtbar.		*not so good / terrible*
Ich habe	Mathe / Englisch / Musik	gelernt.	
Ich habe	wenige / ein paar / viele	Freunde gehabt.	
Meine Lehrer waren	nett / toll / freundlich.		*nice / great / friendly*
	langweilig / schrecklich / gemein.		*boring / horrible / mean*
In den Pausen habe ich	...		*During recess / break …*
Ich bin	gern / ungern / überhaupt nicht gern	zur Schule gegangen.	

Meine Zeit in der Grundschule war toll! Meine Klassenlehrerin Frau Feuerbach war sehr nett. Wir haben viel von ihr gelernt. Ich habe auch viele Freunde gehabt. In der 3. und der 4. Klasse haben wir eine Klassenfahrt gemacht. Das war sehr schön! Aber eine Lehrerin war schrecklich! Sie hat Kunst unterrichtet und hat immer laut geschimpft. Ich bin aber gern zur Schule gegangen.

Vocabulary 7.1

Nouns:

die Beziehung, -en	relationship	**das Zeugnis, -se**	report card
der Bleistift, -e	pencil	**das Ziel, -e**	goal
die Federtasche, -n	pencil case		
die Grundschule, -n	elementary school	*Other:*	
die Hausaufgabe, -n	homework assignment	**damit**	so that
die Klasse, -n	class; grade level	**künstlerisch**	artistic
der Lehrer, -	teacher (male)	**menschlich**	human
die Lehrerin, -nen	teacher (female)	**öffentlich**	public
der Mensch, -en	person	**privat**	private
die Pause, -n	break; recess	**schlimm**	bad
der Schulhof, ¨-e	school yard	**schriftlich**	written
der Schulranzen, -	school backpack	**seitdem**	since then
die Schultüte, -n	gift cone given on	**streng**	strict
	first day of school		
die Schulzeit	school time	*Verbs:*	
der Spaß	fun	**eröffnen**	to open
der Unterricht	class, instruction	**erzählen**	to tell; talk
		sitzenbleiben	to repeat a grade

7.1 Narrative past

The narrative past in German is used for formal written discourse (such as books and news reports) and with a select number of verbs in spoken German. Those verbs are:

> *sein → war* (to be → was)
> *haben → hatte* (to have → had)
> *werden → wurde* (to become → became)

Unlike the conversational past, the narrative past does not take a helping verb. Therefore, it is actually simpler to use and shorter. Nonetheless, Germans prefer to use the conversational past for most verbs as pointed out earlier. To conjugate a regular verb in the narrative past, you have to take the stem of the verb, add a *–te* and then the appropriate ending. Here is an example with *lernen*:

ich	lern**te**	**wir**	lern**ten**
du	lern**test**	**ihr**	lern**tet**
er–sie–es	lern**te**	**(S)ie**	lern**ten**

As you can see, the 1st and 3rd person singular are identical, and so are the 1st and 3rd person plural. These are the same endings as *möchten*, by the way. There are a few exceptions to this conjugation rule: add an *–e* before the *–te* ending, if the verb stem ends in *–d* or *–t*, or with consonant plus *–n / –m*. For example: *du arbeitetest* or *ich rechnete*.

If you are using an irregular verb, the conjugation pattern listed is a bit different. Take a look at the verb *schreiben*, which undergoes a stem change (*ei → ie*) both in the conversational past and the narrative past (shown here):

ich	schrieb	**wir**	schrieben
du	schriebst	**ihr**	schriebt
er–sie–es	schrieb	**(S)ie**	schrieben

As you already know, both German and English have regular and irregular verbs. There is also a small group of mixed verbs that have a stem change but use regular verb endings in the narrative past and past participle:

wissen → wusste → gewusst	mixed verb; combines elements of regular and irregular
laufen → lief → gelaufen	irregular verb; no stem change in the past participle
trinken → trank → getrunken	irregular verb; three distinct forms

A. Storytelling   Olivia is reading a fairy tale to her daughter Cornelia. In the text, underline the verbs conjugated in the present tense, and circle the verbs in the narrative past tense (e.g., *waren, hatten, sprachen*).

Olivia: Es war einmal ein Mädchen. Sie wohnte bei ihrer Stiefmutter und ihren Stiefschwestern. Als sie klein war, war ihre leibliche Mutter[1] gestorben. Ihr Vater arbeitete ständig[2] und war immer weg. Das Mädchen musste immer putzen. Die Stiefmutter und die Stiefschwestern halfen ihr nicht. Das Mädchen hatte keine Freude im Leben. Sie wurde sehr traurig.

Cornelia: Das ist doch Aschenputtel! Sie trifft jetzt eine gute Fee[3]. Dann geht sie auf ein Fest und lernt einen Prinzen kennen. Ich liebe diese Geschichte!

[1] *birth mother*   [2] *all the time*   [3] *fairy*

B. Verb tenses   Fill in the chart with the verbs from Exercise A in both the present tense and the narrative past tense. Then mark (X) in the last two columns to identify the verbs as regular or irregular according to the first rule for verbs in the narrative past.

The first rule: *For regular verbs, the 3rd person singular form ends with a* **–te** *in the narrative past. All other endings are irregular.*

Infinitive	Present tense	Narrative past	Regular	Irregular
sein	es ist	es war	☐	☐
sterben	sie stirbt		☐	☐
arbeiten	er arbeitet		☐	☐
müssen	sie muss		☐	☐
helfen	sie hilft		☐	☐
haben	sie hat		☐	☐
werden	sie wird		☐	☐
treffen		sie traf	☐	☐
gehen		sie ging	☐	☐
kennenlernen		sie lernte kennen	☐	☐
lieben		sie liebte	☐	☐

C. Regular verb practice   Build the narrative past for the regular verbs below by following the formula:
verb stem + –te = narrative past form for the 3rd person singular.

Example: lieben → lieb + –te → liebte

	Verb stem	Narrative past			Verb stem	Narrative past
1. lernen				4. kochen		
2. machen				5. tanzen		
3. leben				6. kaufen		

D. The second rule   Read the story, and then fill in the chart with the correct endings following the second rule.

Aschenputtel tanzte auf einer Party. Ihre Stiefschwestern erkannten sie nicht, aber der Prinz verliebte sich in[4] Aschenputtel. Die Stiefschwestern mussten alleine nach Hause gehen. Und Aschenputtel und der Prinz lebten glücklich bis zum Ende ihrer Tage.   [4] *fell in love with*

The second rule: *In the narrative past, the 3rd person singular and the 1st person forms are the same, in that they add* **-te** *to the verb stem. All other forms add present tense endings after the* **-te**.

Example:
lernen → ich lernte, er–sie–es lernte

ich lern *te*	er–sie–es tanz	ihr lach
du lieb	wir muss	(S)ie leb

7.2 Gymnasium

Culture: High school & *Gymnasium*
Vocabulary: School subjects & phrases
Grammar: Modals in narrative past

A. Schulfächer For each subject, write in the blank in which grades (*Klassen*) you had that subject. Then check three that were your *Lieblingsfächer* while you were in school.

Lieblingsfach   Lieblingsfach

Religionslehre/Ethik   ☐   Musik   ☐

Erdkunde   ☐   Kunst   ☐

Mathematik   ☐   Wirtschaftslehre   ☐

Chemie   ☐   Informatik   ☐

Biologie   ☐   Werken und Technik   ☐

Sport   ☐   Fremdsprachen   ☐

B. Welche Fächer? Think back on your time in high school and respond to the questions below using the correct German terms for school subjects.

Welche Fächer waren
interessant?

Welche Fächer waren
für dich schwer?

Welche Fächer waren
sehr leicht?

In welchen Fächern
warst du gut?

Was war dein
Lieblingsfach?

C. Austausch Ask a partner the questions from 7.2B above. Then switch roles and answer them to the best of your ability.

GR 7.1

Geschichte war sehr interessant.
Kunst war schwer für mich.
Mathe war sehr leicht.
Ich war gut in Naturwissenschaften.
Deutsch war mein Lieblingsfach!

Zürich, CH

D. Meine High School

Jot down the information in the narrative past and be ready to report to the class.

Jana ging oft auf Klassenfahrten.

Bist du auf Klassenfahrten gegangen?

Hast du im Schulorchester gespielt?

Hast du in einer Sportmannschaft gespielt?

Hast du den Führerschein gemacht?

Hattest du Religionsunterricht in der Schule?

Hast du ein Berufspraktikum gemacht?

Hattest du ein Abschlussfest?

Gab es einen „Tag der offenen Tür[1]“?

Hast du für die Schule einen Rucksack benutzt?

Hast du in der Cafeteria gegessen?

Bist du mit dem Schulbus zur Schule gefahren?

[1]   *open house*

E. Der Schulweg

Take a look at the following options for getting to school in Germany and mark the most fitting answer for your hometown or come up with your own reason.

1. In Deutschland fahren viele Schulkinder mit dem Fahrrad zur Schule, wenn das Wetter schön ist.

☐   Das geht in meiner Heimatstadt nicht, weil es zu viele Autos gibt.

☐   Das konnte ich in meiner Heimatstadt auch machen, weil wir Fahrradwege haben.

☐   Das war in meiner Heimatstadt (nicht) möglich, weil

2. In Deutschland gibt es nur selten organisierte Schulbusse. Die meisten Schulbusse sind ganz normale Stadtbusse, mit denen die Schulkinder fahren.

☐   In meiner Heimatstadt gibt es natürlich organisierte gelbe Schulbusse!

☐   Ich musste nie mit dem Schulbus fahren, weil mich immer meine Eltern, Geschwister oder Freunde zur Schule gebracht haben.

☐   Schulbusse gibt es auch in meiner Heimatstadt, aber

3. Deutsche können erst mit 18 Jahren den Führerschein machen. Deshalb fahren nicht viele mit dem Auto zum Gymnasium.

☐   In meiner Heimatstadt war das ganz anders. Die meisten SchülerInnen hatten mit 16 Jahren ihr eigenes Auto.

☐   Viele SchülerInnen bekamen mit 16 Jahren ihr eigenes Auto, aber die meisten sind weiterhin mit dem Bus gefahren.

☐   In meiner Heimatstadt war das ganz anders, weil

F. Handy weg!   German schools have rather restrictive rules about cell phone usage during class and sometimes even on school grounds. That doesn't necessarily stop everyone, which surely does not come as a shock to you. Read through these accounts and answer the questions.

Amelie (Berlin, DE): SMS schicken ist in der Schule eigentlich verboten. Aber es machen ganz viele. Also während der Pausen darf man es, aber im Unterricht eigentlich nicht, was man auch verstehen kann. Aber es machen trotzdem viele.

Wann darf Amelie eine SMS schicken?

Christopher (München, DE): Ich habe im Unterricht mal das Handy ins Mäppchen gestellt und dann hatte ich vergessen den Ton auszumachen[1] und dann, als ich es wieder angucken wollte, ist dann der Ton angegangen. Und das Handy war weg. Ja, es ist schon blöd, weil man dann versucht, das Handy schnell einzustecken, aber der Lehrer ist schneller.

Darf Christopher sein Handy im Unterricht benutzen?

Was ist mit Christophers Handy passiert?

Wie hat der Lehrer gewusst, dass Christopher sein Handy benutzte?

[1]   to turn off the volume

G. Was denkst du?   Indicate what was or was not allowed in your high school and what you think about it.

im Unterricht in der *High School* war:	erlaubt	verboten	Finde ich gut	Finde ich dumm
Handy benutzen	☐	☐	☐	☐
Laptop benutzen	☐	☐	☐	☐
eine Baseballkappe tragen	☐	☐	☐	☐
mit Nachbarn sprechen	☐	☐	☐	☐
essen	☐	☐	☐	☐
aus dem Zimmer gehen	☐	☐	☐	☐

H. Und du?

GR 7.2

Work with a partner and find out what policies existed in high school. Start each question with *Durftest du* and complete the rest of each sentence to get at the questions in 7.2G.

Handy benutzen:

Durftest du im Unterricht dein Handy benutzen?

I. Wie war es?   Check whether the following statements were true, sort of true, or not true at your high school.

	ja!	naja...	nein!
Die Schüler waren den Lehrern wichtig.	☐	☐	☐
Die Lehrer halfen den Schülern.	☐	☐	☐
Es war einfach, gute Noten zu bekommen.	☐	☐	☐
Die Fächer waren interessant.	☐	☐	☐
Es gab viele ausländische Schüler.	☐	☐	☐
Es gab viele Cliquen.	☐	☐	☐
Die Partys waren sehr gut.	☐	☐	☐
Die Sportmannschaften waren gut.	☐	☐	☐
Die Schüler waren offen und freundlich.	☐	☐	☐
Ich habe mich wohl gefühlt.	☐	☐	☐

And now, write three positive and three negative things in German about your high school.

Das Positive

Das Negative

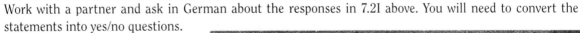

J. Interview   Work with a partner and ask in German about the responses in 7.2I above. You will need to convert the statements into yes/no questions.

Waren die Lehrer nett zu den SchülerInnen? Haben die Lehrer den Schülern geholfen? Und waren die SchülerInnen nett zu den Lehrern? Warst du glücklich in der Schule?

Antworten:
Ja, total.
Ja, absolut.
Nein, überhaupt nicht.
Nein, gar nicht.

Bündner Kantonsschule
Scuola cantonale grigione
Scola chantunala grischuna

Chur, CH

K. Was lernst du am liebsten?   Six students from the same *Gymnasium* in Göttingen were asked *Was lernst du am liebsten?* Read their responses and answer the questions below.

Philipp: Sport. American Football spiele ich jetzt auch selber seit knapp einem Jahr[1] und das ist schon lustig. Und auch Tanzen oder Fahrrad fahren, Inlineskating oder sowas.

Maren: Gesellschaft und Religion (GR), Kunst, Sport. Bei Mathe und Naturwissenschaften (NW) hält sich das so in Grenzen[2]. Aber sonst, im Sport spiele ich gerne Volleyball oder tanze auch sehr gerne. Allerdings[3] nicht hier auf der Schule.

Alice: Kunst. Kunst gefällt mir, weil man da viel Eigenes reinstecken[4] kann. Also, selbst überlegen[5] und selbst machen, und das finde ich am besten.

Anike: Also, eigentlich lerne ich gar nicht gern. Aber die Sprachen finde ich ganz interessant. Ich lerne Englisch und Französisch. Im Unterricht mag ich die Sprachen nicht sehr gern, aber ich mag privat die Sprachen sprechen.

Evi: NW, Mathe, Deutsch und GR sind meine Lieblingsfächer. NW macht mir soweit keine Probleme, weil es sind logische Zusammenhänge[6], und Mathe ist auch kein großes Problem. Und Deutsch und GR sind Sachen, wo man viel auf Allgemeinwissen zurückgreifen[7] muss. Es sind einfach Sachen, die Spaß machen.

Stefan: Mathe, NW, Biologie, Chemie und Physik, weil ich sie gut kann und gut verstehe.

[1]   for about a year
[2]   das hält sich so in Grenzen – *I'm not so crazy about*
[3]   but, however
[4]   viel Eigenes reinstecken – *to put in a lot of your own ideas*
[5]   think about, consider, ponder

[6]   logical connections
[7]   auf Allgemeinwissen zurückgreifen – *to rely on general knowledge*

1. Wer lernt gern Naturwissenschaften?

2. Wer hat viele Interessen?

3. Wer macht gern Sport?

4. Wer findet Sprachen interessant?

5. Wer ist kreativ?

6. Wer ist am meisten *(most)* wie du? Warum?

Wie sagt man das? *Find examples in the texts above that show you how to express the following in German, and write the number of the item in the text above where you find the model.*

1. *I've been dancing for a year now.*

2. *I like English because I understand it well.*

3. *German is not a big problem.*

4. *Languages are fun.*

L. Schulausflug

In this photo, we see a school excursion with three students and a teacher. In a conversation with a partner, describe the photo in as much detail as possible, considering the people in it and their surroundings.

M. Die beste Lehrerin Read Stephanie's (Erfurt, DE) text about her teacher and answer the questions that follow.

Die beste Lehrerin war Frau Treier. Das war meine Spanischlehrerin. Sie war immer sehr streng und trotzdem hat sie viel gelacht. Aber wir mussten auch immer unsere Hausaufgaben machen. Bei ihr war es nicht so wie bei anderen Lehrern. Sie waren netter und daher[1] haben wir auch mal gesagt: „Oh, können wir heute nicht mal quatschen[2]?" Und dann haben wir eine Quatschstunde gemacht. Frau Treier war sehr streng, aber trotzdem[3] war sie ganz fair und wir mussten viel lernen. Und privat hat sie uns oft in ihr Haus eingeladen und wir haben spanisches Essen gekocht und wir haben auch viel über spanische Kultur gelernt.

[1] *for this reason*
[2] *to goof off*
[3] *nevertheless*

1. Wie hieß Stephanies Lehrerin?

2. Was hat Frau Treier unterrichtet?

3. Wie war Frau Treier?

4. Wie waren die anderen Lehrer von Stephanie?

5. Was hat Frau Treier auch mit ihren SchülerInnen gemacht?

6. Was meinen Sie: Hat Stephanie eher[4] gute oder schlechte Erinnerungen an Frau Treier?

[4] *perhaps; rather*

N. Meine eigene High School

Write an essay about your high school, explaining the difference for a German *Gymnasium* student who is spending a year at your high school. Be sure to highlight differences from a typical *Gymnasium*.

eine private / öffentliche Schule

eine christliche / evangelische / katholische / jüdische / islamische Schule

eine Mädchenschule / Jungenschule

Ich hatte zu Hause Unterricht.

in unserer Schule

es gibt (kein / keine / keinen)

die Noten

Die Schule ist klein / mittelgroß / groß mit 800 Schülern und Schülerinnen.

Die Lehrer waren meistens…

Die Schüler waren oft…

Die Unterrichtsstunden waren manchmal…

Vocabulary 7.2

Nouns:

das Abitur	college-prep-school degree	die mittlere Reife	degree from *Realschule*
der Abschluss, ¨-e	degree	die Naturwissenschaft, -en	natural science
die bildende Kunst	visual arts	die Note, -n	grade
die Erdkunde	geography	die Prüfung, -en	test
die Ethik	ethics	die Realschule, -n	extended secondary school
das Fach, ¨-er	school subject	der Schulleiter, -	principal (male)
die Fremdsprache, -n	foreign language	die SMS, -	text message
die Geisteswissenschaft, -en	humanities & social science	die Sozialkunde, -n	social studies
die Gesamtschule, -n	comprehensive secondary school	die Wirtschaft, -en	economy
das Gymnasium, die Gymnasien	college-prep high school		

Verbs:

die Hauptschule, -n	vocational secondary school
die Klassenfahrt, -en	class trip
die Klausur, -en	written test
die Literatur, -en	literature
die Mathematik	mathematics

abschreiben	to copy; to plagiarize
durchfallen [fällt durch]	to fail
pauken	to cram
schummeln	to cheat

Phrases:

Abends bin ich dann völlig fertig.	At night I'm totally exhausted.
Das ist die einzige Stunde, wo ich relaxen kann.	It's the only class where I can relax.
Das macht viel Spaß.	That's a lot of fun.
Ich gucke vielleicht noch ein bisschen Fernsehen.	Maybe I'll watch some TV.
Ich treffe mich mit Freunden.	I get together with friends.
Manchmal spreche ich im Deutschunterricht dann Spanisch.	Sometimes I speak Spanish in German class.
Mittwochs ist ein sehr anstrengender Tag.	Wednesdays are tough.
Mittwochs ist immer sehr stressig.	Wednesdays are always very stressful.

7.2 Modals in narrative past

The modal verbs *dürfen, können, mögen, müssen, sollen* and *wollen* are used in the narrative past in both spoken and written German when you talk about past events; the conversational past sounds awkward in most instances and is used only in very specific cases without infinitive verbs, such as: *Ich habe das nicht gewollt* (I didn't want for that to happen). The first thing to remember when conjugating the modal verbs in the narrative past is to drop any umlaut from the infinitive form. The modal verb *dürfen* is conjugated here as an example. The modal verbs *können, müssen, sollen* and *wollen* all follow the same pattern as *dürfen*.

ich	durfte	**wir**	durften
du	durftest	**ihr**	durftet
er–sie–es	durfte	**(S)ie**	durften

Here are some samples to help show the difference between modals in the present tense and the narrative past:

*Als Kind **durfte** ich nur Fahrrad fahren, aber jetzt **darf** ich auch Auto fahren.*

*In der Schule **musste** ich oft zum Direktor der Schule, aber jetzt **muss** ich das zum Glück nicht mehr.*

In German, the modal verb stands in for what is often a set of words in English. Looking back at the previous sample sentences, the first sentence in English would be:

As a child I was only permitted to ride my bike, but now I'm also permitted to drive a car.

A. Verb tenses Mark (X) whether these modal verbs are conjugated in the present tense or in the narrative past (e.g., *durften, konnten, wollten*).

	Present tense	Narrative past		Present tense	Narrative past
1. mag	X		6. durften		X
2. mochte			7. wollte		
3. musste		X	8. will	X	
4. muss			9. kann		
5. darf			10. konnten		

B. The first rule The first rule of thumb for conjugating modal verbs in the narrative past is to find the stem of the infinitive (minus the umlaut) and then add *–te*. Fill in the chart using this rule of thumb.

	Infinitive stem	Minus umlaut	+ –te
1. dürfen	dürf	durf	durfte
2. können			
3. mögen	mög	moch	
4. müssen			
5. sollen		—	
6. wollen		—	

C. Gymnasium Barbara is talking about her high school days. Fill in the blanks with the conjugated forms of the modal verbs in the narrative past tense.

1. Ich _____ meine Zeit am Gymnasium immer. **(mögen)**
2. Mit 18 _____ ich meinen Führerschein machen. **(dürfen)**
3. Ich _____ es kaum erwarten, mit der Uni zu beginnen. **(können)**
4. Wir _____ alle zuerst eine lange Prüfung schreiben. **(müssen)**

D. Uni Barbara talks about her time in Freiburg. Use the phrases to create logical sentences, conjugating modals in the narrative past.

an der Uni Freiburg	~~an der Uni Köln~~
den Schwarzwald sehr	Forstwissenschaft
leider zur Uni Heidelberg	viel Zeit draußen

Example: Ich / sollen / studieren → Ich sollte an der Uni Köln studieren.

1. aber ich / wollen / studieren

2. meine beste Freundin / müssen / gehen

3. aber ich / mögen

4. da / können / ich / als Hauptfach wählen

5. ich / dürfen / verbringen

E. Your schooldays Write (or talk in class) about the things you had to do, were supposed to do and were allowed to do, when you were a K-12 student. Use modal verbs in the narrative past. Feel free to use the ideas in the box.

dürfen	eine Prüfung schreiben	wollen	in der Mensa essen
können	ein Referat halten		viel lernen
mögen	zur Schule laufen		mit dem Bus fahren
müssen	Hausaufgaben machen		einen Aufsatz schreiben
sollen	nach der Schule arbeiten		

7.3 Uni

Culture: German universities
Vocabulary: University vocabulary
Grammar: Narrative vs. conversational past

A. Welche Wissenschaft? Categorize each *Studienfach* by checking whether it fits with *Naturwissenschaften*, *Sozialwissenschaften* or *Geisteswissenschaften*. You may have to make the judgment call yourself!

	NW	SW	GW
Germanistik	☐	☐	☐
Geologie	☐	☐	☐
Philosophie	☐	☐	☐
Geschichte	☐	☐	☐
Politikwissenschaft	☐	☐	☐
Jura	☐	☐	☐
Psychologie	☐	☐	☐
Biologie	☐	☐	☐
Physik	☐	☐	☐
Chemie	☐	☐	☐
Medizin	☐	☐	☐
Soziologie	☐	☐	☐

B. An unserer Universität

Discuss with a partner what you think are the three most popular *Studienfächer* at your university or college.

An unserer Universität/unserem College ist Chemie ein beliebtes Studienfach.

an zweiter Stelle…   an dritter Stelle…

C. Hiwi Read Ulrich's (Heidelberg, DE) description of his position as a *Hiwi* and answer the questions that follow.

Zur Zeit bin ich bei der klassischen Philologie EDV Hiwi[1]. Ich bin für alles zuständig[2], was mit Computern zu tun hat. Ein Hiwi ist eine „wissenschaftliche Hilfskraft". Das sind Studenten, die an der Uni arbeiten, wo die Uni billige Arbeitskräfte[3] braucht, denn die Arbeit ist nicht besonders gut bezahlt. Aber zumindest lernt man jedenfalls ein bisschen dabei[4].

[1] *computer assistant*
[2] *responsible*
[3] *workers*
[4] *in the process*

Was macht Ulrich?

Was ist das Positive an der Arbeit?

Was ist das Negative an der Arbeit?

Underline all verbs that appear at the end of the clause (i.e., not in second, but in final position).

D. Uni und Leben   The questions below use the formal *Sie*. Rewrite them using the *du* form. Then write your own personal response to the question.

Du-Frage	Antwort

1. Was ist dieses
   Semester Ihr
   Lieblingskurs?

2. Wie viele Kurse
   belegen Sie dieses
   Semester?

3. Was ist Ihr Hauptfach?
   Was sind Ihre
   Nebenfächer?

4. Wie viele Stunden am
   Tage lernen Sie für
   Ihre Kurse?

5. Was machen Sie in
   den Sommerferien?

6. Was für einen Job
   haben Sie momentan?

E. Und du?   With a partner or in small groups, interview each other using the questions in 7.3D.

Remember:

der Kurs = university course
die Klasse = grade in K-12
der Unterricht = class (K-12);
          private lessons
die Uni = university
die Schule = grade school,
          high school
jobben = to have temporary
          work

Neue Doktoranden auf dem Weg zum Gänseliesel, Göttingen

F. Studienfächer   Below are some courses offered at the Georg-August-Universität in Göttingen. Use them to answer the questions below.

Kunst und Kultur in Skandinavien	Globalisierung seit dem 19. Jahrhundert
Der Theaterbesuch: eine Schule des Sehens	Fußball in Wirtschaft und Gesellschaft
Die Kunst der Interpretation in der Musik	Mikroökonomik I
Profile des orthodoxen Christentums	Experimentalphysik II (Optik, Wärmelehre)
Einführung in die römische Geschichte	Allgemeine Mikrobiologie
Geschichte des modernen Terrorismus	Klinische Psychologie und Psychotherapie
Praktische Philosophie: Moral und gutes Leben	Biologische Psychologie: Neurowissenschaften
Makroökonomik I	Feministische Texte „muslimischer" Frauen

Welche Kurse findest du interessant?

Welche zwei Kurse sind für dich uninteressant?

Welche Kurse braucht man für das VWL-Studium?

Welche Kurse sind gut für das Psychologiestudium?

G. Mein Semesterplan   List the courses you are taking this semester. Include days and times.

Use German abbreviations (*Mo Di Mi Do Fr*) and a 24-hour clock (e.g., 14.00-14.50).

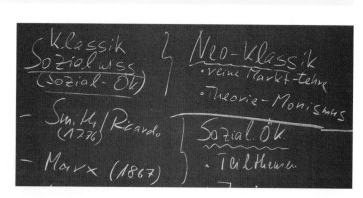

Kurs	Tage	Zeit

H. Profs beschreiben

Describe traits of good and bad professors using adjectives and phrases you have learned.

Ein schlechter Professor

Ein guter Professor

I. Susannes Meinung

Susanne (Göttingen, DE) describes a good professor. Read her description and add one characteristic you think is important in the blank below. Then rank the five characteristics, 1 being the most important.

Viele Sprechstunden[1], Präsenz[2], vielleicht ein bisschen Begeisterung[3] für das, was man lehrt. Nicht zu viele Hausaufgaben.

---
[1] office hours
[2] is around
[3] enthusiasm

viele Sprechstunden

Präsenz

Begeisterung

nicht zu viele Hausaufgaben

J. Holgers Meinung

Holger (Frankfurt am Main, DE) describes a good student. As before, read his description. Then add one characteristic in the blank below. Rank the five characteristics according to your opinion, with 1 being the most important.

Also, sicher gehört dazu Fleiß, Liebe zu dem, was man macht, auch das Interesse mit Anderen zu reden. Und ein richtig guter Student versucht, die größeren Zusammenhänge[1] zu sehen in dem, was er macht.

---
[1] connections

fleißig

liebt das, was er macht

ist daran interessiert, mit Anderen zu reden

findet größere Zusammenhänge

Göttingen

| **K. Amerikaner in Deutschland** | Fanny works at a study center in Germany for Americans studying abroad for a semester or year. Below she discusses the differences she notices between American and German students. Read what she says and answer the questions that follow. |

GR 4.2b

GR 6.4

Es gibt große Unterschiede. Im Center sieht man öfter, dass einige Studenten noch nicht ihren Major oder Minor declared haben. Und das geht bei uns gar nicht. Also bevor ich überhaupt anfange zu studieren, muss ich sagen: Okay, ich will das und das studieren. Also dieses Liberal Arts, das haben wir nicht so. Ich finde das aber nicht schlecht. Es ist überhaupt schwierig mit achtzehn oder neunzehn zu sagen: Okay, ich will jetzt das studieren und das damit später beruflich machen.

Noch ein großer Unterschied ist dieses Campusleben, was es bei uns nicht so gibt. Deutsche Studenten trennen dann eher zwischen Uni und Privatem, weil wir nicht an der Uni leben, sondern irgendwo in der Stadt. Wir verbringen nicht so viel Zeit in der Uni, denke ich. Ich habe das zum Beispiel gesehen bei Finals oder Midterms.

Die amerikanischen Studenten sind ganz oft hier im Center und lernen in der Bibliothek zusammen. Da sind deutsche Studenten eher so, dass sie entweder sich zu Hause treffen und das selber machen oder in Lerngruppen, aber eben nicht so viel in der Bibliothek.

Natürlich könnte man dann auch sagen: vielleicht sind deutsche Studenten etwas selbstständiger, weil sie selber mehr Entscheidungen treffen müssen, aber ich denke, das kommt auf den Einzelfall[1] an. Also wir haben immer eine sehr, sehr große Bandbreite[2] an Studenten hier im Center. Einige sehen wir kaum, weil sie eben zu viel an der Humboldt-Uni studieren, und sehr, sehr selbstständig sind, und einige verbringen ganz viel Zeit hier im Center.

[1] *individual case*
[2] *spectrum*

Mark the following statements as true or false based on the interview with Fanny.

richtig	falsch	
☐	☐	Man kann in Deutschland *Liberal Arts* studieren.
☐	☐	Fanny findet das amerikanische System mit „*declaring majors*" nicht gut.
☐	☐	Deutsche Studenten verbringen viel Zeit an der Uni.
☐	☐	Amerikaner lernen lieber zusammen als Deutsche.
☐	☐	Deutsche Studenten tendieren dazu, etwas selbstständiger zu sein.
☐	☐	Amerikanische Studenten tendieren dazu, alle gleich unselbstständig zu sein.

Why do you think Fanny said 'declared' instead of using a German word?

Briefly summarize in German each of the three differences Fanny describes.

Underline all verbs that appear in final position (i.e., in clauses with weil, dass, *etc.).*

Circle all prepositions that are followed by the dative case in the text above.

L. Studierst du immer noch?!

Take a look at the cartoon and try to figure out what it is all about. Mark all answers that you think might be correct in the context of this cartoon.

1. Was glaubst du: Welche Stereotype gibt es über Jurastudentinnen?

☐ Jurastudentinnen denken, dass sie besser sind als andere Studenten.

☐ Jurastudentinnen nehmen ihr Studium sehr ernst und sind schnell fertig.

☐ Jurastudentinnen tragen immer kurze Röcke.

2. Was glaubst du: Welche Stereotype gibt es über SoWi-Studenten (SoWi = Sozialwissenschaften)?

☐ SoWi-Studenten sind mit dem Studium ganz schnell fertig.

☐ SoWi-Studenten haben kein Geld.

☐ SoWi-Studenten studieren für eine lange Zeit und werden nie fertig.

M. Meine Einstellung zur Uni

As Holger said in 7.3J, hard work and love for what you are doing are part of what makes studying a success. But what do you think? Looking back at the criteria for good and bad professors and good and bad students, write an essay about what makes studying a success. Take a look at the model sentences to get you started and feel free to use as many of the phrases listed as you like.

> Die Kurse an meiner Universität sind sehr schwierig. Alle Studenten müssen fleißig sein und hart arbeiten. Viele Studenten haben auch einen Job und verdienen Geld. Die Professoren sind fast alle gut und hilfsbereit. Es gibt auch ein paar schlechte Professoren.

Göttingen

jeden Tag stundenlang lernen

auch im Sommer lernen

viele Kurse belegen

mit dem Professor in den Sprechstunden reden

Begeisterung zeigen

ein interessantes Studienfach wählen

als Hiwi arbeiten

fleißig sein

hart arbeiten

Spaß haben

sich mit Freunden treffen

das Leben genießen

Vocabulary 7.3

Nouns:

die Anthropologie	anthropology	die Promotion, -en	receiving a Ph.D.
die Archäologie	archaeology	das Referat, -e	oral presentation
der Assistent, -en	teaching assistant (male)	das Semester, -	semester
der Bachelor	bachelor's degree	das Seminar, -e	seminar
das BAföG	loans/grants to university students	die Vorlesung, -en	lecture
das Diplom, -e	diploma; degree	die Zahnmedizin	dentistry
der Dozent, -en	lecturer; assistant professor (male)		
die Entscheidung, -en	decision	**Other:**	
der Fleiß	hard work	fertig	ready; finished
das Grundstudium	lower division courses	selbständig	independent
das Hauptstudium	upper division courses	zumindest	at least
die Hausarbeit, -en	research paper		
Jura (no article)	law as a field of study	**Verbs:**	
das Lehramt	teaching position	anfangen [fängt an]	to begin
der Magister	Master's degree	bezahlen	to pay
der Numerus Clausus	system for limiting university majors	leben	to live
das Praktikum, die Praktika	internship; lab section	trennen	to divide

7.3 Narrative vs. conversational past

Both the conversational past and the narrative past mean essentially the same thing: the action or state of affairs described was in the past. Here are some differences in both style and meaning that you might observe:

- In southern Germany and Austria, the conversational past is used almost exclusively when speaking (except for *haben* and *sein*).
- Educated speakers tend to use the narrative past more than non-educated speakers.
- Some words like *sehen, geben, gehen* and *heißen* tend to be used in narrative past more than other words.
- The narrative past occurs much more commonly in writing than in speaking and can often be used to list a sequence of events. Thus you see it a lot in fairy tales and similar narratives.
- For northern Germans or more educated German speakers, the conversational past can indicate a state of affairs that continues into the present, while the narrative past is exclusively in the past.

Here is an example of a nuanced difference in meaning between the narrative and the conversational past:

> *Gestern ist mein Vater gekommen.*   *Gestern kam mein Vater.*
> This implies that the father is still here.   This may imply that the father came and left.

These are fine shades of meaning and can vary greatly from speaker to speaker. For novice and intermediate learners, it's best to practice using the conversational past for everything except the verbs *haben, sein* and modals. As your German improves, you can try using more narrative past. Still, it is wise to learn all the forms of a verb up front so that you have the information there when you read it or want to use a past-tense form.

A. Hänsel & Gretel   Fill in the blanks with the correctly conjugated regular verbs in the narrative past tense.

Example: Hänsel und Gretel **lebten** in der Nähe von einem Wald.

entdeckte[1]	hatten	~~lebten~~
mussten	schickte[2]	wohnte

Die Eltern _____ nicht genug Geld. Die Mutter _____ Hänsel und Gretel weg.

Im Wald _____ die Kinder Essen suchen. Gretel _____ ein magisches Haus.

Eine Hexe _____ da drin.

[1] *discovered*   [2] *sent*

B. Hänsel & Gretel (2)   Continue filling in the blanks with the correctly conjugated regular verbs in the narrative past.

brauchen   haben   ~~anlocken~~[3]   sperren   vertrauen   wollen

Die Hexe   *lockte*   die Kinder mit Süßigkeiten[4] an. Hänsel und Gretel _____ der Hexe.

Die Kinder _____ eine neue Mutter haben. Die Hexe _____ etwas Schreckliches[5] vor[6].

Sie _____ die Kinder in einem Käfig[7] ein[8]. Sie _____ Hänsel und Gretel aufessen!

[3] *to attract*   [4] *candy (pl.)*   [5] *a terrible event*   [6] *planned*   [7] *cage*   [8] *confined*

C. Irregular verbs   Underline the regular verbs and circle the irregular verbs in the fable that are in the narrative past.

Eine arme Frau hatte nur ein Huhn. Das war ihre Freude[9]. Das Huhn aß und trank nicht viel. Es legte täglich ein Ei. Da sprach sie bei sich: „Gutes Tierchen, wenn ich dir doppeltes Futter[10] gebe, dann legst du mir bestimmt jeden Tag zwei Eier!" Sie tat so in ihrer Unvernunft[11]. Da wurde das Huhn fett und immer fetter und legte schließlich überhaupt nicht mehr.

[9] *joy*   [10] *food (for animals)*   [11] *foolishness*

D. Der Esel auf Probe   Fill in the blanks with the correctly conjugated irregular verbs in the narrative past tense.

Ein Bauer   *kaufte*   (kaufen) einen Esel. Der Esel _____ (kommen) mit dem Bauer auf den Hof. Der Mann _____ (lassen) den Esel frei laufen. Aber der Esel _____ (gehen) zu dem faulsten Gefährten[12].

Er _____ an (fangen), das leckerste Gras zu fressen. Dann _____ (schlafen) er sofort ein.

Da _____ (nehmen) der Bauer einen Strick[13] und _____ (bringen) den Esel zum Markt zurück.

[12] *buddy*   [13] *leash*

Prunkvolle Fassade des Museums Johanneum   Dresden, Deutschland

7.4 Beruf

Culture: Work and *Ausbildung*
Vocabulary: Professions
Grammar: Imperative

A. Berufe

Describe what you, your relatives or friends do for work. Naturally there will be many professions or jobs for which you don't know the exact German word. Describe it with your vocabulary as best you can – working around what you don't know is an important skill when learning a foreign language.

Mein	Vater	arbeitet	in einem Büro.
	Bruder		in einem Laden.
	Großvater		an einer Schule.
	Freund		an einer Uni.
			in einer Fabrik.
Meine	Mutter	ist	Lehrer(in).
	Schwester		Arzt/Ärztin.
	Freundin		Bauarbeiter(in).
Ich		arbeite	bei Target.

You can say: *Mein Vater ist Anwalt.* In this case there is no „*ein/eine*" word before „*Anwalt*".

Meine Mutter ist Anwältin.

You can add: *Vollzeit* – "full time"
        Teilzeit – "part time".

Er arbeitet Teilzeit bei Arby's.

You might add how many hours someone works:

Ich arbeite 17 bis 20 Stunden pro Woche bei Starbucks.

You might add how much you earn:

Ich verdiene 9 Dollar pro Stunde.

B. Mein Traumberuf

We all have a dream job lined up in our minds. Think of a career you would love to have. Jot down a few key words about that career in the box. Then share your ideas with a partner.

Was ist dein Traumberuf?

Ich möchte Astronaut werden, weil ich ein Schwarzes Loch sehen möchte. Und du? Was ist dein Traumberuf?

Mein Traumberuf ist … .

C. Info-Austausch   Interview three students in class asking the questions below. You will need to report on your partners later.

Name

1. Welche Berufe findest du
   interessant?

2. Was für einen Job hast du
   zur Zeit?

3. Willst du im Sommer
   jobben?

4. Was möchtest du von
   Beruf werden?

D. Welche Sprachen im Beruf?   Switzerland, with four languages within its own borders and English as the unofficial language of business, demands a certain linguistic flexibility. Herr Ringele (Staufen, CH) was asked: *Welche Sprachen benutzen Sie in Ihrem Beruf?* Read his response below.

Bahnhofstrasse, Zürich, CH

Ich arbeite für einen Global Player und da ist natürlich Englisch ein Thema. Aber grundsätzlich[1] sprechen wir die Sprache, die der Nachbar spricht. Also, es kann Dialekt[2] sein, es kann Französisch sein, wie man sich am besten versteht, um das Geschäft ordentlich zu machen. Und im schriftlichen Verkehr[3] ist es natürlich auch wieder Hochdeutsch oder eben heute meist Englisch.

[1] *basically*
[2] *(Swiss German) dialect*
[3] *written correspondence*

Wann benutzt Herr Ringele:

   seinen Schweizer Dialekt

   Hochdeutsch

   Französisch

   Englisch

*What situation have you
encountered that requires
the same sort of linguistic
flexibility that Herr Ringele
describes?*

E. Meine Jobs Laura, a student living in Berlin, DE, has worked a lot of different jobs. Read her summary below and answer the questions that follow.

Ich hatte schon ganz viele verschiedene Jobs. Da habe ich drei Sommer lang immer auf dem deutsch-amerikanischen Volksfest in Berlin gearbeitet. Das war an der Kasse oder in der Bingohalle. Da habe ich 5 Euro die Stunde verdient. Ich habe da immer drei Wochen im Sommer verbracht und ich will jetzt eigentlich so einen Film draus machen. Also, ich will da noch mal arbeiten und dann das so filmen, das Geschehen[1]. Das ist eine kleine Welt in der Welt, wo sich ein ganz eigenes Leben abspielt[2]. Die Leute da haben einfach ganz andere Sorgen[3], ganz andere Gesprächsthemen. Das fand ich eigentlich voll interessant.

---
[1] what happens
[2] takes place
[3] worries

Einmal habe ich geschauspielert[4] für einen Kinderfilm, wo ich voll viel verdient habe, und morgens vom Auto abgeholt wurde, und so das beste Catering gehabt. Dann habe ich ja auch wieder in der Eisdiele[5] gearbeitet für 5 Euro die Stunde. Gebabysittet. Jetzt arbeite ich hier am Study Center und bald hoffentlich als Museumsguide. Ich habe schon so kleine komische Sachen irgendwie gemacht. Kellnern für eine Veranstaltung[6] oder Sachen kopieren, irgendwie so.

---
[4] acted
[5] ice cream shop
[6] event

Mark each statement below as true or false. Then, if it was false, rewrite it to make it true. Finally, write the number of each statement next to where it appears in the interview text above.

richtig	falsch	
☐	☐	1. Laura hat auf dem Volksfest gut verdient.
☐	☐	2. Sie arbeitet momentan nicht.
☐	☐	3. Sie fand die Arbeit auf dem Volksfest langweilig.
☐	☐	4. Sie hat beim Kinderfilm gut verdient.
☐	☐	5. Sie möchte selber einen Film machen.
☐	☐	6. Sie hat auf Kinder aufgepasst *(babysat)*.
☐	☐	7. Sie hat als Museumsguide gearbeitet.
☐	☐	8. Sie hat in einem Restaurant gearbeitet.

Verben. *Underline three verbs in the present tense in the interview above. Double-underline three verbs in the conversational past (including the form of* haben/sein*). Circle three verbs in the narrative past.*

F. Welcher Beruf?   Indicate the profession you feel best answers each question. Use any particular profession only once. Time to review your vocabulary!

Welcher Beruf...

wird sehr gut bezahlt?

ist relativ flexibel?

wird nicht gut bezahlt?

erfordert[1] eine längere
Ausbildung?

---
[1]   *requires; involves*

ist sehr schwer?

ist sehr gefährlich?

ist sehr langweilig?

ist sehr spannend?

G. Mein idealer Beruf   Mark the top two things you want in your ideal job with a (+) and the two that are least important with at (-).

☐ ein gutes Arbeitsklima

☐ ein gutes Einkommen

☐ anderen Menschen helfen

☐ flexible Arbeitszeiten

☐ kreativ arbeiten

☐ im Team arbeiten

☐ viel Verantwortung[2] haben

☐ eine sichere Arbeitsstelle[3] haben

☐ im Freien[4] arbeiten

☐ ständig neue Herausforderungen[5]

---
[2]   *responsibility*
[3]   *secure position*
[4]   *outdoors*
[5]   *challenges*

H. Beruf und Persönlichkeit   Write two adjectives to describe personality traits that the following people should have for the jobs listed and one trait that is not so advantageous.

kreativ	flexibel	hilfsbereit	konsequent	ordentlich	rücksichtsvoll
ehrlich	freundlich	humorvoll	aufgeschlossen	perfektionistisch	sportlich
fleißig	hartnäckig	idealistisch	optimistisch	respektvoll	zuverlässig

soll ... sein   darf nicht ... sein

ChefIn

PolitikerIn

Anwalt/Anwältin

NaturwissenschaftlerIn

Psychologe/Psychologin

I. Ausbildung zum Arzt   Read the text about Peter's (Innsbruck, AT) training to become an M.D. Mark the correct answers below.

Innsbruck, AT

Ich habe vor einem halben Jahr meine Ausbildung abgeschlossen. Das heißt, dass ich nach meinem Studium drei Jahre an einem Krankenhaus gearbeitet habe in der Nähe von Innsbruck. Dort habe ich meine Turnuszeit absolviert, ich glaube, im Englischen sagt man *internship*. Ich habe alle klinischen Fächer absolviert in diesen drei Jahren und das Praktikum damit abgeschlossen. Jetzt habe ich damit die Möglichkeit[1] als praktischer Arzt zu arbeiten. Derzeit[2] arbeite ich auf einer Rehabilitationsstation für neurologische Akuterkrankungen.

[1] *possibility; opportunity*
[2] *currently*

1. Peter
- ☐ hat nicht studiert.
- ☐ erzählt uns, dass er drei Jahre lang studiert hat.
- ☐ hat auf alle Fälle studiert, aber wir wissen nicht, wie lange.

2. Peter
- ☐ ist mit seiner Ausbildung noch nicht fertig.
- ☐ hat seine Ausbildung vor Kurzem abgeschlossen.
- ☐ hatte seine Ausbildung schon vor drei Jahren abgeschlossen.

3. Praktischer Arzt zu werden
- ☐ ist nun eine Option für Peter.
- ☐ ist Peters einzige Möglichkeit.
- ☐ ist keine Option für Peter.

4. Was denkst du? Ein praktischer Arzt ist jemand,
- ☐ der praktisch, aber nicht theoretisch denkt.
- ☐ der noch keine spezielle ärztliche Ausbildung abgeschlossen hat.
- ☐ der eine eigene Praxis *(private practice)* hat.

Now reread the text and answer the following questions in complete sentences.

5. In welchem Land in Europa hat Peter in einem Krankenhaus gearbeitet?

6. Wie übersetzt Peter das Wort „Turnuszeit"?

7. Wo arbeitet Peter im Moment?

8. Aus welcher Stadt kommt Peter?

J. Gemeinnützige Arbeit

GR 1.1b

GR 3.2

Of course, we all like to get paid for our hard work, but as a society we sometimes also have to depend on the kindness of strangers. Interview your classmates about what type of community service *(ehrenamtliche Tätigkeit/Ehrenamt)* they could imagine doing. Here is a list of ideas, but feel free to include your own:

Ich möchte im Schultheater helfen. Ich finde Theater toll!

Ich möchte im Altersheim arbeiten. Meine Großmutter wohnt auch in einem Altersheim.

FYI: Fast 15 Millionen Deutsche über 14 Jahren hatten 2017 ein Ehrenamt.

Welche gemeinnützige Arbeit möchtest du machen und warum?

Berlin

im Schultheater helfen
in einem Altersheim arbeiten
im Sportverein Kinder beaufsichtigen[1]
in einer Einrichtung[2] für Menschen mit Behinderungen[3] aushelfen
für ältere Menschen die Straße kehren[4]
im Stadtmuseum Führungen geben
Ausländern Englischunterricht geben

[1]   *to watch over*
[2]   *home; institution*
[3]   *disabilities*
[4]   *sweep*

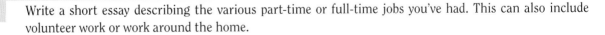

K. Meine Jobs

Write a short essay describing the various part-time or full-time jobs you've had. This can also include volunteer work or work around the home.

Seit meinem zwölften Lebensjahr mähe ich jeden Sommer den Rasen bei uns und bei den Nachbarn, den Millers. Außerdem bin ich seit 2016 verantwortlich für unsere Garage-Sales.

Von Juli 2017 bis Januar 2018 hatte ich einen Teilzeitjob als Kindermädchen.

Von Juli 2017 bis Januar 2018 hatte ich eine ehrenamtliche Stelle als Organisatorin für Habitat for Humanity.

Letzten September habe ich Flugblätter bei einer Werbeaktion für ein neues chinesisches Restaurant verteilt.

Im August habe ich an einer Tankstelle gejobbt.

Vocabulary 7.4

Nouns:

der Angestellte, -n	employee (male)	die Krankenpflegerin, -nen	nurse (female)
die Angestellte, -n	employee (female)	der Lohn, ¨-e	wage
der Apotheker, -	pharmacist (male)	der Mitarbeiter, -	coworker (male)
der Arbeiter, -	worker (male)	der Nachbar, -n	neighbor (male)
der Arzt, ¨-e	doctor (male)	der Rechtsanwalt, ¨-e	lawyer (male)
die Ärztin, -nen	doctor (female)	die Rechtsanwältin, -nen	lawyer (female)
die Ausbildung, -en	education; job training	der Rentner, -	retired person (male)
der Ausländer, -	foreigner	der Sekretär, -e	secretary (male)
der Bauarbeiter, -	construction worker (male)	die Stelle, -n	position; job
der Beamte, -n	civil servant (male)	der Verkäufer, -	salesperson (male)
die Beamtin, -nen	civil servant (female)	der Wissenschaftler, -	scientist (male)
der Buchhalter, -	accountant (male)		
das Büro, -s	office	*Other:*	
der Chemiker, -	chemist (male)	arbeitslos	unemployed
der Direktor, -en	director (male)	freiberuflich	self-employed
das Einkommen, -	income	komisch	strange; funny
der Fabrikarbeiter, -	factory worker (male)	niedrig	low
die Firma, die Firmen	firm; company	rücksichtsvoll	considerate
das Geschäft, -e	business, store	spannend	exciting
die Hausfrau, -en	homemaker (female)		
der Ingenieur, -e	engineer (male)	*Verbs:*	
der Job, -s	job; temporary work	abholen	to pick up
die Kasse, -n	cash register	helfen [hilft]	to help
der Krankenpfleger, -	nurse (male)	verdienen	to earn

7.4 Imperative

In order to tell someone what to do, German uses the imperative form of a verb. Since you are talking to someone when ordering them around, there are three kinds of "you" to deal with: *du, ihr* and *Sie*.

The *Sie* form is the easiest: put the verb first in the sentence and put a *Sie* after it.

> *Sie kommen morgen.* → *Kommen Sie morgen!*
> *Sie sprechen Deutsch.* → *Sprechen Sie Deutsch!*

For the *du* form, put the verb first, and use only the stem for the *du* form (except for verbs with *a* or *au*), leaving off any endings. You also do not include the word *du* in *du*-form commands:

> *Du machst das.* → *Mach das!*   *Du sprichst so schnell.* → *Sprich nicht so schnell!*

But:

> *Du fährst morgen.* → *Fahr morgen!*

If the verb stem (the part without the *-en*) ends in a *-d, -t, -ig* or some clusters with *-m* or *-n*, you need to add an *-e* to the imperative form:

> *Arbeite mehr!*   *Antworte mir!*   *Öffne die Tür!*

For *ihr*, simply use the normal *ihr* form but put it first and leave out the word *ihr*:

> *Kommt bitte morgen!*

The imperative is considered very forceful and is often somewhat rude, so use it very sparingly or perhaps not at all. You can add *bitte*, use a modal verb or perhaps even a model verb in the conditional, which you'll learn more about later:

> *Sprich bitte langsamer!*   very strong, perhaps rude
> *Kannst du bitte langsamer sprechen?*   nicer, not really rude
> *Könntest du bitte langsamer sprechen?*   polite request

A. Im Krankenhaus   Since the imperative is considered too direct and rude in most situations, it is often reserved for emergency situations, when the most important thing is to get the message across. Complete these commands using the *du*-form of the imperative.

1. _____ (rufen[1]) einen Krankenwagen!

2. _____ (holen[2]) einen Arzt!

3. _____ (bewegen[3]) dich nicht!

4. _____ (bleiben) liegen!

5. _____ (atmen[4]) langsamer!

[1] *to call* [2] *to go get* [3] *sich bewegen – to move* [4] *to breathe*

B. du / ihr / Sie   For each verb, write out the command in all three forms.

1. öffnen (die Tür)

2. laufen

3. trinken (mehr Wasser)

C. Komm mit, lauf weg.   A popular children's game in Germany is called "*Komm mit, lauf weg*". To play, children all sit around in a circle, with one child circling them. That child taps someone on the should and issues one of two commands: *Komm mit!* or *Lauf weg!*

Komm mit! is the imperative form of _____, which, of course, means to come along. So in that case, the child has to chase after the one who tapped their shoulder.

Lauf weg! Is the imperative form of _____, meaning "run away"! So if you hear that, the child runs in the opposite direction.

And whoever gets back to the vacated spot first sits down, and the one left standing continues to circle and pick the next child.

D. Räum auf!   Speaking of childhood, children use a lot of imperatives in both German and English, as do their parents. Here are some you'll hear a lot. (Remember, if a verb has a separable prefix it gets added to the end).

1. zuhören[5] = _____ !

2. aufräumen = _____ dein Zimmer _____ !

3. hinsetzen[6] = _____ dich _____ ! Wir essen jetzt!

4. anrufen = _____ die Oma _____ !

5. machen = _____ deine Hausaufgaben, damit wir dann spielen können!

6. rennen = _____ so schnell du kannst!   [5] *to listen* [6] *sich hinsetzen – to sit down*

E. Franz, der keine Partys mag   Read the dialogue below and fill in the imperative forms in the blanks.

Jan: Hallo Franz! Schön dich auf der Party zu sehen!

Franz: Ja, aber ich bin gelangweilt.

Jan: Ach Franz, dann _____ (tanzen) doch mal! Das macht Spaß!

Franz: Keine Lust.

Jan: Na gut, dann _____ (trinken) oder _____ (essen) was! Es gibt super leckere Chips.

Franz: Nö.

Jan: Ach Franz, _____ (reden) doch mit anderen! Hier sind nette Leute da.

Franz: Will nicht.

Jan: Franz, dann _____ (gehen) nach Hause!

Franz: Gut, mach ich. Aber _____ (mitkommen), ja?

Unit 7: Bildung

Cultural and Communication Goals

This list shows the communication goals and key cultural concepts presented in Unit 7 *Bildung*. Make sure to look them over and check the knowledge and skills you have developed. The cultural information is found primarily in the Interactive, though much is developed and practiced in the print *Lernbuch* as well.

I can explain:

Schule

- [ ] *die Grundschule*
- [ ] *der Kindergarten*
- [ ] *die Klasse*
- [ ] *der Klassenlehrer*
- [ ] *die Pause*
- [ ] *der Hausmeister*
- [ ] *der Schulleiter*
- [ ] *die Schultüte*
- [ ] *der Schulranzen*
- [ ] *die Federtasche*
- [ ] *Schüler(in) vs. Student(in) vs. Studierende*
- [ ] when *Grundschulen* begin and end each day
- [ ] public and private schools in Germany
- [ ] homeschooling in Germany
- [ ] *Schulfahrten* in Germany vs. America

Gymnasium

- [ ] types of secondary schools: *die Realschule, das Gymnasium, die Hauptschule*
- [ ] *die Mittlere Reife*
- [ ] *das Abitur*
- [ ] *die Gesamtschule*
- [ ] how to say "to graduate" in German

Uni

- [ ] what the "*-istik*" on university subjects means
- [ ] law and medicine as undergraduate majors
- [ ] die Erstsemester
- [ ] how Germans talk about time spent in university
- [ ] two phases of most German university majors
- [ ] *das BAföG*

- [ ] European Credit Transfer and Accumulation System (ECTS)
- [ ] old German *Scheine* system
- [ ] *Numerus Clausus*
- [ ] *die Fakultät*
- [ ] *die Hausarbeit*
- [ ] *die Prüfung*
- [ ] *die Klausur*
- [ ] *die Zwischenprüfung*
- [ ] *die Abschlussprüfung*
- [ ] *die Regelstudienzeit*
- [ ] *das Praktikum*
- [ ] *die Vorlesung*
- [ ] *die Lehrveranstaltung*
- [ ] *die Übung*
- [ ] *das Tutorium*
- [ ] *das Seminar*
- [ ] *das Diplom*
- [ ] *der Bachelor*
- [ ] *der Magister/der Master*
- [ ] *das Lehramt*
- [ ] *die Promotion*
- [ ] the Bologna Process

Arbeit

- [ ] characteristics of a German workplace
- [ ] where you find closed doors in Germany
- [ ] average number of vacation days for German employees
- [ ] minimum hours per year a person must work to get full benefits
- [ ] overtime in Germany vs. America
- [ ] *Feierabend*
- [ ] *Mahlzeit*
- [ ] two vacations most German employees take

Unit 8 Europa

Salzburg, AT

Unit 8 *Europa*

In Unit 8 you will learn about Germany's many connections to its neighbors, both past and present. You will also learn about Germany's role in the EU, Europe's most important institution. Finally, you will learn about the basic geography and linguistic and cultural differences in Austria and German-speaking Switzerland.

Below are the cultural, proficiency and grammatical topics and goals:

Kultur	***Grammatik***
Border regions and countries	8.1 Superlative
Europäische Union	8.2 *Wissen* vs. *kennen*
Österreich – Sprache und Landeskunde	8.3 Genitive case
die Schweiz – cultural differences and icons	8.4 Adjectival nouns

Kommunikation

Talking about countries and borders
Describing countries and historical events
Agreeing or disagreeing
Basic communication about political policy

8.1 Nachbarländer

A. Deutschlands Nachbarn   Fill in the names of Germany's neighboring countries. Pay attention to the spelling!

die Niederlande   Belgien   Dänemark
Tschechien   Österreich   die Schweiz
Luxemburg   Polen   Frankreich

B. Grenzt...?   Find a partner and quiz each other. One student has the *Lernbuch* open and asks either:

Grenzt X an Y? or *An welche Länder grenzt X?*

The other partner has to answer without looking at a map. The first question is much easier as the answer is either *ja* or *nein*. The second question requires that the student list all countries that border on the country in question.

Grenzt Frankreich an Spanien?
Ja.

An welche Länder grenzt Spanien?
Spanien grenzt an Frankreich, Andorra und Portugal.

You can also say „*an die Nordsee*" or „*an die Ostsee*".

C. Klischeebilder

Pick three countries on the map in 8.1A (labeled or not). Write the German name of the country, two German words you associate with the country and one cultural "artifact" such as a food, a place, a building, a piece of music or art, a famous person, etc. that represents that country for you.

Sylt

D. Eine zweisprachige Insel

Border regions in Germany demonstrate how fluid languages and customs are. Read the text about the island Sylt, where both Danish and German are still present, and answer the questions that follow.

Sylt ist eine Insel hoch oben im Norden von Deutschland. Wenn man sich eine Karte von Nordeuropa ansieht, dann könnte man denken, dass Sylt zu Dänemark gehört. Sylt war auch lange ein Streitpunkt zwischen Deutschland und Dänemark. Heute verstehen sich diese zwei Länder aber sehr gut. Weil die dänische Kultur und auch Sprache noch immer wichtig ist auf Sylt, gibt es dort zwei dänische Schulen. In der Stadt List gibt es auch ein kulturelles Zentrum für die dänische Minderheit auf Sylt. Die Insel Sylt und die kontinuierliche Präsenz von zwei Sprachen und Kulturen – das Dänische und das Deutsche – ist ein sehr gutes Beispiel für die vielseitigen kulturellen und sprachlichen Identitäten in vielen europäischen Ländern.

1. Wo liegt die Insel Sylt?

2. Welche zwei Ländern treffen hier aufeinander?

3. Wie ist heute das Verhältnis zwischen Dänemark und Deutschland?

4. Welche zwei Sprachen sind auf Sylt immer noch präsent?

5. Was gibt es in der Stadt List?

E. Deutschland und Frankreich Read the following text and answer the questions that follow each paragraph.

Der fränkische König Karl der Große[1] gründete im Jahre 800 das Heilige Römische Reich. Das heutige Frankreich und auch westliche Teil Deutschland gehörten dazu. So begannen die deutsch-französischen Beziehungen. Nach dem Tod von Karl dem Großen etablierten sich Frankreich und Deutschland unabhängig[2] voneinander.

---

[1] Charlemagne
[2] *independently*

1. Was gründete Karl der Große wann?

2. Was passierte nach seinem Tod?

Karl der Große, Aachen

Das Verhältnis zwischen Frankreich und Deutschland war leider nicht immer friedlich und es gab viele Kriege. Der längste und auch blutigste Krieg war der Dreißigjährige Krieg (1618-1648). Fast ein Drittel der deutschen Bevölkerung starb in diesem Krieg. Die meisten von diesen Menschen starben an Hunger und Epidemien (z.B. Typhus). Die Gründe für diesen Krieg waren politische und auch religiöse Konflikte. Viele andere Nationen kämpften auch in diesem Krieg: Dänemark, Schweden, Österreich, die Niederlande und Spanien. Bis zum 1. Weltkrieg war dieser Krieg die größte menschliche Katastrophe in Europa: die Urkatastrophe[3]. Am Ende des Krieges teilte sich Deutschland in fast 300 kleine Fürstentümer[4]. Später folgten weitere Kriege zwischen diesen beiden Ländern:

1792-1814: Koalitionskriege gegen Napoleon
1870-1871: Deutsch-Französischer Krieg
1914-1918: Erster Weltkrieg
1939-1945: Zweiter Weltkrieg

---

[3] *Ur* - original
[4] dukedoms

3. Was war eine katastrophale Folge des Dreißigjährigen Krieges?

4. Wann begann dieser Krieg?

5. Woran starben viele Menschen in diesem Krieg?

6. Wie viele andere Ländern (neben Deutschland und Frankreich) kämpften in diesem Krieg?

Nach dem 2. Weltkrieg veränderte[5] sich das Verhältnis zwischen Deutschland und Frankreich langsam aber auch radikal – zum Guten hin. Bis 1949 waren Teile vom Westen Deutschlands von Frankreich besetzt (und der Rest von Deutschland von Großbritannien, den USA und und der Sowjetunion). Aber Deutschland und Frankreich realisieren schnell ihre dominante Rolle in Europa

---

[5] *verändern* – to change

und arbeiten wirtschaftlich[1], politisch und auch kulturell zusammen. Frankreich ist für Deutschland der wichtigste europäische Handelspartner[2]. Nach vielen Jahrhunderten der Feindschaft[3] dominieren jetzt Freundschaft und Solidarität zwischen diesen zwei europäischen Nachbarländern.

[1] economically
[2] *der Handel* – trading
[3] animosity

7. Wie hat sich das deutsch-französische Verhältnis nach 1945 verändert?

8. Welchen Teil von Deutschland hatte Frankreich besetzt?

9. Warum arbeiten Deutschland und Frankreich zusammen?

10. Verstehen sich diese zwei Länder jetzt gut? Sind sie Freunde?

F. Meins ist größer!

Friendship and solidarity are key in modern Europe – with a few unfortunate conflicts. But since things are generally stable, let's do some friendly bragging about who has the most and the biggest of this and that! Pick a fitting adjective using the correct forms of the comparative or the superlative.

Let's start by filling-in the correct adjective forms:

	,	größer,	am größten
hoch,		,	am höchsten
kalt,		,	am kältesten
klein,		,	am kleinsten
warm,		,	am wärmsten

Eine Finnin sagt: „Helsinki ist im Winter   als Berlin!"

Ein Berliner antwortet: "Ja, aber im Sommer ist Berlin   als deine Stadt! Und meine Stadt ist auf dem europäischen Kontinent   ."

Der Londoner lacht und sagt: „Oh nein, London ist   . Aber wir sind eine Insel..."

Der Papst sagt: "Meine Stadt ist   , denn wir sind die Vatikanstadt. Andorra ist aber auch   ."

Ein Andorraner antwortet: „Ja, aber wir haben schöne Berge. Die Berge in der Schweiz sind aber   als unsere Berge."

Ein Schweizer sagt: „Richtig! Der Montblanc ist   , zumindest in den Alpen und der EU."

G. Was siehst du?

Take a look at the photo to the right. With a partner come up with 5 questions to ask the person sitting in the chair in the *Jardin du Luxembourg* in Paris about the gardens and the palace you see there. Assume that this man speaks German, even though we are in France. This is a good review of *W-Fragen*.

Wie viele Zimmer gibt es in diesem Schloss?

Jardin du Luxembourg, Paris, Frankreich

H. Warst du schon?

Work with a partner and ask if they have ever been in different countries. Practice European countries first, but you can also name US states, Canadian provinces, various cities, etc.

Warst du schon einmal in Belgien?

Ja, ich war schon zweimal in Belgien.
Nein, ich war noch nie in Belgien.

Prag, Tschechien

I. Landeskunde

Landeskunde is a combination of geography and regional studies. You may need to check some maps or websites if you don't know the answers.

1. Fill in the blanks with appropriate answers.

Zwei große Inseln von Italien sind _____ und _____ .

Dieses kleine Land liegt zwischen Frankreich und Spanien: _____

Aus der Tschechoslowakei sind 1993 zwei Länder geworden: _____ und _____ .

In diesem Land spricht man Deutsch, Französisch, Italienisch und Rätoromanisch: _____ .

Schleswig-Holstein ist jetzt ein deutsches Bundesland, war aber vorher Teil dieses Landes: _____

2. Label each map with the correct name. You might want to do a bit of research to be sure!

Vereinigtes Königreich   England   Großbritannien   Britische Inseln

J. Wir sind am tollsten!

Have you ever read an over-the-top travel brochure that describes its destination as the best place in the history of the world? Now is your chance to entertain by describing a trip you've taken in the style of one of these brochures, *auf Deutsch*. Use adjectives in the superlative.

GR 8.1

Wir reisen nach Nepal, weil es hier den höchsten Berg der Welt gibt. Der Mount Everest ist auch am schönsten und am gefährlichsten! Und die Menschen in Nepal sind die freundlichsten, nettesten und herzlichsten Menschen der Welt. Danach fliegen wir nach Australien mit den verrücktesten Kängurus.

ausgezeichnet	groß
lebenslustig	luxuriös
paradiesisch	sauber
sicher	tief

K. Landbeschreibung

Choose one of the countries from the map in 8.1.A (not Germany!) and write a brief report on it using web or other convenient sources to get your information. Include basic facts such as location, language(s), climate, and population. Then add four statements about the country, three that are true and one that is fabricated. You will use these statements for activity 8.1M in class.

Die Vereinigten Staaten sind ein sehr großes Land in Nordamerika. Sie liegen zwischen Kanada und Mexiko. Es gibt ungefähr 320 Millionen Einwohner. Washington, D.C. ist die Hauptstadt. Die Hauptsprache ist Englisch, aber es gibt keine offizielle Landessprache. Einige berühmte Städte sind Boston und New York im Nordosten, San Francisco im Westen und Chicago im Mittleren Westen. Interessante Tatsachen: 1) Kinder in den USA sitzen durchschnittlich 28 Stunden pro Woche vor dem Fernseher; 2) der Durchschnittsamerikaner trinkt nicht so viel Wein im Jahr wie der Durchschnittsdeutsche; 3) der Durchschnittsamerikaner isst 45 Kilo Käse pro Jahr; 4) 1900 hatten die USA 45 Bundesstaaten.

Karlsbad, Tschechien

die Hauptstadt	*capital*
der/die Einwohner(in)	*inhabitant*
Es liegt zwischen Spanien und Frankreich.	*It lies between Spain and France.*
durchschnittlich	*on average*

In case you were wondering, the bogus answer is number 3; the average American eats about 23 lbs. of cheese a year (10.5 kilos).

L. Ratespiel

In groups of 3-4, take turns reading about the country you chose to profile in 8.1L above, including your four interesting facts. Your groupmates need to see if they can guess which of your statements is false. Negotiations should happen *auf Deutsch,* of course.

Das ist Quatsch.	*That's nonsense.*
Das glaube ich nicht.	*I don't believe that.*
Das stimmt.	*That's correct.*
Das stimmt irgendwie nicht.	*There's something not right about that.*

Vocabulary 8.1

Nouns:

der Anfang, ¨-e	beginning
der Anschluss, ¨-e	connection; annexation
die Besatzungszone, -n	occupation zone
die Bevölkerung, -en	population
der Krieg, -e	war
das Reich, -e	empire
der Tod, -e	death
die Trennung, -en	separation
die Wiedervereinigung	reunification

Verbs:

folgen	to follow
grenzen (an + akk.)	to border
kämpfen	to fight
sterben [stirbt]	to die
sich verbessern	to improve

European countries:

Belgien	Belgium
Dänemark	Denmark
Finnland	Finland
Großbritannien	Great Britain
Irland	Ireland
Island	Iceland
die Niederlande	the Netherlands
Norwegen	Norway
Polen	Poland
Portugal	Portugal
Schottland	Scotland
Schweden	Sweden
Spanien	Spain
Tschechien	Czech Republic

Other:

friedlich	peaceful
regelmäßig	regular

8.1 Superlative

The superlative form of adjectives is like the comparative (see 2.4) but means the highest degree of something. It can take two different forms in German. When used predicatively (usually after the verb *sein*), put *am* before the adjective and the ending *–sten* on it: *Mein Auto fährt* **am schnellsten**.

When the adjective is used attributively (modifying a noun directly), you add *–st* plus the appropriate adjective ending: *Mein Auto ist das schnellste Auto in meiner Familie.*

All regular adjectives take the ending *–st*. However, there are a great number of irregular adjectives.

Adjectives can undergo the following changes in the superlative form:

- add an *–e* before the *–st* when the stem ends in an *–d, –t* or *–z*
  (*wild* → *am wildesten; stolz* → *am stolzesten*), and

- drop the *–s* and only add a *–t* if the adjective ends with a *–ss, –ß* or *–z* (*groß* → *am größten*).

There are also a number of adjectives that take a completely new form for the comparative and the superlative, such as we see in English with good → better → best. Important adjectives are:

gern	→	*lieber*	→	*am liebsten*	like	→	like better →	like the most
gut	→	*besser*	→	*am besten*	good	→	better →	best
viel	→	*mehr*	→	*am meisten*	a lot	→	more →	the most

A few other adjectives change slightly in both the comparative and superlative:

hoch	→	*höher*	→	*am höchsten*	high	→	higher →	highest
nah	→	*näher*	→	*am nächsten*	close	→	closer →	closest
teuer	→	*teurer*	→	*am teuersten*	expensive	→	more expensive →	most expensive

A. Reviewing comparatives Fill in the blanks with the missing adjective or its comparative.

Adjective	Comparative	Adjective	Comparative	Adjective	Comparative
1. hoch		4. wenig		7.	heißer
2. gut	besser	5. lang		8.	alt
3. viel		6. schnell		9.	größer

B. Regular adjectives   Fill in the comparatives for the adjectives and build the superlatives with the rule below.

> The superlative form of regular adjectives = **am + (stem of comparative) + sten.**
> Adjectives ending in –d, –t, –z, or –ß add **–este**n in the superlative.

Adjective	Comparative (+ er)	Stem	+ sten	Superlative (+ am)
1. heiß	heißer	heiß	heißesten	am heißesten
2. schnell				
3. wenig				
4. alt				

C. Irregular adjectives   There are many ways to form the superlatives of irregular adjectives. Fill in the superlative forms for the adjectives below. Remember, adjectives ending in –d, –t, –z, or –ß add –esten in the superlative.

Positive	Comparative	Stem	Superlative
groß	größer	größ	am größten
teuer	teurer	teuer	
hoch	höher	höch	
nah	näher	näch	
gut	besser	be	
viel	mehr	mei	
wild	wilder	wild	
schlecht	schlechter	schlecht	
kurz	kürzer	kürz	

D. Cities in Europe   Fill in the blanks with superlative adjectives of your choice that make the most sense.

Die Kleider in Paris sind _____. In London ist die Einwohnerzahl _____.

Von allen Wolkenkratzern in Europa sind die in „Capital City" in Moskau _____. Die Cafés

in Amsterdam sind _____.

E. Rate your own cities   Write 4 sentences rating cities you've been to with both regular and irregular superlatives.

die Stadt   die Einwohnerzahl   die Menschen   die Gebäude   die Cafés   die Wolkenkratzer

8.2 Die EU

Culture: Germany and the EU
Vocabulary: More country names
Grammar: *Wissen* vs. *kennen*

A. Südliche Länder   Fill in the names of the countries in Southern Europe, looking out for spelling as usual.

Italien	Griechenland	Albanien	Mazedonien
Kroatien	Slowenien	Serbien	Bosnien-Herzegowina
die Türkei	Bulgarien	Rumänien	die Slowakei

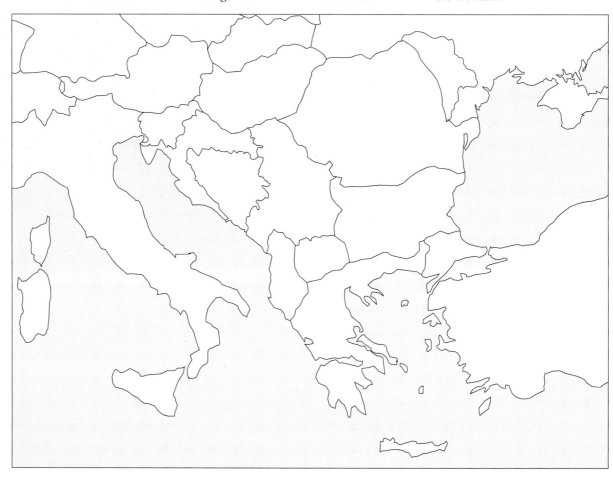

B. An welches Land grenzt...?

Quiz a partner's knowledge of *Grenzen* using the map above as well as the maps from the book front cover.

Grenzt X an Y ?

An welches Land grenzt X ?

C. Allgemeinwissen   Write five things you have learned about the EU from using the *Auf geht's!* materials or already knew from your vast *Allgemeinwissen* (general knowledge).

Paris, Frankreich

D. Wie heißt die Hauptstadt?

Using the map of Europe on the front cover of your book, check a partner's knowledge of countries and capitals by stating a capital and having your partner guess its country. Then switch roles. Stick with countries you have covered!

S1: *Tirana.*
S2: *Albanien!*

E. Stimmt das?

Using the map of Europe, ask a partner true/false questions about geography. Then switch roles.

Ist Luxemburg größer als Portugal?   Nein!
Liegt Slowenien nördlich von Kroatien? Ja!

F. Deutschland innerhalb der EU

Read the text and answer the questions that follow.

Amsterdam, die Niederlande

Vor der Europäischen Union (EU) gab es eine andere, kleinere Gruppe an Ländern: die Europäische Gemeinschaft für Kohle und Stahl (EGKS)[1]. Zu dieser Gemeinschaft gehörten ab 1951 Belgien, Deutschland, Frankreich, Italien, Luxemburg und die Niederlande. Von Anfang an hat Deutschland eine aktive Rolle in der EGKS (kurz: EG) gespielt. Deutschland und auch die anderen Länder wollten nach zwei brutalen Weltkriegen wirtschaftliche Stabilität und Sicherheit. Die meisten Länder in Europa wollen auch offene Grenzen. Diese sind im Schengener Abkommen[2] garantiert. Seit dem 1. Januar 2002 hat Deutschland den Euro als Währung[3]. Im 21. Jahrhundert sind viele osteuropäische Länder in die EU gekommen. Die Türkei ist immer noch kein Mitglied[4], auch weil Deutschland gegen die Türkei in der EU ist. Die größte Kontroverse ist momentan aber der Brexit – das Ende von Großbritannien als Mitglied der EU. Oder kommt doch noch ein Exit vom Brexit?

[1] European Coal und Steel Community
[2] Schengen Treaty
[3] *die Währung* - currency
[4] *das Mitglied* - member

1. Wann wurde die EGKS etabliert?

2. Wie viele Länder gehörten zur EGKS?

3. Was wollten Deutschland und andere europäische Länder nach 1945?

4. Was garantiert das Schengener Abkommen?

5. Seit wann kann man in Deutschland mit dem Euro bezahlen?

6. Ist die Türkei Teil der EU?

7. Was ist der Brexit?

G. Völker und Sprachen   Fill in the chart below.

GR 1.2

das Land / die Stadt	ein Mann aus diesem Land oder aus dieser Stadt	eine Frau aus diesem Land oder aus dieser Stadt	die Sprache
Österreich	Österreicher		
Wien		Wienerin	
die Schweiz	Schweizer		Italienisch Rätoromanisch
Bern		Bernerin	
Genf	Genfer		Französisch
die USA		Amerikanerin	
Frankfurt			

How would you say:

1. *an American woman*
2. *American women*
3. *the Swiss*
4. *Maria von Trapp was an Austrian.*
5. *Mozart was at the end of his life* (am Ende seines Lebens) *a Viennese man.*

In English, one can say, "Sisi was a Viennese woman." In German, you simply use one word for "Viennese woman" – Wienerin.

H. Sprachen der EU   Read the text and answer the questions that follow.

Im Jahre 2018 gehören 28 Länder zur Europäischen Union (EU), in denen es 24 offizielle Amtssprachen[1] gibt. (Aber mit dem Brexit verkleinert sich die EU bald.) Englisch, Französisch und Deutsch sind die Arbeitssprachen der Ämter der EU. Deutsch ist die offizielle Amtssprache in Deutschland und Österreich. In Luxemburg ist Deutsch neben Französisch und Luxemburgisch auch eine Amtssprache. Deutsch ist aber auch eine Minderheitensprache in vielen anderen EU-Ländern, wie z.B. in Polen und Tschechien, aber auch in Ungarn, Frankreich und Belgien. In Österreich gibt es viele Minderheitensprachen: Slowakisch, Slowenisch, Tschechisch und Ungarisch. Wenn man als EU-Bürger in einem anderen EU-Land arbeiten möchte, muss man die Landessprache verstehen und sprechen können. Die Lingua Franca ist aber in ganz Europa sicherlich Englisch. Eine Lingua Franca ist eine Sprache, die die meisten Menschen in einer Region sprechen und auch akzeptieren.

[1]   *das Amt* – agency, *die Amtssprache* – official language

1. Wie viele Mitgliedsstaaten hat die EU 2018?

2. Was ist die Bedeutung[2] von Deutsch in der EU?

3. Nenne eine Minderheitensprache in Österreich.

4. Was ist eine Bedingung[3], um in einem anderen EU-Land arbeiten zu dürfen?

5. Englisch ist eine Amtssprache der EU. Aber was ist es auch innerhalb Europas?

[2]   here: the importance
[3]   condition

I. Europa Quiz

Working with a partner, talk about your experiences in Europe (if any) and/or what you might like to do there. Name a country and your partner should say as many sentences as possible about what he or she did there or would like to do.

Ich war noch nie in …
Ich war schon einmal / zweimal in …
sehen / hören / essen / trinken / besuchen

Frankreich:
Ich war noch nie in Frankreich. Ich möchte den Eiffelturm sehen oder die Tour de France. Ich möchte Käse und Baguette essen und französischen Rotwein trinken.

J. Euro-Witze

There are naturally plenty of jokes in Europe that play off stereotypes and clichés. Here are two: we will leave the answers blank – put your best guesses here, and then check your answers on the vocabulary page!

1. Ein Ire, ein Portugiese, ein Grieche und ein Spanier besuchen eine Bar. Wer bezahlt?

2. *Fill in the blanks below with what you think is the correct nationality from the word box below. Each will appear once per sentence.*

Briten   Deutschen   Franzosen   Italiener   Schweizer

Im Himmel[1] sind die   die Polizisten, die   die Köche,

die   die Mechaniker, die   die Liebhaber[2] und die

organisieren alles.

In der Hölle sind die   die Köche, die   die Mechaniker,

die   die Liebhaber, die   die Polizisten und die

organisieren alles.

---

[1]   *heaven*
[2]   *lovers*

San Gimignano, Italien

K. Die EU heute   Read the text below about the EU and then answer the questions that follow.

Nach dem 2. Weltkrieg liegt Europa in Ruinen. Die Politiker, und natürlich auch die Bürger, wünschen sich ein stabiles Europa: Frieden, wirtschaftliche Stabilität, Sicherheit und gegenseitigen[1] Schutz[2]. Sie hoffen auch auf eine gemeinsame Währung[3]. Das „Haus Europa" ist die Idee einer europäischen Integration. Nach dem Ende des Kalten Krieges ist die EU für viele Länder ein Weg in die Demokratie. In Krisenmomentan sieht man aber auch die Instabilität dieses Hauses. 1991 zeigt der Krieg in Ex-Jugoslawien, dass es keine Garantie für ewigen Frieden gibt. Die EU diskutiert immer wieder, ob sie nicht eine gemeinsame Armee braucht.

Im 21. Jahrhunderten kommen neue Schwierigkeiten auf die EU zu. Nach dem 11. September nehmen auch in Europa Terrorakte zu, besonders in England und Frankreich. 2008 kommt die Wirtschaftskrise, die besonders Griechenland und Spanien negativ beeinflusst. Mit dem Krieg in Syrien und Konflikten im Nahen Osten kommen sehr viele Flüchtlinge nach Europa, die dort Sicherheit und Arbeit suchen. Angela Merkel, die deutsche Bundeskanzlerin, sagt dazu: „Wir schaffen das!"[4] Die EU-Länder geben Hunderttausenden an Flüchtlingen Asyl und ein sicheres Land. In vielen EU-Ländern gibt es somit aber auch Spannungen[5] und politische Unruhe.

Barcelona, Spanien

[1] mutual
[2] protection
[3] currency
[4] "We can do this!"
[5] tensions

1. Warum hat man die EU gegründet?

2. Was ist das „Haus Europa"?

3. Welche Bedeutung hatte die EU auch nach dem Kalten Krieg?

4. Was wurde im Kontext des jugoslawischen Krieges diskutiert?

5. Welche Länder hatten besondere Probleme mit der Wirtschaftskrise?

6. Was sind Folgen der Konflikte im Nahen Osten für die EU?

L. Für oder gegen?

Read what Sigrun and Katrin, both from Vienna, say about Austria joining the EU in 1995. Then answer the questions below.

Sigrun: Also, ich finde es sehr positiv, dass man mit einer Währung in allen Ländern zahlen kann oder zumindest in fast allen. Und dass man ohne Wartezeit über die Grenze kommt, ohne den Pass zeigen zu müssen. Viele Handelsbeziehungen[1] sind einfacher geworden und dass man in anderen EU-Staaten eine Arbeit findet. Also, ich sehe es sehr positiv.

Katrin: Ich glaube, dass es Österreich ohne diese Mitgliedschaft[2] viel schlechter gehen würde. Es sind zwar sehr viele Leute in Österreich sehr gegen die EU, weil es durch den Euro viel teurer geworden[3] ist. Das stimmt schon. Aber die österreichische Wirtschaft im Ganzen hat sicher profitiert. Wir sind jetzt seit vielen Jahren bei der EU und in dieser Zeit ist auch die Globalisierung so viel stärker geworden. Da hätten[4] wir gar keine Chance, wenn wir nicht in der EU wären. Das ist meine Meinung. Aber es gibt sehr viele Leute, die dagegen[5] sind.

Wien, AT

[1]   *commercial relationships*
[2]   *membership*
[3]   *werden – to become*
[4]   *would have*
[5]   *against it*

1. Wie finden Sigrun und Katrin Österreichs Mitgliedschaft in der EU?

2. Über welche Aspekte der EU spricht Sigrun?

3. Wie lange ist Österreich schon EU-Mitglied?

4. Glaubt Katrin, dass jedermann[6] die EU als etwas Positives für Österreich ansieht?

[6]   *everyone*

5. *Sigrun noted that one could pay with the euro in almost all countries in the EU. Search online to find out which EU countries maintain their own national currency instead of the euro and write their names in German.*

M. Ein EU-Land

Write an essay describing the history of one of the current EU countries besides Germany and the history of its entry into the EU. Borrow forms and phrases from the reading texts in 8.2 to help you express yourself. You may wish to consult both German and English websites – for searches in German, try the keywords *EU, Beitritt,* [country name] (in German of course!).

It is good to copy or imitate short phrases that you find from German sources, but don't copy whole sections – that won't help you develop your German skills! Keep it simple; don't try to translate complicated sentences into German. Use as many words and phrases from this unit as possible and rely on your own skills.

Vocabulary 8.2

More European countries:

Albanien	Albania	**die Türkei**	Turkey
Bosnien-Herzegowina	Bosnia-Herzegovina	**die Ukraine**	the Ukraine
Bulgarien	Bulgaria	**Ungarn**	Hungary
Estland	Estonia		
die Europäische Union	the European Union	***Nouns:***	
Finnland	Finland	**der Bürger, -**	citizen
Griechenland	Greece	**der Friede, -n**	peace
Italien	Italy	**die Hoffnung, -en**	hope
Kroatien	Croatia	**die Meinung, -en**	opinion
Lettland	Latvia		
Litauen	Lithuania	***Verbs:***	
Mazedonien	Macedonia	**gründen**	to found
Moldawien	Moldova	**führen**	to lead
Rumänien	Romania	**reagieren**	to react
Russland	Russia	**zeigen**	to show
Serbien	Serbia		
die Slowakei	Slovakia	***Other:***	
Slowenien	Slovenia	**gemeinsam**	together, common

8.2 *Wissen* vs. *kennen*

The verbs *wissen* and *kennen* both translate into English as 'to know'. *Wissen* means to know factual information, while *kennen* indicates knowledge through familiarity and experience.

The verb *wissen* is often used in the short phrase:

> *Ich weiß (das).*   I know (that).

Oftentimes *Ich weiß (nicht)* is followed by a clause that explains what one knows, preceded by *dass*:

> *Ich weiß, **dass** Polen in Europa liegt.*   I know that Poland is in Europe.

Alternatively, *Ich weiß (nicht)* can be followed by an inverted statement beginning with *ob*:

> *Ich weiß nicht, **ob** ich mitgehe.*   I don't know whether I'll go along.

The verb *kennen*, however, simply takes an accusative object, such as:

> *Ich kenne ihn.*   I know him.

To use *kennen* with a person, you should actually know her or him personally. Don't say *Ich kenne Angela Merkel* unless you have actually met Germany's chancellor in person. Instead say:

> *Ich weiß, wer Angela Merkel ist.*   I know who Angela Merkel is.

In casual conversation people will say:

> *Kennst du den Maler Picasso?*   Do you know the painter Picasso?

In response you could say:

> *Ja, ich habe seine Bilder gesehen.*   Yes, I have seen his paintings.

Of course, Picasso is long dead and we could not possibly know him, but his name has become synonymous with his paintings, so the exchange above would make sense.

Answers to 8.2J Euro-Witze:

1. Wer bezahlt? **Der Deutsche.** *The joke refers to the EU bailouts of 2009 and onward; the perception in Germany was that Ireland, Spain, Portugal, and Greece borrowed and spent too much in the lead-up to the Euro crisis, and the Germans as the largest contributor to EU budgets had to pay for that profligate spending after the crash.*

2. Im Himmel sind die **Briten** die Polizisten, die **Franzosen** die Köche, die **Deutschen** die Mechaniker, die **Italiener** die Liebhaber und die **Schweizer** organisieren alles.

In der Hölle sind die **Briten** die Köche, die **Franzosen** die Mechaniker, die **Schweizer** die Liebhaber, die **Deutschen** die Polizisten und die **Italiener** organisieren alles.

A. The EU   Thomas is in Frau Pimm's geography class. Circle the verbs *wissen* and *kennen* in all forms. Then, underline what each verb refers to (i.e., a direct object, a clause, pronoun, adverb, negation, etc.).

Frau Pimm: Wer (kennt) <u>die Abkürzung</u> „EU"? Wofür steht sie?

Thomas: Die Abkürzung kennt doch jeder! „EU" steht für die „Europäische Union".

Frau Pimm: Richtig. Sehr gut. Und wer weiß, wie viele Länder dazu gehören?

Thomas: Das weiß ich auch! Achtundzwanzig Länder. Aber die Namen kenne ich nicht.

Frau Pimm: Ausgezeichnet, Thomas. Du weißt doch viel.

B. Susanne   Frau Pimm invited Thomas' mother to talk to her class. Fill in the blanks with the correct form of *kennen*.

Frau Pimm: Ihr kennt ja alle Thomas. Heute ist seine Mutter Susanne zu Gast.

Susanne: Guten Tag, liebe Schüler und Schülerinnen. Wie Thomas euch schon erzählt hat,

ich mich sehr gut mit der EU aus. Habt ihr zum Beispiel schon mal von Angela Merkel gehört?

Thomas: Ich ____ sie!

Frau Pimm: Nein, Thomas. Man sagt eher: „Ich habe viel von ihr gehört." Du ____ Kanzlerin Merkel

doch nicht persönlich, oder?

Susanne: Doch. Wir ____ sie. Ich habe einmal im Europäischen Rat gearbeitet. Thomas hat sie

und ihren Mann Joachim Sauer schon zweimal kennengelernt. Nicht wahr, Thomas?!

Frau Pimm: Das wusste ich nicht!

Rathaus am Hauptplatz   Graz, Österreich

8.3 Österreich

Culture: Austria
Vocabulary: Austrian history & geography
Grammar: Genitive case

A. Österreichische Bundesländer

Fill in the names of the *Bundesländer*.

Niederösterreich   Wien
Oberösterreich   Kärnten
Burgenland   Salzburg
Steiermark   Tirol
Vorarlberg

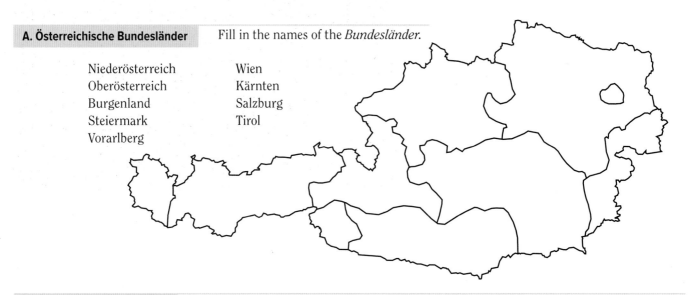

B. Ein beliebter Österreicher

Read about one of Austria's most famous composers and answer the questions that follow. Unless you know a lot about classical music, you will need to research a bit online!

Einer der beliebtesten Söhne Österreichs ist der Komponist, der ein Symbol der klassischen Musik ist. Er lebte von 1756 bis 1791 größtenteils in Österreich und komponierte Musik für Orchester, Klavier und andere Instrumentengruppen. Er schrieb Kirchenmusik und Symphonien, wie die berühmte „Jupiter Symphonie", Sonaten für Klavier und Geige, viele Konzerte und andere Werke, sowohl die bekannte Serenade „Eine kleine Nachtmusik" (1787).

Auszüge aus seinem Lebenslauf

1762	Der Vater Leopold macht eine Konzertreise mit seinem Sohn und seiner Tochter Nannerl. Die zwei Kinder spielen für königliche Familien in Europa.
1779	Er wird Hof- und Domorganist in Salzburg.
1781	Seine Oper „Idomeneo" spielt in München.
1782	Er heiratet Constanze Weber.
1781-1791	Er lebt in Wien.
1786	„Le nozze di Figaro" spielt in Wien.
1787	„Don Giovanni" spielt in Prag.
1791	„Die Zauberflöte" spielt am Wiener Theater.

1. Wer ist dieser Komponist?

   ☐ Joseph Haydn   ☐ Ludwig van Beethoven   ☐ Wolfgang Amadeus Mozart

2. Wie heißen diese berühmten Werke auf Englisch?

   „Le nozze di Figaro"

   „Die Zauberflöte"

   „Eine kleine Nachtmusik"

3. Wie endet sein Leben in Österreich? Was meinst du?

   ☐ Er wird in einer großen Kirche in Salzburg bestattet.   ☐ Seine Frau bringt[1] ihn um.

   ☐ Er stirbt arm und wird in einem unmarkierten Grab bestattet.   ☐ Er begeht Selbstmord[2].

   ---
   [1] umbringen – *to kill*
   [2] *to commit suicide*

C. Wien um die Jahrhundertwende

The Austro-Hungarian Empire, and Vienna in particular, enjoyed a period of intense intellectual and artistic flourishing at the turn of the 20th century, the so-called *Jahrhundertwende*.

Do a web search to find this basic information on the figures below, writing what you find in the box.

1. Major field (e.g., *Musik, Literatur*)
2. Country where he died (e.g., *Österreich, USA*)
3. Important contributions

Wien, AT

Gustav Klimt

Adolf Loos

Sigmund Freud

Ludwig Wittgenstein

Arnold Schönberg

Franz Kafka

D. Wer war das?

Match each text to a person on the right, writing the correct letter in the box.

Er wurde 1874 in Wien geboren und ist für seine atonale Musik bekannt. Am Ende seines Lebens lebte und komponierte er in Los Angeles.

Man sagt, dass er der Vater der Psychoanalyse ist. Seine Theorien und Ideen haben noch immer einen großen Einfluss[1] auf Psychiater, Literaturkritiker und unseren Alltag.

Er ist bekannt für seinen „Kuss". Seine Bilder gehören zum Wiener Jugendstil.

Seine architektonischen Meisterwerke sieht man noch heute in Österreich. Sein Stil erinnert[2] manchmal an das Bauhaus.

Seine Erzählungen sind zweideutig[3] und werden noch heute in der ganzen Welt gelesen. Er starb im Alter von 40 Jahren, aber seine Werke sind Teil der Weltliteratur.

Als bedeutender Philosoph des 20. Jahrhunderts schrieb er über Sprache und Logik. Er lehrte ab 1939 in Cambridge und starb auch in England.

A. Gustav Klimt

B. Adolf Loos

C. Sigmund Freud

D. Ludwig Wittgenstein

E. Arnold Schönberg

F. Franz Kafka

[1] *influence*
[2] *to remind*
[3] *having multiple meanings*

E. Kaiserin Sisi

GR 7.1

Read the following text about a famous Austrian figure; then compare her to another famous figure of your choosing.

Mittersill, AT

Sisi – oder genauer gesagt: Elisabeth Amalie Eugenie, Kaiserin von Österreich und Königin von Ungarn – wurde 1837 in München geboren. Sie war die Frau von Kaiser Franz Joseph I. Alle Bilder von Sisi zeigen eine wunderschöne Frau, mit langen Haaren und einer sportlichen Figur. Sisi liebte die Natur und war in Österreich sehr beliebt. In der Hofburg in Wien fühlte sie sich immer unwohl und reiste viel und gern ins Ausland.

Im Prinzip war Kaiserin Elisabeth eine sehr unglückliche Frau. Sie durfte ihre eigenen Kinder nicht erziehen, ihre erste Tochter starb schon als Kind und ihr Mann hatte viele Liebesaffären. Ihr Sohn Rudolf tötete sich selbst und auch seine Frau. Sisi fühlte sich an seinem Tod schuldig und schrieb viele traurige Gedichte. 1898 ermordete ein italienischer Anarchist die Kaiserin. 1918 kam dann auch das Ende der österreichischen Monarchie mit dem Ende des 1. Weltkriegs. Aber der Mythos von Sisi lebt weiter in Filmen, Theaterstücken und Musicals.

1. Wie sah Kaiserin Sisi aus?

2. Warum war sie so unglücklich?

3. Wie ist Sisi gestorben?

Underline all verbs in the narrative past in the text!

Write three German sentences comparing Sisi to another famous female figure of your choice.

Kaiserin Sisi konnte Deutsch und Ungarisch sprechen. Sandra Bullock kann Deutsch und Englisch sprechen.

Sisi hatte eine Tochter und einen Sohn, aber Sandra Bullock hat (momentan) nur einen Sohn.

Sisi hat als Kind in Possenhofen (Bayern) gelebt, aber Sandra Bullock hat in Nürnberg (Bayern) gewohnt.

F. Österreichs Nachbarn   By reading through the Interactive you have already learned some facts about Austria. Use that knowledge and a map of Austria and Europe to answer these questions together with a partner.

1. An welche Länder grenzt Österreich?

2. Wie heißt das kleinste Land, das eine Grenze mit Österreich teilt?

3. Wie heißt der berühmte See im Osten des Landes?

4. Wie heißt die österreichische Hauptstadt und wo liegt sie?

G. Ein deutsches Bundesland?   Read what Holger and Daniel have to say about the differences they notice between Germans and Austrians. Answer the questions below to prepare for an in-class discussion.

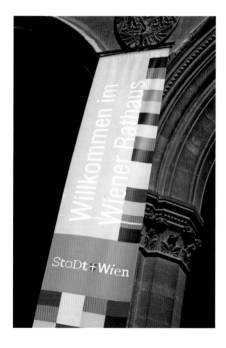

Holger (Frankfurt am Main, DE): Sprachlich gibt es schon einen großen Unterschied. Wenn ich zum Beispiel nach Österreich komme, dann habe ich teilweise[1] Schwierigkeiten, die Leute zu verstehen. Die Österreicher sind auch so klischeehaft beschrieben, vielleicht ein bisschen gemütlicher und lockerer, und haben diese tolle Sachertorte. Und da kann man an schöne Skiferien denken.

Daniel (Dortmund, DE): Es kommt mir manchmal so vor, als ob die Österreicher eine Art kleinen Minderwertigkeitskomplex[2] gegenüber Deutschland haben, weil eigentlich alle von Deutschland als das Zentrum von Europa und eine der stärksten Mächte in Europa reden. Und Österreich ist so etwas wie ein zusätzliches[3] Bundesland von Deutschland. Und die Österreicher haben, glaube ich, ein bisschen einen Minderwertigkeitskomplex gegenüber Deutschland und sind deswegen auch ein bisschen kritisch und deutschfeindlich[4] eingestellt[5]. Aber ich kann das als Deutscher gar nicht ganz objektiv beurteilen[6].

---

[1]   *to an extent*
[2]   *inferiority complex*
[3]   *extra*
[4]   *hostile to Germans*
[5]   eingestellt sein – *to have a mindset or attitude*
[6]   *to judge*

1. Wer spricht über einen Sprachunterschied in diesen beiden deutschsprachigen Ländern?

2. Wer hat deiner Meinung nach eine positivere Meinung über Österreich?

3. Was gefällt Holger an Österreich?

4. Wie nennt Daniel Österreich im Vergleich zu Deutschland?

H. Sigmund Freud

Here is a brief introduction to an important Austrian thinker. Before you start, find out what the terms in the blue box mean in English (if you are familiar with Freud, you should know these already!).

GR 8.3

Sigmund Freud (1856-1939) ist der Vater der Psychoanalyse. Er war auch ein weltbekannter Neurologe. Jeder kennt seine berühmte Couch, wo er seine Patienten zum Sprechen motivierte und sie dadurch heilte[1]. Seine wichtigsten Methoden waren die Analyse der freien Assoziationen und die Interpretation von Träumen. Freund nannte das die Traumdeutung: Was träumen wir und was bedeutet das?

Freud hat auch die Theorie der Struktur der menschlichen Psyche formuliert. Freud meinte, dass die menschliche Psyche drei Komponente hat: das unbewusste sexbesessenen[2] *Es*, das bewusste *Ich* und das autoritäre *Über-Ich*, also unser Gewissen und unsere moralischen Vorstellungen[3]). Fast alles, was wir tun, kommt laut[4] Freud vom *Es*, aber wir realisieren das

die Psychoanalyse	das Es
die Couch	das Ich
freie Assoziationen	das Über-Ich

nicht. Und unser *Über-Ich* gibt uns Schuldgefühle[5]. Das unbewusste wilde *Es* und das kontrollierende *Über-Ich* kämpfen permanent gegen und miteinander.

Freud hat die Träume seiner Patienten analysiert. Manche Patienten haben sich auch selbst mit seinen Methoden analysiert. Laut Freud sind unsere Träume kein Unsinn[6]. Träume können sehr viel über unsere Probleme, Wünsche und Ängste erzählen. Unsere Träume helfen uns auch, uns an die Sachen zu erinnern, die wir angeblich[7] vergessen haben. Oder vergessen wollen.

---

[1] heilen – *to heal*
[2] *obsessed with sex*
[3] *concepts*
[4] according to

[5] feelings of guilt
[6] nonsense
[7] supposedly

1. *Underline all phrases in the genitive case in the text above.*

2. *Write the letter of each statement next to the place in the text above where it is found.*

   A. Wie alt war Freud, als er starb?

   B. Was für ein berühmtes Möbelstück hatte Freud?

   C. Nenne eine wichtige Methode von ihm.

   D. Welche Komponenten hat die menschliche Psyche laut Freud?

   E. Was ist das Problem mit den Informationen von unserem Es?

   F. Was hat Freud mit seinen Methoden gemacht?

   G. Warum meinte Freud, dass unsere Träume wichtig sind?

I. Ein buntes Haus

The house on the right was designed by the famous Austro-New Zealander architect Friedensreich Hundertwasser (1928-2000). Even though the photo seems like a montage or collage, it is not. What strikes you about this design? Could you imagine living in this house?

Hundertwasserhaus, Wien, AT

J. Freuds Couch

Sigmund Freud marks the beginning of the popular use of psychological principles to interpret dreams. Write a dialogue between Sigmund Freud and a patient who has come to his Vienna office with a recurring dream. Describe what happens in the dream and give Freud's interpretation of this bizarre problem. Review how to write about the past, and use the conversational past as needed in your dialogue.

Ich habe immer wieder den gleichen Traum / Alptraum.	*I keep having the same dream / nightmare.*
Seit wann haben Sie diesen Traum?	*How long have you been having this dream?*
Beschreiben Sie bitte Ihren Alptraum!	*Please describe your nightmare.*
seit drei Jahren / zwei Monaten / gestern	*for three years / two months / since yesterday*

In case Freud wants to comment during the dream narration:

Sehr interessant.	*Very interesting.*
Merkwürdig.	*Strange.*
Faszinierend.	*Fascinating.*

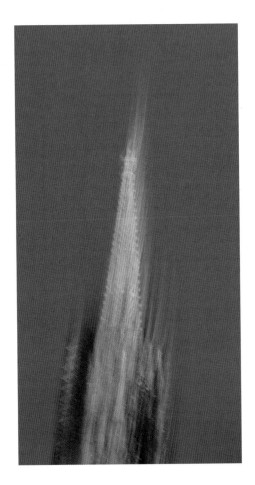

Patient: Guten Tag, Herr Professor Freud!

Freud: Guten Tag, mein verehrter Herr / meine verehrte Dame! Legen Sie sich auf die Couch hier. Na, was haben Sie denn?

Patient: Oh, Herr Professor, ich habe immer wieder den gleichen Alptraum!

Freud: Was für einen Alptraum haben Sie denn?

Patient: Ich sitze in einem Vogelnest, trinke Milch, esse Birnen und das alles ist ein komischer Kult.

Freud: Merkwürdig. Und seit wann haben Sie diesen Traum?

Patient: Seit gut einem Monat.

Freud: Aha! Sehen wir mal... Sie sagen: Vogelnest, Milch, Birnen und Kult... faszinierend!

Patient: Sagen Sie mir die Wahrheit, Herr Professor!

Freund: Ihr Vogelnest ist... „ein Test"! Birnen bedeuten... „lernen"! Milch muss „Deutsch" sein und Kult... hm... „Schuld". Sie haben Schuldgefühle, weil Sie für Ihren Deutschtest zu wenig gelernt haben. Gehen Sie nach Hause und machen Sie sich an die Arbeit!

Vocabulary 8.3

Nouns:			*Verbs:*	
die Angst, ¨-e	fear		**erziehen**	to raise (children)
der Bergsteiger, -	mountain climber (male)		**gehören (+ Dat.)**	to belong to
die Ehe, -n	marriage		**töten**	to kill
der Friedhof, ¨-e	cemetery		**trennen**	to divide
das Gedicht, -e	poem		**vorkommen (+ Dat.)**	to seem; appear
das Gesetz, -e	law			
das Gewissen	conscience		*Other:*	
die Insel, -n	island		**bewusst**	conscious
die Neutralität	neutrality		**ewig**	eternal
der Politiker, -	politician (male)		**genau**	exact
das Rad, ¨-er	wheel		**gleichzeitig**	simultaneous
die Schwierigkeit, -en	difficulty		**im Vergleich zu**	in comparison to
der Titel, -	title		**jedenfalls**	in any case
der Traum, ¨-e	dream		**schuldig**	guilty
der Weltkrieg, -e	world war		**unbedingt**	definitely
der Wunsch, ¨-e	wish, desire		**unbewusst**	unconscious

8.3 Genitive case

The genitive case is used to show possession:

> ***Das Auto meiner Mutter*** *ist schnell.*   My mother's car is fast.

Most masculine and neuter nouns take an *–s* ending in the genitive case:

> *Das Auto meines Vater**s** ist schneller. Der Kofferraum des Auto**s** ist auch größer.*
> My dad's car is faster. The trunk of the car is also bigger.

The definite and indefinite articles in the genitive case are as follows:

	definite	indefinite
masculine	des	eines
feminine	der	einer
neuter	des	eines
plural	der	(keiner)

Germans use the genitive case much less frequently in spoken language than they do in writing. In dialect, the genitive case is virtually nonexistent. There are two other ways to indicate possession in German. First, you can add an *–s* to the noun (without an apostrophe) if it is a proper noun (name):

> *Das ist **Toms Landkarte**.*   This is Tom's map.

Second, you can use the preposition *von* + dative case::

> *Ich reise mit **dem Auto von meinem Vater**.*   I'm traveling with my father's car.

A. The Mediterranean Sea   Fill in the blanks with the correct der-word in the genitive case.

Thomas: Die Region _____ Mittelmeers (n) finde ich sehr interessant! Soweit[1] ich weiß, sind Spanien und Frankreich zwei von 21 Ländern _____ angrenzenden[2] Staaten (pl.). Die zahlreichen Inseln _____ unterschiedlichen Länder (pl.) liegen außerhalb dieser Staaten.

Susanne: Richtig. Korsika ist zum Beispiel eine Region Frankreichs. Wichtig sind auch die Küsten: Es gibt drei Kontinente, zu denen ein Teil _____ Küste (f) des Mittelmeers gehört.

Thomas: Europa, Afrika und Asien. Und das Mittelmeer ist eigentlich ein Nebenmeer _____ Atlantischen Ozeans (m).

[1] *as far as*   [2] *bordering*

B. Masculine and neuter nouns   The genitive case adds an –s to many singular masculine and neuter nouns. Pick the most appropriate noun and follow this rule to complete the sentences.

Griechenland   Feuerstein   ~~Fr21heuropäer~~   Lehrer   Mittelmeer

1. Jäger und Sammler waren Berufe   des Fr21heuropäers   in der Steinzeit.

2. Menschen produzierten Waffen und Geräte auf der Basis des   .

3. Vor 4.000 Jahren waren die Städte des alten   einflussreich.

4. Platon war der Schüler eines berühmten   : Sokrates.

5. Das Römische Reich eroberte viele Länder, auch die des   .

C. Masculine and neuter nouns II   The genitive case adds an –es to some singular masculine and neuter nouns that end in –f, –ss, –k and –ch. Follow the same directions as above, and add the genitive article des.

Dorf   Einfluss   Reich   ~~Volk~~

1. Die Demokratie als System einer Selbstregierung   des Volkes   stammt aus dem alten Athen.

2. Von den Römern sind Straßen geblieben, die alle Teile   verbunden[3] haben.

3. Die Siedlungsgeschichte   mittelalterlichen   ist wichtig für ein Verständnis der Neuzeit.

4. Die Reformation ist wegen   Martin Luthers zustande gekommen[4].

[3] connected   [4] happened

D. Die Renaissance   Fill in the blanks with the correct forms of the nouns given in the genitive case, preceded by ein-words also in the genitive case (eines, einer, eines).

Example: Der Buchdruck[5], die Erfindung ... (**der Deutsche**), veränderte ganz Europa. →
Der Buchdruck, die Erfindung **eines Deutschen**, veränderte ganz Europa.

1. Im Mittelalter beschäftigten sich wohlhabende[6] Bürger in Heidelberg mit der Gründung
                      (die Universität). In dieser Zeit waren nur wenige Leute gebildet.

2. Die Übertragung[7] vom Text   (das Buch) geschah[8] meistens mündlich.

3. Das Werk   (der Maler) aus Florenz kennzeichnete[9] die Renaissance. Wer ist er?
   Genau: Leonardo da Vinci!   [5] printing press   [6] wealthy   [7] the transmission   [8] took place   [9] to be distinguished by

E. Österreich   To wrap up this section, let's review what Austria's cities are known for. Complete the sentences using the genitive case.

1. Wien ist die Stadt   (der Kaffee).

2. Wien ist auch die Stadt   (das Theater).

3. Salzburg ist die Stadt   (die Musik).

4. Innsbruck ist die Stadt   (das Skifahren).

5. Linz ist die Stadt   (die Linzer Torte).

8.4 Die Schweiz

Culture: Switzerland
Vocabulary: Swiss history & geography
Grammar: Singular noun endings

A. Sprachen der Schweiz

Look at the map about languages in Switzerland and answer the questions with a partner.

Schweiz.

WIR SPRECHEN SCHWEIZERISCH

21%

der Wohnbevölkerung haben keine der vier Landessprachen als Muttersprache

DIALEKTE

Unter dem Oberbegriff Schweizerdeutsch ist eine grosse Vielfalt alemannischer Dialekte zusammengefasst.

4 SPRACHEN

Die Schweiz hat 4 Landessprachen.

22,5% Französisch

63,5% Deutsch/ Schweizerdeutsch

Deutsch Romanisch

Französisch-Deutsch

8,1% Italienisch

0,5% Romanisch

Englisch und Portugiesisch sind die in der Schweiz am häufigsten gesprochenen Fremdsprachen.

Romanisch ist eine räto-romanische Sprache, die aus dem Lateinischen und Italienischen hervorgegangen ist.

2015 © EDA, PRS / Quellen (2014): Bundesamt für Statistik (BFS) / Mehr auf aboutswitzerland.org

1. Welche Sprache sprechen die meisten Menschen in der Schweiz?

2. In welchem Teil der Schweiz spricht man Italienisch?

3. Was ist wohl die wichtigste Fremdsprache in der Schweiz? Was denkt ihr?

4. Wie nennt man die Dialekte des Schweizerdeutschen?

5. Welche zwei Sprachen vermischen sich im Rätoromanischen?

6. Und nun noch eine Mathefrage: In der Schweiz leben ca. 8,1 Millionen Menschen. Wie viele Menschen haben eine Muttersprache, die keine offizielle Sprache der Schweiz ist?

Bonusfrage: An welche Länder grenzt die Schweiz? Tipp: Es sind fünf!

B. Schweizer Städte

Switzerland offers breathtaking views of nature, but it also has beautiful and exciting cities. Write down a couple of associations with these Swiss cities based on the Interactive.

Zürich, CH

Bern

Zürich

Basel

Genf

C. Eine Hauptstadt

In small groups, discuss what you associate with capital cities.

das politische Zentrum
eine Stadt wie jede andere
die wichtigste Stadt
eher ein Symbol

der Sitz der Regierung
das Machtzentrum
ein offizieller Ort

Die Hauptstadt ist das politische Zentrum eines Landes.

Now discuss with a partner what you think the capital of a country should offer. Take a look at the options available and come up with a couple of your own.

ein Parlamentsgebäude
ein Justizministerium
mindestens eine Universität
einen Flughafen
ein Sportteam
einen Zoo

Kinos
ein Opernhaus
einen Hafen
einen Fernsehsender
einen Stadtpark
Diskos

Die Hauptstadt eines Landes sollte [ein Parlamentsgebäude] haben, aber sie braucht kein/e/en [Sportteam].

D. Hauptstadt Bern?

Read the following text about Bern and answer the questions that follow.

Bern, CH

Die Stadt Bern im Westen der Schweiz hat fast 130 000 Einwohner. Damit ist Bern die viertgrößte Stadt der Schweiz. Viele meinen, Bern sei die Hauptstadt der Schweiz, aber laut der Schweizer Verfassung[1] hat die Schweiz keine Hauptstadt. Die Schweiz hat aber eine Bundesstadt, und die ist Bern. In Bern haben also der Bundesrat, die Bundesversammlung und die Bundesverwaltung ihren Sitz.

Aber Bern bietet noch viel mehr als nur Politik. Es gibt in dieser mittelalterlichen[2] Stadt – Bern wurde 1191 gegründet – wunderschöne Gebäude und andere Sehenswürdigkeiten. Bern bietet jedem etwas: das Einstein-Haus, das Kunstmuseum Bern, ein Symphonieorchester, viele Bars und Clubs, Ausflüge[3] in die Natur, organisierte Stadtführungen oder eine Bootsfahrt auf der Aare. Oder wenn man besonders mutig[4] ist, dann schwimmt man die eiskalte Aare hinunter!

---

[1]   *constitution*
[2]   *medieval*
[3]   *excursions; field trips*
[4]   *brave*

1. Ist Bern die Hauptstadt der Schweiz?

2. Wie viele Menschen leben dort?

3. Ist Bern für die Schweiz eine große Stadt?

4. In welchem Jahr war die Gründung Berns?

5. Was möchtest du vielleicht in Bern machen?

E. Wahlrecht

Die Schweiz hat eine sehr stabile und gut funktionierende Demokratie. Deshalb ist es fast schon ironisch, dass Frauen erst seit 1971 auf der Bundesebene wählen dürfen. Der Kanton Appenzell Innerrhoden im Nordosten der Schweiz war noch langsamer: Dort dürfen Frauen erst seit April 1991 auf Kantonsebene[5] wählen.

---

[5]   *auf Kantonsebene* – on the canton level

F. Der Röstigraben

Rösti is a potato-based specialty food originally from the German part of Switzerland, and *Graben* is a ditch or a trench. Let's figure out what a "potato-trench" is doing in Switzerland and how it might help us understand this multilingual country a little bit better.

Die Schweiz ist ein relativ kleines Land, aber es gibt dort vier offizielle Sprachen (siehe 8.4A). Wir wissen aus eigener Erfahrung[1], dass eine Sprache Teil unserer Identität ist. Eine Sprache ist auch ein wichtiger Teil der nationalen Identität eines Landes. In der Schweiz gibt es mehrere Sprachgrenzen und somit auch kulturelle Grenzen. Für die sprachliche und kulturelle Grenze zwischen der Deutschschweiz und der Romandie gibt es ein Wort: Röstigraben. Der Röstigraben trennt die deutschsprachige und die französischsprachige Schweiz. Und warum dieser Name? Rösti ist als Kartoffelgericht typisch für die Deutschschweiz, die mit 63,5% der Einwohner in der Schweiz dominierend ist.

---

[1]   aus eigener Erfahrung – *from our own experience*

Das Wort „Deutsch" für die Sprache der Deutschschweiz zu benutzen ist problematisch. Im Alltag benutzen die Deutschschweizer nur dann Standarddeutsch, wenn sie mit Deutschen oder anderen deutschsprachigen Ausländern sprechen. Jede Region in der Schweiz hat ihren eigenen Dialekt. Berndeutsch ist also zum Beispiel nicht wie Baseldeutsch. In privater Korrespondenz, z.B. auf Facebook oder beim Simsen, schreiben viele Schweizer auch im Dialekt: „Hoi Urs, au no vo mir alles gueti zum geburri. Grüessli Zora."[2]

Martin, ein Schweizer, beantwortet die Frage, ob Hochdeutsch eine Fremdsprache ist, ganz einfach: „Ja, das ist eine Fremdsprache. Die Grammatik ist anders, die Wörter sind anders. Also wir müssen Hochdeutsch in der Schule ganz bewusst lernen."

---

[2]   Hallo Urs, auch noch von mir alles Gute zum Geburtstag. Grüße Zora.

1. Was ist der Röstigraben?

2. Wann sprechen Deutschschweizer Hochdeutsch?

3. Wann sprechen Deutschschweizer Dialekt?

4. Wo hat Martin Hochdeutsch gelernt?

5. Gibt es in Ihrem Land auch einen „Röstigraben"?

G. Fragen zur Schweiz

GR 8.2

Work with a partner and fill in the correct form of *wissen* or *kennen* for each question. Then ask each other the questions and answer them!

1. Was _____ du über die Schweiz?

2. _____ du Milka?

3. _____ du, wie viele Sprachen man in der Schweiz spricht?

4. _____ du den Namen des höchsten Berges in der Schweiz?

5. Wie viele Schweizer _____ du persönlich?

6. _____ du, wo Genf liegt?

Erlenbach im Simmental , CH

H. Was findest du interessant?

Write four sentences about things you find interesting, good, positive, etc. about Switzerland. For each sentence, use a genitive phrase as in the example sentences. Don't use any nouns twice!

Bern, CH

Ich finde die Geschichte der Schweiz kompliziert.
Ich finde die Werkzeuge des Armeemessers praktisch.

I. Viele Schweizer Grenzen

As you already learned in this chapter, there are internal language borders within Switzerland because of the four official languages. All languages also reach across the borders into Austria, Germany, and Liechtenstein, as well as France and Italy. Read about the fluidity of borders with people going hither and thither.

Röschti Farm, Schinznach-Dorf, CH

In der Schweiz kann man in vier verschiedenen Sprachregionen leben und arbeiten. Das ist auch attraktiv für viele Bürger der EU aus Ländern, die an die Schweiz grenzen. Obwohl die Schweiz kein Mitglied der EU ist, ist es relativ einfach dort als EU-Bürger zu arbeiten. Über 287 000 Grenzgänger[1] und Grenzgängerinnen kommen täglich zur Arbeit in die Schweiz. Und abends fahren diese Grenzgänger dann wieder nach Hause. Die Schweiz ist bei EU-Bürgern besonders beliebt, weil die Gehälter[2] dort höher sind als in den eigenen Ländern. Im Allgemeinen kostet in der Schweiz fast alles mehr als z.B. in Deutschland. Deshalb fahren viele Deutschschweizer zum Einkaufen ins Nachbarland. Nehmen wir als Beispiel ein simples Shampoo von Nivea: In der Schweiz kostet das SFR 3,50 und in Deutschland € 1,95 (= SFR 2,25). Außerdem bekommt man als Schweizer Einwohner an der Grenze die Mehrwertsteuer[3] zurück. In Deutschland ist die Mehrwertsteuer sehr hoch: 19%. Also zahlt man nur noch SFR 1,89 für das Shampoo. Man kann also verstehen, warum so viele Schweizer in Deutschland einkaufen gehen.

Zum Abschluss noch eine Anekdote aus einem deutschen Schwimmbad an der Grenze zur Schweiz. Eine Deutsche sagt zu einer anderen Deutschen: „Und jetzt nehmen uns die Schweizer auch noch die Schattenplätze weg!"[4]

[1]   people crossing the border
[2]   *das Gehalt* - salary
[3]   sales tax
[4]   "And now the Swiss are even stealing our spots in the shade!"

1. Warum ist die Schweiz für EU-Bürger attraktiv?

2. Wie viele Menschen kommen täglich zum Arbeiten dorthin?

3. Wie sind die Gehälter in der Schweiz?

4. Warum fahren die Schweizer gerne zum Einkaufen nach Deutschland?

J. Mein Land

Discuss your own country and how you would divide it up using the political terms listed here.

progressiv vs. konservativ
weltoffen vs. provinziell

[5]   *reactionary*

fortschrittlich vs. rückständig[5]
städtisch vs. ländlich

Viele kleine Städte sind ein bisschen rückständig. Der Mittlere Westen ist ländlich, aber der Osten ist städtisch.

K. Ein Besuch in der Schweiz   A friend is planning on visiting Switzerland. Tell her or him what to do in German! Don't reuse any verbs. Come up with as many useful pieces of advice that you can.

GR 7.4

Besuch Zürich!
Sprich Französisch!
Wandere viel!

L. D, A, EU oder CH?   Write D (Deutschland), A (Austria), CH (Confoederatio Helvetica), or EU (Europäische Union) next to each association to indicate the country. Some terms apply to more than one country.

Oktoberfest	Freud	Schwarzwald
Kanton	Nordsee	Französisch
Habsburger	Offiziersmesser	Osterweiterung
Wiedervereinigung	Goethe	Alpen
Neutralität	Sisi	Schokolade
Monarchie	Bach	Hanse
Bauhaus	Banken	Euro
Ringstraße	Mozart	Erasmus Programm

M. Meine Schweiz   You have learned quite a bit about Switzerland in this unit. Pick one of the three topics below, research it online and write an essay about your topic. Make sure to find information that is new to you and potentially your instructor and fellow students.

Thema 1: Eine Stadt in der Schweiz (Bern, Basel, Genf, Zürich, Lausanne, Chur, etc.)
Thema 2: Typisch Schweiz (Armeemesser, Milka, Bernhardiner, Käse, Fondue, etc.)
Thema 3: Geschichte (Römerzeit, Mittelalter, Confoederatio Helvetica, etc.)

Basel, CH

Thema 1:
Genf ist eine weltbekannte Stadt in der Schweiz. Viele Menschen kennen Genf, weil es die „Genfer Konventionen" gibt. In Genf spricht man Französisch, weil die Stadt in der Romandie liegt.

Thema 2:
Alle Menschen lieben Schokolade! Und die Schweiz hat sehr gute Schokolade, z.B. Lindt und auch Milka. Milka ist preiswerter als Lindt, aber schmeckt auch ganz lecker.

Thema 3:
Die Schweiz hat eine lange Geschichte. Das „Geburtsdatum" der Schweiz ist der 1. August 1291 und die Schweizer feiern den 1. August jedes Jahr mit einem großen Fest.

Vocabulary 8.4

Nouns

der Alltag, -e	everyday life	die Säge, -n	saw
der Bär, -en	bear	der Schraubenzieher, -	screwdriver
der Bernhardiner, -	St. Bernard dog	der Sitz, -e	seat
der Dosenöffner, -	can opener	der Söldner, -	mercenary
der Flaschenöffner, -	bottle opener	der Teil, -e	part
die Fremdsprache, -n	foreign language	die Wahlen (pl.)	elections
die Führung, -en	guided tour; leadership	der Zahnstocher, -	toothpick
der Korkenzieher, -	corkscrew	die Zange, -n	pliers
das Kreuz, -e	cross		
die Macht, ¨-e	power	*Verbs*	
das Messer, -	knife		
die Nagelfeile, -n	nail file	sich befinden	to be located
der Ort, -e	place	benutzen	to use
die Pinzette, -n	tweezers	bieten	to offer
die Regierung, -en	government	wählen	to choose; vote
der Rest, -e	rest	teilen	to share; to divide
		verlieren	to lose

8.4 Adjectival nouns

Some German nouns are actually adjectives functioning as nouns. For instance, from the adjective *bekannt* (known) comes *der/die Bekannte* (acquaintance). These adjectival nouns are capitalized like nouns, but they take endings exactly as if they were an adjective, including case for their function in their clause or sentence. Since most refer to people, pay attention to the endings because they will clue you in as to whether the noun refers to a female, male or a group:

> *die Bekannte* = female
> *der Bekannte* = male
> *die Bekannten* = plural

Here are some common adjectival nouns that you will encounter:

der / die Deutsche	German person
der / die Erwachsene	grown-up
der / die Jugendliche	young person; teenager
der / die Verwandte	relative
der / die Verlobte	fiancé(e)

A. Wir üben   Look at the sentences below and create nouns out of the adjectives listed. And don't forget to capitalize the nouns!

1. Ich habe zwei sehr unterschiedliche Schwestern. Die eine war schon immer eine _____ (künstlerisch), die andere eine _____ (ernst).

2. Ich hatte gestern zwei Dates! Der _____ (intelligent) war nett, aber der _____ (sportlich) war ein bisschen zu schüchtern.

3. Ich liebe meine zwei Katzen! Der _____ (grau) gebe ich jeden Tag Tunafisch, denn die kleine Luna ist danach verrückt. Mit der _____ (klein). Der _____ (schwarz) ist ein Faulenzer, der nur schläft. Er heißt Moses.

Rhätische Bahn   Graubünden, Schweiz

Unit 8: Europa

Cultural and Communication Goals

This list shows the communication goals and key cultural concepts presented in Unit 8 *Europa*. Make sure to look them over and check the knowledge and skills you have developed. The cultural information is found primarily in the Interactive, though much is developed and practiced in the print *Lernbuch* as well.

Deutsche Geschichte

- [ ] countries that share a border with Germany
- [ ] *Krieg gegen Österreich* 1866, *Kleindeutschland, Großdeutschland*
- [ ] *Krieg gegen Frankreich* 1870-71, *Elsass-Lothringen, Versailles*
- [ ] Treaty of Versailles in 1919
- [ ] National Socialists coming to power
- [ ] *der Anschluss;* invasion of Poland
- [ ] *Blitzkrieg* warfare tactic
- [ ] Battle of Stalingrad
- [ ] end of WWII, *Besatzungszonen*
- [ ] DDR and BRD
- [ ] rise and fall of *die Berliner Mauer*
- [ ] *die Wiedervereinigung*

Die Europäische Union

- [ ] Robert Schuman and the founding of the EU
- [ ] two precursors / six founding members of EU
- [ ] *Europäische Integration*
- [ ] Switzerland and joining the EU
- [ ] *die Osterweiterung*
- [ ] current member states and languages
- [ ] nations having trouble joining the EU
- [ ] *Europäisches Parlament, Europäischer Rat*
- [ ] *Europäischer Gerichtshof*
- [ ] *Europäische Kommission*
- [ ] Erasmus Program
- [ ] the EU as a world power
- [ ] major recurring issues in the EU
- [ ] EU support for European farmers

Österreich

- [ ] landscape and geological features
- [ ] *die österreichischen Bundesländer*
- [ ] *die Habsburger, Maria Theresia*
- [ ] *die Doppelmonarchie*
- [ ] event that led to the beginning of WWI
- [ ] the Austrian Republic
- [ ] annexation by Germany in 1938

- [ ] *Neutralität*
- [ ] *EU Beitritt*
- [ ] *Skiwoche,* Reinhold Messner
- [ ] *die Piefkes*
- [ ] Austrians and earned titles
- [ ] Austrian-German relations
- [ ] *Wien: Sturm, der 1. Bezirk, der Stephansdom, der Türkenschanzpark, der Zentralfriedhof, der Prater, der Fiaker, das Riesenrad, das Hundertwasserhaus, der Naschmarkt, der Heurige, die Kaffeehauskultur*

Die Schweiz

- [ ] *Einwanderungsland*
- [ ] which tribes settled the four Swiss regions
- [ ] associations with Switzerland and the Romans
- [ ] Free Imperial City status in Holy Roman Empire
- [ ] Swiss Confederation (CH) and original cantons
- [ ] when these key events took place:
  - Swiss Guard named official army of Vatican
  - Switzerland declares eternal neutrality
  - CH defeats a Habsburg army
  - CH "independence" from Holy Roman Empire
- [ ] the Napoleonic wars
- [ ] number of cantons in Switzerland today
- [ ] two key figures in Swiss Reformation
- [ ] Switzerland and refugees during WWII
- [ ] returning money to Holocaust victims
- [ ] major cities and associations: Basel, Luzern, Genf, Bern, Zürich, Lausanne
- [ ] legend of Wilhelm Tell
- [ ] major humanitarian organizations in Geneva
- [ ] four official languages in Switzerland
- [ ] *Schwyzerdütsch,* Swiss view of *Hochdeutsch*
- [ ] Jean Henri Dunant and *das Rote Kreuz*
- [ ] *Söldner*
- [ ] Switzerland and the United Nations and EU
- [ ] tallest mountain in Switzerland
- [ ] *Schweizer Messer* and tools you find in one
- [ ] *Bernhardiner,* Toblerone and Milka
- [ ] changes in Swiss banking practices over time

Unit 9 Unser Alltag

Schützenfestumzug   Göttingen

Unit 9 Unser Alltag

In Unit 9 you will finally learn how to ask other people how they are doing (it's complicated in German). You will learn to use new greetings and additional factors on deciding whether to use *du* or *Sie*. You will also learn how to talk about illness and injury. Finally, you will learn about key rites of passage in Germany and begin learning how to talk about these events in your own life.

Below are the cultural, proficiency and grammatical topics and goals:

Kultur

Cultural openness
Regional variants of German
Kreislauf, Kurorte and *Krankenkasse*
Lebensabschnitte

Kommunikation

du vs. *Sie*
Regional variants of greetings
Expression emotions and feelings
Talking about important events

Grammatik

9.1   Dative expressions
9.2   *Wenn* vs. *wann*
9.3   Reflexive verbs
9.4   N-class nouns

9.1 Wie geht's dir?

Culture: German regional greetings
Vocabulary: Expressing emotions and reactions
Grammar: Dative expressions

A. Begrüßungen   For each greeting phrase, indicate whether it is used *im Norden, im Süden,* or *überall* (everywhere).

Alte Oper, Frankfurt am Main

im Norden, im Süden, überall

Grüß Gott!

Guten Morgen!

Tschüss!

Tschüssle!

Auf Wiedersehen!

Mach's gut!

Moin!

Ade!

Tag!

Servus!

Pfiat di!

B. Höflich sein   Sometimes we need to have a quick polite exchange when we meet someone new. Practice those with a couple of classmates.

> *For a casual exchange using* **Du**.
>
> *Person 1:* Hallo, ich heiße *[use first name].*
> *Person 2:* Hallo, ich heiße *[use first name].*
> *Person 1:* Freut mich.
> *Person 2:* Ebenso.

> *For a more formal exchange using* **Sie**.
>
> *Person 1:* Guten Tag! Ich heiße *[use first and last name].*
> *Person 2:* Guten Tag! Ich heiße *[use first and last name].*
>
> *[shake hands]*
>
> *Person 1:* Es freut mich, Sie kennenzulernen.
> *Person 2:* Freut mich ebenso.

Stuttgart

C. Emotionen

For each image, pick an appropriate German adjective from the list. Some images have multiple possible answers, but make sure not to use any adjective more than once!

glücklich	traurig	überfordert	begeistert	froh
wütend	frustriert	überrascht	müde	schockiert
besorgt	verwirrt	sauer	gelangweilt	erleichert

D. Wie geht's dir heute?

GR 9.1

Working with a partner, greet each other and, since you know one another fairly well, ask how your partner is doing. Answer with two emotions from 9.1C above. Feel free to find out why in German! Switch partners when your instructor gives the signal.

Hallo Jake!

Hallo Kim! Wie geht's dir heute?

Ich bin ein bisschen müde, aber sonst geht's gut.

Warum bist du müde?

Ich habe gestern nicht viel geschlafen und…

E. Alles ganz locker!

Wiebke (Göttingen, DE) spent a year in the US and, like many Germans, adapted quickly to the American habit of saying "How are you?" as a greeting. Read through her observations and answer the questions that follow.

Man kriegt so eine Brücke am Anfang und mir passiert das ganz oft auf dem Campus hier, wenn ich jemanden treffe und sage: „Hallo! Wie geht's?" Das sagt man in Deutschland eigentlich kaum. Man sagt nur: „He, was machst du denn gerade[1]?" Und ich sage meistens: „Hallo, wie geht's dir?" Und da sagen die Leute so: „Eh, gut", aber sie wissen eigentlich gar nicht, was sie sagen sollen. Dann denke ich immer, also, das ist wirklich hängengeblieben[2] aus den USA, dass du fragst: „Wie geht's?" Man antwortet halt was[3], aber das ist so ein Anfang. Und das ist anders in den USA. Das hat mir auch dort besser gefallen.

[1] *right now*

[2] hängenbleiben – *to stick*
[3] *something*

1. Was sagt Wiebke, wenn sie jemanden auf dem Campus trifft?

2. Sagt man das in Deutschland oft?

3. Was sagt man in Deutschland normalerweise, wenn man einen Freund trifft?

Wie geht's?   Was machst du denn gerade?   Eh, gut.

4. Was hat Wiebke in den USA besser als in Deutschland gefallen?

5. *There are several clear instances of the dative in this text. Circle four of them.*

F. Die freundlichen Amerikaner

Yvonne (Hildesheim, DE) has a positive take on German stereotypes of "American superficiality". Read her thoughts here and describe what she likes about the way Americans relate to one another.

Die Freundlichkeit der Menschen in Amerika hat mir am meisten gefallen. Man kritisiert diese Freundlichkeit in Deutschland als oberflächlich, dass die Leute auf einen zukommen und einfach nur fragen, wie es geht und gar keine ehrliche Antwort wollen, sondern einfach nur eine Antwort. Gerade das hat mir gefallen. Denn das macht den Umgang[1] miteinander viel leichter. Gerade so im Geschäft oder auf der Straße oder auf dem Campus ist das eine sehr angenehme Art[2], miteinander zu kommunizieren. Und man findet eher Kontakt mit Leuten und kann dadurch selber sehen, mit wem kann ich jetzt weitergehen, mit wem kann sich eine Freundschaft entwickeln[3]. Aber dieser erste Kontakt ist einfacher in den USA.

Heidelberg

[1]   *dealing with*
[2]   eine angenehme Art – *a pleasant way*
[3]   sich entwickeln – *to develop*

Was hat Yvonne in den USA gefallen?

Wie findet man diese Art der Kommunikation in Deutschland?

Warum findet Yvonne diese Freundlichkeit gut?

Circle three comparative forms and one superlative form in the text above.

Underline all noun phrases in the accusative. Double-underline all noun phrases in the dative.

G. Wie geht es dir?

Using short, everyday phrases in German is important but challenging since they often differ substantially from English phrasing. Work with a partner to decide which response you think would be appropriate for each phrase on the left. After discussing your answers with your instructor, practice these phrases with your classmates.

Greeting/Question/Goodbye	*Appropriate response (pick one)*
1. Hallo, grüß dich!	Gut, danke. Und dir? Grüß dich! Auf Wiedersehen!
2. Hey, was machst du gerade?	Hey, was machst du gerade? Ich geh' zur Uni. Wie geht es dir?
3. Hallo, alles klar?	Ja, natürlich. Mir geht's gut. Wie geht's? Du auch?
4. Ich wünsche dir ein schönes Wochenende!	Du auch! Ebenfalls! Grüß dich!

H. Was mag ich?

One way to talk about things you like is to use the verb *mögen*. This is for relatively strong and deep feelings. Make a list of 10 things in German that you like or don't like in preparation for the class activity 9.1I, using as many vocabulary words as you can. Then fill in all forms of *mögen* in the column.

mögen

ich

du

er/sie

wir

ihr

sie

I. Magst du das?

GR 1.4

Working with a partner, take turns reading the items you wrote in 9.1H above. When your partner reads something, try to say whether you like it or not as quickly as you can.

schwarze Katzen:

Schwarze Katzen mag ich nicht.

Ich mag keine schwarzen Katzen.

Schwarze Katzen mag ich sehr!

Ich mag schwarze Katzen gern.

J. Gefällt mir

One good thing about social media is the ability to "like" something. German uses the verb *gefallen* here instead of *mögen*. *Gefallen* is used for things you see or hear that you like. It is more temporary and immediate than *mögen*. With *gefallen*, the thing you like is the subject of the sentence, and the person doing the liking is put in the dative case.

Prepare a number of images of unusual, surprising, funny, or otherwise memorable things on your smartphone, laptop or tablet to show to others in class. (Keep it appropriate, please.) You can also prepare short music or audio tracks. Take turns with a partner showing your images or music and saying whether you like it or not. Expand the activity by asking whether family members would like the image or music.

[*Shows cat video*] Nein! Katzen-Videos gefallen mir nicht! Aber Katzen-Videos gefallen meiner Mutter.

[*Plays classical music*] Ja, das gefällt mir. Ich mag klassische Musik. Aber sie gefällt meinem Bruder nicht.

K. Siezen und duzen

Read the following text and respond to the prompt that follows.

Kinder haben es leicht: Sie sagen einfach „du" zu anderen Menschen. Aber was soll man als Erwachsener machen? Wann sagt man „du" und wann sagt man „Sie" zu einer anderen Person?

In Deutschland gibt es im 21. Jahrhundert ein paar neue Trends: In Großstädten sagen immer mehr Leute „du" zueinander, in kleineren Städten dominiert noch immer das „Sie". Eine Basisidee ist: „du" signalisiert Familiarität und Freundschaft; „Sie" zeigt Distanz und Höflichkeit.

Wen kann man duzen?

- Kinder und Jugendliche duzen sich immer.
- Studierende duzen sich auch immer.
- Auf Partys sagt man „du".

- In hippen Cafés oder Geschäften wie H&M benutzt man das Du.
- In der Schweiz benutzt man „du" mehr als in Deutschland oder Österreich.

Wen sollte man siezen?

- Zu einem Professor in Deutschland, Österreich oder der Schweiz sagt man immer „Sie". Zum Chef am besten auch.
- Siezen Sie Menschen, die deutlich älter sind als Sie selbst.
- Wenn Sie auf einem Amt (Bürgeramt, Ausländerbehörde) sind, dann sollten Sie alle Personen siezen.
- Wenn Sie sich nicht sicher sind: Lieber „Sie" sagen als „du".

Write 3-5 sentences auf Deutsch *explaining how distance vs. closeness / intimacy is expressed in your native language and culture, such as use of titles, body language, tone, particular words, etc.*

L. Das ist ja interessant!

Create a short dialogue with a classmate that these two people sitting on the bench could be having. Imagine that they don't know each other but they are enjoying some small talk on this beautiful summer day!

Würzburg

M. Small Talk Below are twelve possible small talk subjects. Indicate what you think good topics are with a *G (gut)* and bad ones with an *S (schlecht)*. Then write *auf Deutsch* another three good topics that you can think of.

Politik

Urlaub und Reisen

Religion

Beruf und Ausbildung

Essen und Trinken

Wohnen und Lifestyle

Naturkatastrophen

Wetter und Natur

persönliche Krisen

Kultur und Bildung

Krankheiten

Einkommen

3 gute Themen

N. Wie fühlst du dich? Working with a partner, ask how you feel in the following situations. Don't use any adjectives more than once (for both partners).

GR 6.4

regnen
Wie fühlst du dich, wenn es regnet?
Ich bin sauer.

viele Hausaufgaben haben
Wie fühlst du dich, wenn du viele Hausaufgaben hast?
Ich fühle mich ein bisschen gestresst.

regnen
schneien
viele Hausaufgaben haben
ein freies Wochenende haben
die Eltern besuchen dich
Schokolade essen
den Deutschunterricht verpassen
früh aufstehen
bei der Fußball-WM sein
Videospiele spielen

O. Wie ich mich fühle Choose eight emotions from the list on the right and for each word write a sentence about what makes you feel that way. Follow the example sentences below, and note that the conjugated verb goes at the end of the *wenn, weil,* or *dass* part of the sentence.

Ich bin sauer, weil ich immer lernen muss.

Ich finde es unfair, dass ich keinen Wein kaufen darf.

Wenn der Deutschunterricht ausfällt[1], bin ich gelangweilt.

Weil ich zu wenig schlafe, bin ich oft müde.

[1] ausfallen – *to be cancelled*

Some adjectives you might want to use:

froh	*happy*
sauer	*angry*
müde	*tired*
munter	*awake, cheerful*
nachdenklich	*pensive, thoughtful*
neugierig	*curious*
wütend	*furious*
entrüstet	*outraged*
entzückt	*delighted*
besorgt	*worried, concerned*
gelangweilt	*bored*
begeistert	*excited*

Vocabulary 9.1

Nouns:

die Brücke, -n	bridge	munter	cheerful
der Erwachsene, -n	adult (male)	oberflächlich	superficial
die Gemeinde, -n	town; community	sauer	angry; sour
die Höflichkeit	politeness	schockiert	shocked
		wütend	furious

Other:

begeistert	excited; enthusiastic	*Verbs:*	
besorgt	worried	antworten	to answer
deutlich	clear; unambiguous	bezeichnen	to call, describe
durchschnittlich	average	fragen	to ask a question
entzückt	delighted	gefallen (+ Dat.) [gefällt]	to be pleasing
froh	happy	kriegen	to get
gelangweilt	bored	passieren	to happen
interessiert	interested	sich sicher sein	to be sure
kaum	scarcely	verpassen	to miss (an event)
lustig	funny	wünschen	to wish
müde	tired	zukommen (auf jmdn.)	to go up to (someone)

9.1 Dative expressions

There are a number of idiomatic expressions in German that take the dative case. Here are a few common ones, though you may run into others in your reading:

Mir ist schlecht.	I feel ill.
*Es geht **mir** gut.*	I'm doing well.
Mir ist heiß.	I feel hot.
Ihm ist kalt.	He feels cold.

A. Universitätsklinikum   Prof. Dr. med. Ulrich Bornfeld is seeing patients. Circle the pronouns in the dative case (e.g., *dir, Ihnen, mir*) in the paragraph below.

Dr. Bornfeld: Guten Tag, Herr Müser. Wie geht es Ihnen heute?

Herr Müser: Mir geht's wirklich schlecht.

Dr. Bornfeld: Was ist Ihnen denn passiert?

Herr Müser: Ich habe mir den Rücken verrenkt. Könnten Sie mir bitte ein Schmerzmittel verschreiben?

Dr. Bornfeld: Ja, aber erst möchte ich Sie untersuchen.

Herr Bornfeld: Ich danke Ihnen.

B. Ein Unfall   Andrea Müser is talking to her neighbor Else Zick about her husband's accident. Fill in the blanks with the best dative personal pronouns from the pairs given.

Andrea: Bernd hat sich gestern den Rücken verrenkt. Wie es passiert ist, ist _____ ein bisschen peinlich[1]. Bernd ist bestimmt wütend[2]! **(dir / mir)**   *mir*

Else: Mach _____ keine Sorgen, Andrea. Er ist auf dich bestimmt nicht böse. **(dir / mir)**

Andrea: Es war so: Bernd schläft gern warm, weil es _____ immer zu kalt ist. **(ihm / mir)** Ich schlafe gern kalt, weil es _____ immer zu warm ist. **(ihm / mir)** Obwohl Bernd sich immer beklagt[3], dass es zieht[4], schlafen wir trotzdem bei offenem Fenster. Aber gestern dachte ich auf einmal das Gleiche. Ich bin so schnell aus dem Bett gesprungen, um das Fenster zu schließen, dass Bernd dachte, ich wäre ein Einbrecher[5]! Ich habe _____ so einen Schrecken eingejagt[6]. **(ihm / mir)** Und deshalb ist er aus dem Bett gefallen.

[1] *embarrassing* [2] *angry* [3] *to complain* [4] *drafty* [5] *intruder* [6] *to scare so*

C. Injuries   Circle the dative reflexive pronoun in each sentence.

1. Er hat sich den Rücken verrenkt.

2. Sie hat sich das Bein gebrochen.

3. Haben Sie sich den Arm gebrochen?

4. Ich habe mir den Fuß verstaucht[7].

5. Du hast dir den Finger verletzt.

6. Wer hat sich in den Finger geschnitten?   [7] sprained

D. Dative reflexive pronouns   Mark (X) the dative reflexive pronouns that correspond to the gender and number (singular or plural) of each subject.

	dir	mir	sich		euch	sich	uns
ich	☐	☐	☐	wir	☐	☐	☐
du	☐	☐	☐	ihr	☐	☐	☐
er–sie–es	☐	☐	☐	(S)ie	☐	☐	☐

E. A visit to the doctor   Write a short dialog between a doctor and a patient following the model in Exercise A. Use at least four dative expressions, focusing on dative personal pronouns.

mir ist schlecht   mir geht es gut   mir ist kalt   ich habe mir wehgetan

Aargau, CH

9.2 Krank

Culture: Health and wellness
Vocabulary: Terms for illness
Grammar: *Wenn* vs. *wann*

A. Was fehlt Ihnen denn?

Match the German and English phrases.

1. Ich habe eine Erkältung.	*a. I'm fine.*
2. Ich habe Kopfschmerzen.	*b. I feel nauseous.*
3. Ich habe Husten.	*c. I have a cough.*
4. Ich habe Heuschnupfen.	*d. I have hay fever.*
5. Ich habe Fieber.	*e. I have a cold.*
6. Mir ist schlecht.	*f. I have a fever.*
7. Mir geht es gut.	*g. I have a headache.*

B. Wo kauft man das?

Where would one buy the following in Germany? Check the appropriate box for each. You may need to do your homework in the Interactive first if you aren't sure!

	Apotheke	Drogerie
Aspirin	☐	☐
Zahnpasta	☐	☐
Mittel gegen Schnupfen	☐	☐
Hustensaft	☐	☐
Schlafmittel	☐	☐
Antiallergikum	☐	☐
Pflaster	☐	☐
Sonnencreme	☐	☐
Make-Up	☐	☐
Vitamintabletten	☐	☐

SEIT 1574
LÖWEN-APOTHEKE

Rothenburg ob der Tauber

C. Hausapotheke

Indicate what you have at home and what your parents have at home.

	du	die Eltern		du	die Eltern
Aspirin	☐	☐	Hustensaft	☐	☐
Insulin	☐	☐	Inhalator	☐	☐
Hustensaft	☐	☐	Adrenalinspritze	☐	☐
Vitamintabletten	☐	☐	Sonnencreme	☐	☐

D. Erkältet

Interview your classmates about what they do when they have a cold, asking several yes/no questions. Answer in complete sentences.

GR 6.4

GR 9.2

Gehst du zum Arzt, wenn du erkältet bist?

Nein, ich gehe nicht zum Arzt, wenn ich erkältet bin.

zum Arzt gehen	Hühnersuppe essen
deine Mutter anrufen	schwimmen gehen
viel Medizin nehmen	viel Tee trinken
sich ins Bett legen	zur Uni gehen

E. Ich habe gefehlt, weil...

It sometimes happens that we miss class or work. Think of two recent times you had to miss class or work and then talk about them with others in your class. Use the conversational or narrative past *(haben* and *sein)* for your answers. Make sure you ask at least one additional question to get more information from your partner(s).

GR 5.2

GR 6.4

GR 9.2

erkältet sein

meine Schwester hat geheiratet

müde sein

die Kurszeit vergessen

zum Arzt gehen müssen

Ich habe einmal im Unterricht gefehlt, weil ich schrecklichen Husten hatte.
Warst du erkältet?

Ich habe einmal bei der Arbeit gefehlt, weil ich eine Grippe hatte.
Bist du noch krank?

F. Wenn ich erkältet bin...

Below are three typical home remedies that Germans use when they feel sick. Comment next to each one whether you think it works or not (such as *Gute Idee* or *Das hilft nicht*).

GR 6.4

GR 9.2

1. Wenn ich gestresst bin, gehe ich im Wald spazieren. Das tut gut!

2. Wenn ich Husten habe, mache ich ein Dampfbad[1].

3. Wenn mir schlecht ist, trinke ich Cola und esse Salzstangen[2].

---

[1] *steam bath*
[2] *pretzel sticks*

Now complete the sentences below by stating what you do when you don't feel well.

4. Wenn ich gestresst bin, …

5. Wenn ich Husten habe, …

6. Wenn mir schlecht ist, …

7. Wenn ich Schnupfen habe, …

8. Wenn ich Kopfschmerzen habe, …

9. Wenn ich Sonnenbrand habe, …

G. Was machst du dagegen?

GR 6.4

GR 9.2

Using your answers in 9.2F above, start a conversation with a few of your classmates to see whether you each do the same things when you are sick.

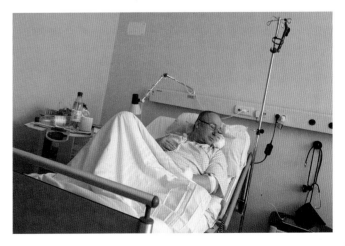

Was machst du, wenn du gestresst bist?
Wenn ich gestresst bin, gehe ich ins Kino.
Und was machst du?
Ich gehe im Wald spazieren.

H. Magenbeschwerden   Claudia (Hannover, DE) talks about a time she was having stomach problems. Read through her comments and answer the questions that follow.

GR 7.2

Jetzt vor Kurzem[1] war ich lange Zeit krank und hatte mit meinem Magen ganz schlimme Probleme. Kein Arzt konnte mir weiter helfen. Ich wurde von einem zum nächsten Arzt geschickt, hatte zwei Magenspiegelungen[2] und man konnte nicht so wirklich sagen, woran es liegt[3]. Jetzt habe ich vor acht Monaten endlich die einfache Diagnose bekommen, dass ich laktoseintolerant bin. Also ganz einfach. Mittlerweile weiß ich, was ich essen kann, damit es mir gut geht und von daher bin ich jetzt topfit. Ganz am Anfang war es eine Katastrophe für mich, weil ich unglaublich gerne Käse esse, unglaublich gerne auch mal ein Eis esse, aber man lernt disziplinierter zu sein. Man kann nicht mal zum Eismann gehen und sich ein Eis holen, man muss sich das überlegen, ob es sich wirklich lohnt[4].

Es gibt diese *Laktase!* Tabletten, die man einnehmen kann. Laktoseintoleranz bedeutet, dass man ein Enzym nicht hat, das die Milch abbaut. Dieses Enzym fehlt mir und die Tabletten geben dem Körper dieses Enzym wieder. Aber man will nicht zu viele von diesen Tabletten nehmen. Am Anfang war es schwierig, jedes Mal zu überlegen: Darf ich es essen oder darf ich es nicht essen? Mittlerweile ist das zur Routine geworden.

---

[1] *recently*
[2] *gastroscopy*
[3] *what the cause was*

[4] es/das lohnt sich – *it is worth it*

For each statement below, select whether it is richtig *or* falsch. *Then write the number of each next to the part of the text that relates to that statement.*

richtig   falsch

☐   ☐   1. Claudia hatte als Kleinkind Magenprobleme.

☐   ☐   2. Der erste Arzt konnte Claudia sofort helfen.

☐   ☐   3. Claudia denkt, dass der Arzt eine Katastrophe war.

☐   ☐   4. Jetzt geht es Claudia ganz gut.

☐   ☐   5. Claudia fand es von Anfang an einfach, ohne Milchprodukte zu leben.

☐   ☐   6. Claudia isst keinen Käse mehr.

☐   ☐   7. Jetzt kann Claudia wieder alles essen, ohne darüber nachzudenken.

☐   ☐   8. Laktoseintoleranz ist ein körperliches Problem.

☐   ☐   9. Es gibt Tabletten, die bei Laktoseintoleranz helfen.

☐   ☐   10. Claudia hat keine größeren Schwierigkeiten mehr mit ihrer Laktoseintoleranz.

Write three accusative phrases and three dative phrases you find in the text above and explain why they are in the case they are.

Zürichsee, Zürich, CH

Write three German sentences about a time when your diet was restricted. What led to that? What couldn't you eat or drink? Use past tense modals like konnte, musste, durfte, *etc.*

I. Diagnose   For each list of symptoms, give your diagnosis (in German!) as to what you think the condition is.

Diabetes Liebeskummer Grippe Ohrenentzündung
Erkältung Lungenentzündung Heuschnupfen Pfeiffersches Drüsenfieber

hohes Fieber, starker Husten, müde, schwach, Schmerzen beim Atmen

Fieber, Schwindel[1], Schmerzen im Ohr

Halsschmerzen, Schnupfen, Husten, Nase läuft, frösteln[2]

hohes Fieber, Muskelschmerzen, Husten,
starke Müdigkeit, Kopfschmerzen

Augen tränen, Schnupfen, Niesattacken, Nase läuft

Kopfschmerzen, Bauchschmerzen, Konzentrationsprobleme, Schlaflosigkeit, Pessimismus, Appetitlosigkeit

---

[1] *dizziness*
[2] *chills*

J. Wie reagiert der Körper?   Our bodies often respond negatively to different stressors in life. Work with a partner and create a list of symptoms (in German) that might be brought on in each of the situations listed.

drei Midterms am nächsten Tag

2 Liter Vanilleeis gegessen

MitbewohnerIn hat dich angeschrien[3]

Marathon gelaufen

PartnerIn hat Schluss gemacht[4]

---

[3] *screamed at*
[4] *broke up with you*

K. Woran leidest du?   Work with another student/group and take turns describing the symptoms in 9.2J above. See if you can guess what situations are the cause of the symptoms.

L. Glück im Umglück

With a partner, brainstorm as many possible advantages and disadvantages of staying in the hospital as you can. Feel free to exaggerate both sides of the story for comic relief.

den ganzen Tag fernsehen können

neue Krankheit bekommen

viele Medikamente schlucken müssen

nicht aufstehen dürfen

ruhig liegen bleiben sollen

nette Krankenpfleger haben

> Man kann den ganzen Tag fernsehen.
> Man darf nicht rauchen.

M. Im Krankenhaus

Read Anja's (Braunschweig, DE) story of being in the hospital as a child and answer the questions that follow.

Als ich sechs Jahre alt war, haben sie mir die Mandeln[1] herausgenommen. Dafür musste ich fünf Tage ins Krankenhaus und ich habe es wirklich gehasst. Das Zimmer sah so steril aus und im Krankenhaus riecht es auch immer so komisch. Klinisch eben. Nach der Operation konnte ich nicht richtig schlucken[2] und sollte die ganze Zeit Vanilleeis essen. Und dabei habe ich doch Vanilleeis überhaupt nicht gemocht. Als ich dann endlich wieder zu Hause war, habe ich mir geschworen, dass ich nie wieder ins Krankenhaus zurückgehen werde. Und ein Jahr später hatte dann meine ältere Schwester einen schlimmen Autounfall und war sechs Wochen im Krankenhaus mit gebrochenen Beinen. Da habe ich dann gedacht, dass ich eigentlich Glück gehabt hatte.

---

[1] tonsils
[2] schlucken – *to swallow*

1. Wie alt war Anja, als sie ins Krankenhaus musste?

2. Wie lange musste sie dort bleiben?

3. Was war der Grund für den Krankenhausaufenthalt[3]?

---

[3] *hospital stay*

4. War das ein schöner Aufenthalt für sie? Warum oder warum nicht?

5. Warum glaubt Anja, dass sie eigentlich selbst Glück gehabt hatte?

6. Warst du auch schon einmal im Krankenhaus? Wann? Warum?

N. Zecken

In both Germany and Austria, tick season (April to October) is greeted with public health campaigns warning of their danger and encouraging everyone to get vaccinated. Read about Frau Wegel's (Göttingen, DE) encounters with *Zecken* and what you can do about them. Then answer the questions that follow.

Meine erste Zecke hatte ich mit 10 Jahren. Meine Großmutter kratze[1] das Tier mit ihrem Fingernagel heraus. Damals glaubte man, dass eine Zecke viele Jahre lang auf Bäumen warten kann, ohne etwas zu essen. Wenn dann ein Mensch oder ein Tier unter dem Baum läuft, fällt die Zecke herunter. Dann krabbelt[2] sie an eine warme Stelle am Körper, am liebsten unter die Arme oder in die Haare. Ich bin also nicht mehr direkt unter niedrigen[3] Bäumen gelaufen, aber ich hatte trotzdem oft Zecken! Später hat mir ein Arzt erzählt, dass Zecken auch im hohen Gras und in Büschen sitzen und dort lange warten… und immer auf mich!

Wenn man eine Zecke hat, kann man folgende Dinge machen:

- die Zecke mit einer speziellen Zeckenzange[4] herausholen[5] herausholen – man muss beim Herausholen die Zecke nach links drehen

- zum Arzt gehen und sie herausholen lassen

---

[1] herauskratzen – *to scratch, dig out*
[2] krabbeln – *to crawl*
[3] niedrig – *low lying*
[4] die Zange – *tongs*
[5] herausholen – *to get out, to extract*

Aber bitte nicht mit den Fingernägeln herauskratzen!

Ich bekomme regelmäßig Impfungen[6] gegen Zecken und bin zum Glück noch nie krank geworden. Zecken können nämlich gefährlich für Menschen sein. Deshalb ist die FSME-Impfung besonders wichtig, weil sie vor dem FSME-Virus schützt[7]. Wenn man dieses Virus von einer Zecke bekommt, dann kann man eine Hirnhautentzündung[8] bekommen.

---

[6] die Impfung – *vaccination*
[7] schützen – *to protect*
[8] *meningitis*

1. Wie alt war Frau Wegel, als sie ihre erste Zecke hatte?

2. Wer hat Frau Wegels erste Zecke herausgeholt?

3. Wohin krabbeln Zecken am Menschen?

4. Wo sitzen Zecken in der Natur?

5. Was macht Frau Wegel präventiv gegen Meningitis?

O. Als ich einmal krank war

GR 7.3

Write an essay about a time when you were sick. Address how you felt, what your parents or doctor did to help you, and how you got better.

Einmal hatte ich Pfeiffersches Drüsenfieber! Zuerst habe ich hohes Fieber bekommen und war sehr müde. Dann hatte ich auch schlimme Halsschmerzen und konnte nicht mehr schlucken…

Vocabulary 9.2

Nouns:

der Baum, ¨-e	tree
der Blutdruck	blood pressure
die Entzündung, -en	infection
die Erkältung, -en	head cold
das Fieber, -	fever
das Gehirn, -e	brain
die Grippe, -n	influenza; flu
die Haut, ¨-e	skin
das Herz, -en	heart
der Herzinfarkt, -e	heart attack
der Heuschnupfen	hay fever
der Körper, -	body
der Krebs	cancer
die Leber, -	liver
die Lunge, -n	lung
der Magen, ¨	stomach
das Mittel, -	means; medicine
die Operation, -en	operation, surgery
Pfeiffersches Drüsenfieber	mononucleosis
der Rücken, -	back
das Schlafmittel, -	sleeping pill
der Schnupfen, -	cold; sniffles
der Sonnenbrand, ¨-e	sunburn
die Spritze, -n	shot; injection
die Stelle, -n	place

Other:

gesund	healthy
krank	sick
mittlerweile	meanwhile; meantime
schlimm	bad
unglaublich	unbelievable

Verbs:

anrufen	to call
aufstehen	to get up
bedeuten	to mean
fehlen	to lack; to be missing
fernsehen [sieht fern]	to watch TV
husten	to cough
liegen	to lie
niesen	to sneeze
rauchen	to smoke
riechen	to smell
schicken	to send
schlucken	to swallow
schwören	to swear
spazieren	to take a walk
sich überlegen	to think over

Phrases:

Ich habe Halsschmerzen.	My throat hurts.
Ich habe mich erkältet.	I have a cold.
Ich fühle mich total mies.	I feel horrible.
Ich habe die Grippe.	I have the flu.
Ich habe Kopfschmerzen.	I have a headache.
Ich habe Schnupfen.	I'm stuffed up.
Ich huste ununterbrochen.	I keep coughing all the time.
Ich niese.	I'm sneezing.
Meine Nase läuft.	My nose is running.
Mir ist nicht wohl.	I don't feel well.
Mir ist schlecht.	I feel sick to my stomach.

9.2 Wenn vs. wann

The German equivalent for 'when' can be *wann*, *wenn* or *als*. Here we will focus on the difference between *wann* and *wenn*. **Wann** is used for questions and statements that refer to a specific time, whether time of day, week, year and the like. For example:

***Wann** kommst du nach Hause?*	When are you coming home?
*Ich frage ihn, **wann** er nach Hause kommt.*	I'll ask him when he's coming home.
*Ich sage dir später, **wann** ich helfen kann.*	I'll tell you later when I can help.

The usual reference is to a specific time, whether asking about a time (*Wann kommst du?*), inquiring about a time (*Ich frage ihn, wann er kommt*) or describing a time when something can happen (*wann ich helfen kann*).

Wenn can usually be translated as 'whenever' or 'if.' It can refer to past events that happened repeatedly, or more commonly to present or future events that don't imply a specific time. Here are two sentences to highlight the usage of *wenn*:

***Wenn** ich lerne, trinke ich Kaffee.*	When I study, I drink coffee.
***Wenn** ich gelernt habe, habe ich Kaffee getrunken.*	When(ever) I studied, I drank coffee.

Sometimes a sentence can work with either *wenn* or *wann*, but with a different meaning:

> *Ich sage Bescheid, wenn ich komme.*   I'll let you know if I'm coming.
>
> Ich sage Bescheid, wann ich komme.   I'll let you know at what time I'm coming.

You will learn more about the word *als* later, which refers to events in the past. For now the basic principle is:

-Use *wann* when you are asking about or describing a specific point in time.

-Use *wenn* for repeated events in the past (whenever) or possible events now or in the future (if).

A. Wedding plans   Beate is talking to her friend Gundela about her wedding plans. Circle the question word *wann* and the conjunction *wenn* in the dialog.

Gundela: Wann heiratet ihr?

Beate: Wenn ich heirate, möchte ich im Dezember heiraten. München ist einfach schön im Winter, obwohl es natürlich sehr kalt ist. Aber rate mal, wann Simon ins Ausland muss?! Im Dezember!

Gundela: Seit wann gibt es Geschäftsreisen im Dezember? Wenn meine Arbeit so was von mir verlangt, sag' ich immer „nein!" Fährt er weit weg?

Beate: Er geht nach Australien, wenn er nicht dagegen protestiert! Wie soll ich alleine eine Hochzeit planen, wenn er so weit weg ist?!

Gundela: Aber Beate, wenn du willst, könntet ihr in Australien heiraten und im Sommerwetter! Sag' mir, wann ich meine Flugkarte kaufen soll!

B. The wedding   Simon has many questions about the new wedding plans. Build sentences using the question word *wann*.

> *Example*: wir / heiraten → Wann heiraten wir?

1. du / haben / mit Gundela gesprochen

2. ihr / sich treffen / wieder

3. es / sein / in Australien / besonders warm

C. Wenn   Circle the best translation for the conjunction *wenn* in each sentence below.

1. **Wenn** ich heirate, möchte ich im Dezember heiraten.	a. if	b. whenever
2. **Wenn** meine Arbeit so was von mir verlangt, sag' ich immer „nein!".	a. when	b. whenever
3. Er geht nach Australien, **wenn** er nicht dagegen protestiert!	a. if	b. when
4. Wie soll ich eine Hochzeit planen, **wenn** er so weit weg ist!	a. if	b. when
5. Aber Beate, **wenn** du willst, kannst du in Australien heiraten.	a. if	b. when

D. Sentences with wenn   Match the clauses that make logical sentences beginning with *wenn*.

1. Wenn wir heiraten,	a. muss ich ihm folgen.
2. Wenn mein Chef mir einen Auftrag gibt,	b. heiraten wir in Australien.
3. Wenn der Staat es erlaubt,	c. müssen meine Eltern auch dabei sein.

E. Australien   Beate is calling Gundela to tell her some good news. Fill in the blanks with *wann* or *wenn* where appropriate.

Beate: _____ alles gut läuft, ziehen wir nach Australien!

Gundela: Wie bitte? _____ ziehst du weg? Wohin?

Beate: Habe ich dir nicht schon davon erzählt? _____ haben wir zuletzt telefoniert? Es gibt eine tolle Arbeitsstelle für Simon in Australien, _____ er sie annehmen will.

Gundela: Aber Simon spricht doch kein Englisch, oder? Man muss fließend Englisch können, _____ man da arbeiten will, oder? Das Land ist auch so heiß und weit und wild! Das geht doch gar nicht!

Beate: Letztes Mal hast du mir gesagt, dass wir in Australien heiraten sollen! Jetzt willst du das nicht mehr. Seit _____ bist du so ein Spielverderber?

[1] *party-pooper*

319

9.3 Verletzt

A. Mehrzahl Write the plural form of each word below in German.

 GR 2.3

der Arm	der Daumen	der Zeh
der Fuß	der Finger	die Zunge
das Bein	die Hand	das Auge
der Brustkorb	der Kopf	der Magen

B. Wie viele? With a partner, ask each other how many body parts in 9.3A above various beings have.

> Ellbogen: Wie viele Ellbogen hat der Mensch? Zwei.

der Mensch
ein Hund
ein Insekt
ein Fisch

C. Redewendungen Match the German sayings or phrases with their closest English equivalent.

1. auf großem Fuß leben

2. eine dicke Lippe riskieren

3. mit Haut und Haar

4. ein Auge zudrücken[1]

5. Lügen[2] haben kurze Beine.

6. Eine Hand wäscht die andere.

7. Finger weg!

8. die Nase voll haben

9. Hals und Beinbruch!

10. eine Nervensäge sein

11. einen grünen Daumen haben

12. jemanden auf den Arm nehmen

a) to live high on the hog

b) Hands off!

c) You scratch my back, I'll scratch yours.

d) to turn a blind eye

e) completely; totally

f) The truth will prevail.

g) to have a green thumb

h) Break a leg!

i) to pull somebody's leg

j) to be irritating

k) to be sick of something

l) to say something provocative

---
[1] *close*
[2] *lie, fib*

Trinkhalle, Baden-Baden

D. Schon passiert? We probably all know people (including ourselves) who have been injured. Fill in as much of the table below as you can about yourself or people you know.

GR 9.3

	Wer?	Wann?	Wo?
sich den Arm brechen			
sich das Bein brechen			
sich den Fuß verstauchen			
eine Gehirnerschütterung[1] haben			
sich das Knie verrenken			
sich den Rücken verletzen			

---
[1] concussion

E. Was ist passiert?

GR 1.3b

GR 9.3

In small groups, ask each other about what you wrote in 9.3D above. If you are curious to hear more, keep asking questions! Express your surprise or horror as appropriate.

> Wer hat sich den Arm gebrochen?
> Wann ist das passiert?
> Wo ist das passiert?
>
> Das ist ja schrecklich!
> Geht es ihm/ihr/dir besser?
> Das gibt's doch nicht!
> Wirklich?

Fahrrad-Fest, Hamburg

F. Extremsportarten Martin leads a very active life, and his interests include various *Extremsportarten*. Match the injury on the right to the most logical *Extremsportart* on the left.

1. Freestyle-BMX-Rennsport

2. Eisklettern[2]

3. Freitauchen[3] im Ozean

4. Bungee-Springen

5. Unter-Eis-Hockey

6. Einhandsegeln

7. Skydiving

8. Base-Jumping

a) Da können die Zehen und Finger abfrieren.

b) Da kann man unter Wasser erfrieren.

c) Vielleicht öffnet sich der Fallschirm nicht.

d) Man kann sich die Knochen brechen.

e) Möglicherweise[4] springt man in ein Gebäude.

f) Man bekommt keine Luft mehr.

g) Man kann sich den Nacken verletzen.

h) Man verletzt sich und ist allein auf dem Meer.

---
[2] klettern – *to climb*
[3] tauchen – *to dive*

[4] *possibly*

G. Krankenversicherung Read the text below about different types of health insurance (*Krankenversicherungen*) available in Germany, Austria, and Switzerland. Then answer the questions that follow.

Baden-Baden

In Deutschland, Österreich und der Schweiz müssen alle Menschen krankenversichert sein. Es gibt gesetzliche und auch private Krankenkassen. Alle Menschen haben das Recht auf eine gesetzliche Krankenversicherung. Nur ca. 9 % der Menschen in Deutschland und Österreich haben die teurere Variante: eine private Krankenversicherung. In der Schweiz gibt es eine andere Regelung: man muss eine Grundversicherung haben, kann aber dann auch noch eine private Zusatzversicherung kaufen. Mehr als 80 Prozent der Menschen in der Schweiz haben diese Zusatzversicherung.

Besonders für ausländische Studierende in Deutschland ist eine Krankenversicherung ein absolutes Muss. Ohne Krankenversicherung kann sich niemand an der Universität immatrikulieren. Wenn man schon an der Universität ist, aber keine Versicherung mehr hat, kann man auch exmatrikuliert werden. Kinder sind in Deutschland automatisch familienversichert und nur 0,2 % der deutschen Bevölkerung sind nicht krankenversichert. Arbeitslose verlieren in Deutschland nicht ihre Krankenversicherung.

1. Welche zwei Arten von Krankenkassen gibt es in diesen Ländern?

2. Können alle Menschen eine Krankenversicherung bekommen?

3. Was ist teurer: eine gesetzliche oder eine private Krankenversicherung?

4. Ist die private Zusatzversicherung in der Schweiz eine beliebte Option?

5. Was passiert, wenn man als Student keine Krankenversicherung hat?

6. Wie funktioniert die Krankenversicherung für Kinder?

7. Und in deinem Land: Müssen da alle Menschen eine Krankenversicherung haben?

H. Ergänzen   Complete each sentence with an appropriate word or phrase from Unit 9.

Meine Nase _____ .

Ich bin vom Rad _____ .

Ich habe mich _____ .

Ich fühle mich _____ .

Ich habe mir den Arm _____ .

Ich habe mir den Fuß _____ .

Mir ist nicht _____ .

Ich habe mir in den Finger _____ .

Ich habe _____ .

I. Mir tut alles weh!

If friends are suffering from minor ailments we sure like to give some (hopefully) helpful advice. Read the descriptions of their woes and mark a good suggestion. Then discuss with a partner why you choose that option.

Ihr Freund stöhnt:	**Sie geben den folgenden Tipp:**
Ich habe mir die Schulter verrenkt!	☐ Mach Yoga!
	☐ Benutze ein Heizkissen[1]!
	☐ Schlaf einfach!
Meine Muskeln tun mir so weh!	☐ Treibe mehr Sport!
	☐ Dusch ganz kalt!
	☐ Geh sofort zum Arzt!
Ich glaube, mein Zeh ist gebrochen.	☐ Leg Eis auf den Zeh und warte!
	☐ Geh zu einem Arzt!
	☐ Leg ein Heizkissen auf den Zeh!
Ich habe mir in den Finger geschnitten.	☐ Schlaf einfach!
	☐ Desinfiziere den Finger!
	☐ Ach, das ist nicht so schlimm!

[1]   *heating pad*

J. Werbung

In groups, prepare a commercial for a new treatment or pill that appeals to your classmates. Remember to include symptoms/injuries that it treats and all possible side effects. Then, present your commercial to the class.

das Problem:
Kopfschmerzen
Halsschmerzen
Rückenschmerzen
Muskelschmerzen

das Medikament dagegen:
eine Tablette
eine Creme
eine Salbe
Pulver

> Zu viel Sport?! Muskelschmerzen? Dagegen hilft unsere neue Salbe Sportnixfix! Und was ist das Geheimnis unserer Salbe? Ein altes Geheimrezept!

K. Fahrradunfälle   Read these three descriptions of bicycle accidents and answer the questions that follow.

GR 7.1

Brita (Potsdam, DE): Da bin ich mit dem Fahrrad gefahren, auf dem Fahrradweg. Und dann hat mich rechts einer überholt[1], und der kollidierte mit mir und ist dann weitergefahren, während ich mit meinem Fahrrad auf den Boden fiel. Als er das merkte, kam er wieder zurück, kümmerte sich um mich und hat dann Polizei und Notarztwagen angerufen. Dann haben sie mich abtransportiert und ich habe erstmal eine Weile im Krankenhaus gelegen. Ich habe mir das Becken[2] gebrochen, ich habe mir die Wirbelsäule[3] gebrochen, ich habe mir die rechte Hand gebrochen, ich habe mir den rechten Ellenbogen gebrochen, ich habe mir die rechte Schulter geprellt[4]. Ja, und ansonsten war ich grün und blau am ganzen Körper.

[1] überholen – *to pass*
[2] *pelvis*
[3] *spine*
[4] sich prellen – *to bruise*

Adenika (Berlin, DE): Ja ich habe mal einen Fahrradunfall gehabt aber das war nicht so schlimm. Ich wollte mit dem Fahrrad über den Bordstein[5] fahren und bin dann abgerutscht[6] und gegen einen Briefkasten[7] gefahren und dann umgefallen. Das war lustig, aber ich wusste auch nicht in dem Moment, ob ich weinen oder lachen sollte. Aber es war nicht so schlimm, der Briefkasten war ein bisschen demoliert und wir haben ihn dann ersetzt.

Christine (Göttingen, DE): Vor einem Jahr, da wurde mir die Vorfahrt genommen, da bin ich mit dem Fahrrad den Berg runter gefahren und das ist ein Fahrradweg, der für die Fahrräder von beiden Seiten zu befahren ist und der Autofahrer hat mich nicht gesehen. Und dann bin ich seitlich gegen das Auto gefahren. Mein Fahrrad hatte einen Totalschaden. Ich habe zum Glück nur ein blaues Knie davongetragen.

[5] *curb*
[6] *skidded*
[7] *mailbox*

1. Wer...

	Brita	Adenika	Christine
hatte zum Glück nur einen kleinen Unfall?	☐	☐	☐
hat sich den Rücken schwer verletzt?	☐	☐	☐
hat sein Fahrrad komplett kaputt gemacht?	☐	☐	☐
hat einen Briefkasten kaputt gemacht?	☐	☐	☐
ist gegen ein Auto gefahren?	☐	☐	☐
musste ins Krankenhaus?	☐	☐	☐
hatte blaue Flecken[8]?	☐	☐	☐
hat sich sein Knie verletzt?	☐	☐	☐
fand seinen Unfall eigentlich lustig?	☐	☐	☐

[8] *bruises*

2. *Underline all verbs in the narrative past. How many did you find?*

L. Spezialisten   Match each English term for a medical specialist with the German translation.

1. cardiologist

2. dentist

3. dermatologist

4. ENT-specialist

5. gynecologist

6. neurologist

7. opthamologist

Augenarzt	Frauenarzt
Kardiologe	Kinderarzt
Podologe	Hautarzt
Neurologe	Psychiater
HNO-Arzt	Zahnarzt

8. pediatrician

9. podiatrist

10. psychiatrist

M. Unglück

GR 9.3

In small groups discuss who has been injured the most and how. Take some notes in the box below and prepare to report your most interesting findings to the class.

Krankenhaus
Neu-Bethlehem

Hast du schon einmal einen Unfall gehabt? Was für ein Unfall war das?

Hast du dir etwas gebrochen? Was?

Bist du schon einmal in einem Rettungswagen transportiert worden? Warum?

Warst du lange im Krankenhaus? Warum?

N. Ich habe mich verletzt

GR 9.3

Write an essay describing a time when you were injured.

Ich habe mir den Arm/das Bein/die Hand gebrochen/verstaucht.

Ich habe mir in den Finger geschnitten.

Ich habe mich schwer verletzt.

Ein Auto hat mich angefahren.

Ich musste im Krankenhaus bleiben/im Bett liegen/mich zu Hause erholen.

Als Kind hatte ich einen schlimmen Unfall. Ich war in der 1. Klasse. Jeden Morgen bin ich zur Schule gelaufen. Einmal war ich sehr müde. Ich habe nicht nach links gesehen. Aber dann habe ich einen großen Lastwagen gesehen. Der Lastwagen hat mich angefahren. Ich habe mir die Beine gebrochen. Es war schrecklich! Ich musste sechs Wochen im Krankenhaus bleiben. Aber ich bin jetzt wieder gesund! Ich habe also Glück im Unglück gehabt.

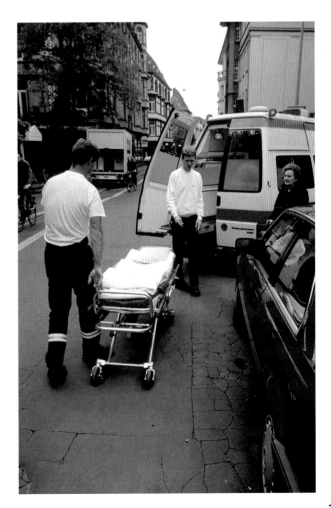

Vocabulary 9.3

Nouns:

der Arm, -e	arm
die Art, -en	kind; manner
der Bauch, ̈-e	belly; stomach
das Bein, -e	leg
der Boden, ̈	floor; ground
die Brust, ̈-e	chest; breast
der Daumen, -	thumb
der Ellbogen, -	elbow
der Finger, -	finger
der Fuß, ̈-e	foot
der Hals, ̈-e	neck; throat
die Hand, ̈-e	hand
der Hintern, -	rear end
das Kinn, -e	chin
das Knie, -	knee
der Kopf, ̈-e	head
der Nacken, -	neck
das Pulver, -	powder

der Rücken, -	back
die Schulter, -n	shoulder
die Stirn, -en	forehead
der Unfall, ̈-e	accident
der Zeh, -en	toe
die Zunge, -n	tongue

Phrases:

Ich bin ausgerutscht.	I slipped and fell.
Ich bin vom Rad gefallen.	I fell off my bike.
Ich habe mich geschnitten.	I cut myself.
Ich habe mich verletzt.	I hurt myself.
Ich habe mir das Bein gebrochen.	I broke my leg.
Ich habe mir den Arm gebrochen.	I broke my arm.
Ich habe mir den Fuß gebrochen.	I broke my foot.
Ich habe mir den Fuß verstaucht.	I sprained my ankle.

Verbs:

erhalten [erhält]	to receive
fallen [fällt]	to fall
sich kümmern um	to take care of
lachen	to laugh
merken	to notice
weinen	to cry

9.3 Reflexive verbs

A verb is said to be used reflexively in German when the subject and the object are the same thing. In English, this is usually expressed by a reflexive pronoun such as 'myself': I hurt myself, or He hurt himself. You can see that the subject is doing the action on itself. This is also the case for a reciprocal action, such as *Sie sehen sich* (They see each other).

Any verb that has an object can in theory be used reflexively. The pronouns used depend on whether an accusative or dative object is needed, which depends on the verb or any preposition involved. The pronouns look very much like normal personal pronouns, except that for 3rd person pronouns, the reflexive pronoun is *sich*:

	accusative	*dative*
ich	mich	mir
du	dich	dir
er–sie–es	sich	sich
wir	uns	uns
ihr	euch	euch
(S)ie	sich	sich

You can see the difference in this contrast: *Er sieht ihn* (He sees him) vs. *Er sieht sich* (He sees himself). German has many verbs that are always reflexive, even if there is no obvious reason:

sich treffen (mit jmdm.)	to meet up / to get together (with someone)
sich verabreden (mit jmdm.)	to make an appointment (with someone)
sich verabschieden (von jmdm.)	to say goodbye (to someone)
sich etw. (accusative) vorstellen	to imagine something
sich jmdm. (dative) vorstellen	to introduce yourself to someone

A. Photo albums   The Heiners are looking at photos. Circle the reflexive pronouns (e.g., *mich, mir, dich, dir, sich, uns, euch*).

Herr Heiner: Hier, bei der Hochzeit von meinem Cousin Timo habe ich mich das erste Mal deiner Mutter vorgestellt[1]. Seht ihr? Ich hatte mich echt schick angezogen.

Frau Heiner: Naja, vorgestellt. Ich kann mich gut daran erinnern. Du und Timo habt euch gut amüsiert[2]. Ich dachte, ich stelle mich euch vor. Aber dann hast du dich unmöglich benommen[3]. Du bist einfach abgehauen[4]! Kannst du dir das vorstellen[5]? Ich dachte, wir würden uns nie wiedersehen. Timo hat sich auch nicht bei mir entschuldigt. Und dann haben wir uns mit gemeinsamen Freunden getroffen.

[1] *to introduce* [2] *to be amused* [3] *to behave* [4] *to run away* [5] *to imagine*

B. Place-holding reflexive verbs   The reflexive pronoun in these verbs only fills a place-holding function, meaning the reflexive pronoun matches the subject. Fill in the correct reflexive pronouns for each sentence.

Example: Ihr könnt **euch** nicht daran erinnern?   dich   ~~euch~~   mich   sich   uns

1. Wir können _____ das gar nicht vorstellen.   3. Er hat _____ auch nicht bei mir entschuldigt.

2. Du hast _____ schlecht benommen.   4. Ich habe _____ in dich verliebt.

C. Accusative reflexive pronouns   Refer back to Exercise B in order to fill in the paradigm for reflexive pronouns in the accusative case.

Reflexive pronouns in the accusative case

ich _____		wir _____	
du _____		ihr _____	euch
er–sie–es _____		(S)ie _____	

D. All a misunderstanding   Herr Heiner is explaining to his wife how she misinterpreted the events on the night they met. Fill in the blanks with the correct reflexive pronouns in the accusative case.

Herr Heiner: Mit dieser Version der Geschichte hast du _____ total geirrt[6]. An dem Abend fühlte ich doch sehr nervös. Ich bin nur nach draußen gegangen, um _____ beruhigen[7]. Timo hat _____ um mich gekümmert[8]. Wir haben _____ auf die Zukunft gefreut: wie wir vielleicht irgendwann einmal zusammen in den Urlaub fahren werden und wie _____ unsere Kinder amüsieren werden. Als ich zur Party zurückkam, warst du schon weg. Eigentlich hast du _____ gar nicht von mir verabschiedet[9]!

[6] to be mistaken   [7] to calm oneself down   [8] to take care (of so.)   [9] to say goodbye

E. Make up date   To make up after this "old" misunderstanding, Herr and Frau Heiner decide to go out for a dinner date. They give their kids instructions to follow while they are away. Fill in the blanks with the correct reflexive pronouns in the dative case.

dir   euch   mir   sich   uns

Frau Heiner: Lena, du brauchst _____ gar nicht einzubilden[10], dass du heute Abend ausgehst. Ich habe es _____ überlegt[11]: du bist alt genug, um dich um deinen Bruder zu kümmern. Um acht Uhr muss er _____ die Zähne putzen, seinen Schlafanzug anziehen und ab ins Bett gehen.

Lena: Kein Problem. Das ist doch kein Hochleistungssport[12] hier. Wir werden _____ keine Beine brechen, klar? Ihr solltet _____ keine Sorgen[13] machen. Ich schaffe[14] das schon.

[10] to imagine (falsely)   [11] to think about (sth.)   [12] high performance sport   [13] to worry   [14] to handle (sth.)

F. Was für ein Wochenende!   Fill in the blanks with the conjugated verb and additional words given in parentheses.

Ich wollte _____ (sich amüsieren / am Wochenende).

Also bin ich klettern gegangen, aber ich bin dabei ausgerutscht!

Ich habe _____ (sich verletzen).

Ich habe _____ (sich verletzen / die Hand) und ich
habe _____ (sich verstauchen / der Fuß).

9.4 Lebensabschnitte

Culture: *Lebensabschnitte*
Vocabulary: Wedding & ceremony terms
Grammar: Noun endings

A. Wichtige Ereignisse Write the age when the following occurred to you (or put X if it doesn't apply). Mark how important it was or might be to you.

	super wichtig	ziemlich wichtig	gar nicht wichtig
1. erstes Konzert	☐	☐	☐
2. erstes Auto	☐	☐	☐
3. erste Tätowierung	☐	☐	☐
4. erster Job	☐	☐	☐
5. erstes Fahrrad	☐	☐	☐
6. erster Kuss	☐	☐	☐
7. erste Auslandsreise	☐	☐	☐
8. erstes alkoholisches Getränk	☐	☐	☐

B. Ereignisse Choose two events from the list above to describe in a bit more detail. Use the questions in the box to help write your descriptions.

Chur, CH

Wie alt warst du?
Wo warst du?
Mit wem warst du zusammen?
Was hat dir daran gefallen?
Was hast du gemacht?

C. Austausch Share the most important event from the previous activity. Listen carefully but also try to write down your partner's story. Take a look at possible reactions you can include in your dialogue.

Ja, das klingt interessant!
Erzähl mir mehr!
Echt?!
Toll!
Oh, das tut mir Leid!

D. Momente im Leben

For each of these milestones, write the age you think it typically first happens in your home culture (and write an X if it doesn't happen). Check the items you yourself have experienced.

	Alter	Das habe ich auch erlebt
Firmung / Konfirmation		☐
aktives Wahlrecht		☐
1. legales Glas Bier/Wein		☐
Universitätsabschluss		☐
Geburt des 1. Kindes		☐
Taufe		☐
1. Ehe		☐
Besuch des Kindergartens		☐
1. legaler Schnaps		☐
Erstkommunion		☐

Schloss Wilhelmshöhe, Kassel

E. Diskussion

Work with a partner and describe your thoughts from exercise 9.4D above. How would you guess the situation might be different in German-speaking countries?

F. Eine Hochzeit beschreiben

Think about a wedding or other important event that you have attended, and describe it here in three or more German sentences.

der Ring, -e	*ring*
die Brautjungfer	*bridesmaid*
der Bräutigam	*bridegroom*
die Braut	*bride*
der Trauzeuge	*best man*
die Hochzeit	*wedding*
das Hochzeitspaar	*wedding couple*
die Feier	*ceremony, festivity*

G. Austauschen

In groups of 3-4, describe the wedding or event in 9.4F above. Look at what you wrote to prepare. If you need to cover the text to stop yourself from referring to it, by all means do so!

H. Deutsche Hochzeiten

Work with a partner and list all the keywords and phrases you can here, expressing what you know or suspect about weddings in Germany.

I. Eine deutsche Hochzeit   Holger (Frankfurt am Main, DE) describes a typical German wedding below. Read through his description and answer the questions that follow.

Ja, erstmal gibt es die standesamtliche Trauung und danach die kirchliche Trauung. Das heißt, man muss zu irgendeinem Beamten der Gemeinde gehen und dort sein Jawort geben und die wichtigen Papiere unterschreiben. Und ab dem Zeitpunkt gilt man dann von Gesetzes wegen als verheiratet. Und die kirchliche Trauung in der Kirche, das ist natürlich mit sehr vielen Menschen. Man sitzt in der Kirche, es ist sehr feierlich[1], viele Blumen sind dabei. Der Pastor spricht, das Brautpaar ist eben auch vorne und gibt sich das Jawort. Anschließend geht man meistens in ein Restaurant und feiert groß mit den Leuten, mit denen man gerne feiern möchte.

Da gibt es dann ganz bestimmte Rituale. Zum Beispiel setzt sich das Brautpaar Rücken an Rücken und sie müssen jetzt Fragen beantworten zu ihrem Partner, um abzutesten, wie gut sie sich eigentlich kennen. Was für eine Zahnpastamarke benutzt dein Mann oder was für Socken trägt deine Frau und so. Also, sowas wird dann abgetestet und die müssen das dann halt beantworten und das kann dann meistens sehr witzig sein.

[1] *ceremonial*

Richtig oder falsch?: For each statement below, check if it is true or false. If false, write the number of that statement next to the place in the text above where you find the true answer.

		richtig	falsch
1.	Zuerst heiratet man auf dem Standesamt, dann in der Kirche.	☐	☐
2.	Auf dem Standesamt gibt es einen Pastor.	☐	☐
3.	In der Kirche unterschreibt man wichtige Papiere.	☐	☐
4.	In die Kirche kommen viele Freunde und Familienmitglieder.	☐	☐
5.	Die kirchliche Trauung ist normalerweise sehr einfach.	☐	☐
6.	Es gibt in die Kirche überall Blumen.	☐	☐
7.	In der Kirche hält der Bräutigam eine Rede.	☐	☐
8.	Nach der Trauung isst das Brautpaar allein in einem Restaurant.	☐	☐
9.	Später bei der Feier spielt man auch Spiele.	☐	☐
10.	Die Spiele sind aber eher langweilig.	☐	☐

Meine Fragen: *Write three questions in German you would ask as part of the wedding game that Holger describes above.*

Was für eine Zahnpastamarke benutzt dein Mann?
Was für Socken trägt deine Frau?

J. Vorteile und Nachteile   *Describe one positive thing and one potentially negative thing* auf Deutsch *for three of the items in the blue box. Use as much vocabulary from Unit 9 as you can!*

GR 9.3

der Ruhestand	das Festessen
die Taufe	die Jugend
die Geburt	die Kindheit
die Firmung	die Hochzeit

Festessen: Das Essen schmeckt gut!
Aber man isst vielleicht zu viel.

K. Das sind Fragen...   *Working with a partner, take turns asking and answering questions based on the prompts here. Your instructor will give you a time adverb or phrase such as* morgen *or* vor zwei Tagen *so you know whether to use present or conversational past.*

sich mit Freunden treffen
sich mit einer Freundin verabreden
sich warm anziehen
sich entscheiden, Astrophysik zu studieren
sich auf die Ferien freuen
sich von einer Grippe erholen
sich erkälten
sich entscheiden, Deutsch zu studieren

morgen: Triffst du dich morgen mit Freunden?

Ja, ich treffe mich morgen mit Freunden.

vor zwei Jahren: Hast du dich vor zwei Jahren entschieden, Astrophysik zu studieren?

Nein, ich habe mich vor einem Jahr entschieden, das zu studieren.

L. Wie triffst du Entscheidungen?   *When you have an important decision to make, what do you do? Check all that apply, and circle the most important one.*

- [ ] Ich mache eine Liste von Vor- und Nachteilen.
- [ ] Ich schlafe eine Nacht darüber.
- [ ] Ich rede mit meinem Vater/meiner Mutter darüber.
- [ ] Ich rede mit Freunden darüber.
- [ ] Ich bete[1] oder meditiere.
- [ ] Ich werfe eine Münze.
- [ ] Ich denke rationell nach.
- [ ] Ich höre auf mein Herz.
- [ ] Ich verlasse mich[2] auf mein Bauchgefühl.
- [ ] Ich suche Rat[3] im Internet.

---

[1] *to pray*
[2] sich verlassen auf – *to rely on or trust*
[3] *advice*

Innsbruck, AT

M. Eine wichtige Entscheidung Felix (Berlin, DE) describes how he makes important decisions. Instead of getting footnote translations as usual, you must match the number of the footnote to the correct translation based on context. Once you have matched all eight, look up a few to make sure you were correct! Then answer the other questions that follow.

Das ist ja immer eine Frage im Leben, wie man eine wichtige Entscheidung trifft. Meistens ist es so, wenn man die Zeit hat, dann schlafe ich noch mal eine Nacht drüber, bevor ich mich für etwas entscheide, wenn es sehr wichtig ist. Das sammelt[1] ein bisschen die Gedanken[2] und relativiert[3] manches vielleicht. Und manchmal hilft es vielleicht auch, so Vor- und Nachteile[4] von einer Sache mal aufzuschreiben[5] oder im Kopf mal hin und her[6] zu bewegen[7]. Und ich treffe meistens meine Entscheidungen auch ein bisschen aus dem Bauch heraus, weil ich früher immer sehr viel im Kopf geplant habe, aber wie das im Leben so ist, nicht alles, was man plant, kommt dann auch so. Meistens kommt es immer anders, als man denkt, so dass ich heute eigentlich immer ein bisschen auf mein Bauchgefühl[8] höre, wenn ich jetzt eine Entscheidung zu treffen habe. Man sagt ja auch, man soll auf sein Herz hören, und das ist meistens die beste Entscheidung.

Use the footnote numbers to match each English translation to the German word it goes with.

back and forth

to write down

gut feeling

to put in perspective

to gather

to move

pros and cons

thoughts

Trier

How would you say the following sentences in German, based on what Felix said? Look through the text above to find the section that has a model you can use and write the number of the question next to Felix's comments so you can find it later. Then change the model around to make it fit to the meanings below. Remember that German often uses different words or expressions from English in metaphorical constructions.

1. You should listen to your heart.

2. There are pros and cons.

3. I usually make decisions based on my gut feeling.

4. You should sleep on it.

5. I have to gather my thoughts.

N. Leben und Tod Read Christina's (Braunschweig, DE) account of her memory of her grandmother and respond to the prompt.

Ich war erst fünf Jahre alt, als meine Großmutter mütterlicherseits gestorben ist. Sie selbst war noch keine 70 Jahre alt und ihr Mann, mein Großvater Ernst, war fünf Jahre zuvor gestorben. Aber da war ich noch gar nicht geboren. Wenn man so jung ist und jemand aus der Familie stirbt, dann versteht man irgendwie, dass etwas Trauriges passiert ist. Auch wenn man selbst vielleicht nicht traurig ist. Ich erinnere mich an Oma Ursel in ihrem blauen Mantel und blauen Hut, wenn sie mich vom Bahnhof abgeholt hat. Und an ihre große Wohnung mit dem langen Flur, in dem ich Fahrrad gefahren bin. Nachdem sie gestorben war, haben ihre fünf Kinder ihre Wohnung ausgeräumt[1]. Das fand ich irgendwie nicht richtig und habe angefangen, alle Bücher wieder zurück in die Regale zu stellen. Ich bin dann als Kind und Jugendliche immer zu unseren Familiengräbern[2] auf dem Göttinger Stadtfriedhof gegangen, bis die Gräber eingeebnet[3] wurden.

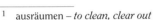

[1] ausräumen – *to clean, clear out*
[2] das Grab – *grave*
[3] Grab einebnen – *to restore the grave site to its original condition*

1. Wie alt war Christina, als ihre Großmutter starb?

2. War das die Mutter von Christinas Mutter oder von Christinas Vater?

3. Wie alt war die Großmutter, als sie starb?

4. Wie hieß der Mann der Großmutter?

5. Wie viele Kinder hatte Christinas Großmutter?

6. Welche Erinnerung hat Christina an ihre Großmutter?

7. Was machte Christina mit den Büchern in der Wohnung von ihrer Großmutter?

O. Ein wichtiges Ereignis Now that you have heard about various life phases and important events that people experience and have discussed some with your classmates, write an essay about an important event in your life so far.

Ein wichtiges Ereignis kann das Leben verändern. Ein wichtiges Ereignis in meinem Leben war mein High-School-Abschluss. Nach der Highschool bin ich an die Universität gegangen. Ich habe nicht mehr bei meinen Eltern gewohnt.

Vocabulary 9.4

Nouns:

die Braut, ¨-e	bride	das Wahlrecht, -e	right to vote
der Bräutigam, -e	groom		
das Festessen, -	feast; banquet	*Verbs:*	
die Firmung, -en	confirmation (Catholic)	sich erholen	to recover
die Geburt, -en	birth	erklären	to explain
die Herausforderung, -en	challenge	unterschreiben	to sign
der Hochzeitstag, -e	wedding day	gelten [gilt]	to be valid; count
das Jubiläum, die Jubiläen	anniversary	hören auf (+ Akk.)	to listen to
die Jugend	youth; adolescence	sich verabreden mit	to arrange a meeting with
die Kindheit, -en	childhood	*Other:*	
der Kuss, ¨-e	kiss		
die Marke, -n	brand	anschließend	afterwards
die Phase, -n	phase in life	bestimmt	definite, certain
der Ruhestand, ¨-e	retirement	deshalb	therefore, for that reason
die Taufe, -n	baptism; christening	im Durchschnitt	on average
die Trauung, -en	marriage ceremony	möglich	possible
der Trauzeuge, -n	witness to a marriage	witzig	funny

9.4 N-class nouns

Normally German nouns only take endings in the plural. However, there are some German nouns that actually take an *-n* or *-en* ending in any case but nominative. These words tend to refer to people or animals, that are are nearly always masculine.

Nom.	Acc.	Dat.	Gen.	English
der Kunde	*den Kunden*	*dem Kunden*	*des Kunden*	customer
der Neffe	*den Neffen*	*dem Neffen*	*des Neffen*	nephew
der Löwe	*den Löwen*	*dem Löwen*	*des Löwen*	lion
der Bauer	*den Bauern*	*dem Bauern*	*des Bauern*	farmer
der Elefant	*den Elefanten*	*dem Elefanten*	*des Elefanten*	elephant
der Pilot	*den Piloten*	*dem Piloten*	*des Piloten*	pilot, driver

There are a few that take an *-s* in the genitive. They don't refer to people. These nouns are slowly changing to normal nouns with the *-n* ending throughout. So for example you can say *der Friede* but most people say *der Frieden*.

Nom.	Acc.	Dat.	Gen.	English
der Name	*den Namen*	*dem Namen*	*des Namens*	name
der Fels	*den Felsen*	*dem Felsen*	*des Felsens*	rock

We introduce this point so you are aware of these nouns, but memorizing exactly which words are N-class nouns is beyond the scope of the *Auf geht's!* program and is more than we expect from beginning German students. You can do an internet search on "German weak nouns" or "German N-Declension" if are interested in learning more or if you want a full list of these words.

Semperoper   Dresden, Deutschland

This list shows the communication goals and key cultural concepts presented in Unit 9 *Unser Alltag*. Make sure to look them over and check the knowledge and skills you have developed. The cultural information is found primarily in the Interactive, though much is developed and practiced in the print *Lernbuch* as well.

I can:

- [ ] greet Germans appropriately
- [ ] use the question "*Wie geht's?*" appropriately
- [ ] describe my emotional state
- [ ] talk about things I like
- [ ] decide whether to use *Sie* or *du*

- [ ] talk about being ill
- [ ] describe personal injuries
- [ ] name and describe key life events
- [ ] describe a large celebration I attended
- [ ] talk about how I make decisions

I can explain:

- [ ] regional and national greetings/goodbyes
- [ ] the meaning of '*Wie geht's?*' in Germany
- [ ] *die Krankenkasse*
- [ ] *die Krankenversicherung*
- [ ] *Erste Hilfe*
- [ ] *natürliche Heilmittel*
- [ ] *der Kurort*
- [ ] *die Kreislaufstörung*
- [ ] how some Germans announce the birth of their *erstes Kind*
- [ ] *taufen*
- [ ] number of young people in Germany who receive an *Abitur* each year
- [ ] where Germans celebrate completing their studies
- [ ] Göttingen tradition for Ph.D. students on the completion of their degree
- [ ] *der Vätermonat*
- [ ] current marriage/divorce trend in Germany
- [ ] changes in the native German population over time
- [ ] two types of weddings in Germany
- [ ] where most German wedding receptions are held

Unit 10 Unterhaltung

Goldenes Dachl mit Christbaum   Innsbruck, AT

Unit 10 *Unterhaltung*

In Unit 10 you will learn about German television and some of the iconic shows that have influenced German society. You will also learn about German filmmaking and the important value given to reading. Finally, you will learn about important German holidays and how they are traditionally celebrated.

Below are the cultural, proficiency and grammatical topics and goals:

Kultur

Genres of film and books
Tatort and *Tagesschau*
German authors and directors
MPAA vs. *FSK*
National holidays in Germany,
     Switzerland and Austria
Weihnachten, Ostern, Neujahr

Kommunikation

Describing plots of books and films
Talking about viewing and reading habits
Describing holiday celebrations

Grammatik

10.1 *Welch-* and *dies-*
10.2 Unpreceded adjectives
10.3 Review of adjective endings
10.4 Future with *werden*

10.1 Fernsehen

Culture: Television
Vocabulary: TV genres & terms
Grammar: *Welch-* & *dies-*

A. Wie viele Stunden? Answer the following questions about your traditional TV or online viewing habits.

Wie viele Stunden in der Woche siehst du fern?

Wann siehst du meistens fern?

- [ ] vormittags
- [ ] nachmittags
- [ ] abends
- [ ] am Wochenende

Was für Sendungen siehst du gern?

- [ ] Action
- [ ] Dokumentarfilm
- [ ] Drama
- [ ] Fantasy
- [ ] Talkshow
- [ ] Comedy
- [ ] Krimi
- [ ] Kultur
- [ ] Mystery
- [ ] Nachrichten
- [ ] Reality
- [ ] Romantik
- [ ] Science Fiction
- [ ] Seifenoper / Soap
- [ ] Spielshow
- [ ] Sport
- [ ] Thriller
- [ ] Werbung
- [ ] Western
- [ ] Zeichentrickfilm

Was sind drei Sendungen, die du gern siehst? Was für Sendungen sind das?

Name der Sendung

z.B.   *Modern Family*

Welche Sendung und wann?

Comedy

B. Was ich mir anschaue Write five sentences about what you watch and when you watch it. Use a couple of *wenn* clauses and pay special attention to word order.

> Abends sehe ich *The Late Show*, wenn ich nicht schlafen kann.
>
> Wenn mir langweilig ist, schaue ich mir einen Film auf Netflix an.
>
> Sonntags schauen meine Freunde und ich eine Sportsendung.

C. Und du? Find a partner and ask about his or her TV-viewing habits based on the questions in 10.1A. In case you want to make some running commentary, here are some useful phrases:

SNL finde ich auch gut.	*I also like SNL.*
Ich auch.	*Me too.*
Family Guy ist mir zu blöd.	Family Guy *is too stupid for me.*
Wirklich? Das überrascht mich.	*Really? That surprises me.*

D. Ikonen

Working in groups of 3-4, pick three different types of *Sendung* from 10.1A and choose a show that your group feels best represents that genre, describing in two German sentences why you feel that show is an 'icon.'

Sendung	Warum ist diese Sendung typisch für diese Gattung?

E. Ein Land kennenlernen

You can learn a lot about a culture by what television shows are popular. With a partner, decide on a television show (new or old) that represents the culture (or a subculture) of the US or Canada very well. Write four German sentences about specific elements of the show that are culturally representative.

This is Us – Das ist Leben ist eine US-amerikanische Fernsehserie in der Gattung Drama. NBC zeigt diese Serie in den USA. Man kann sie auch in Deutschland und der Schweiz anschauen. Die Serie handelt von drei Kindern und ihren Eltern. Es gibt das Zwillingspaar Kate und Kevin und ihren Adoptivbruder Randall und die Eltern Jack und Rebecca. Die Geschichte spielt in Pittsburgh, New York City und Los Angeles.

F. Wie findest du...

Look at the two advertisement posters for the Austrian TV channel *ProSieben* and come up with your own slogans for avoiding something you know you should be doing in favor of watching TV – even if you don't particularly care about watching TV.

G. Deutsches Fernsehen   Read the overview of television in German-speaking countries. Then answer the questions below.

In Deutschland gibt es sehr viele Fernsehsender mit unterschiedlichen Programmen. ARD und ZDF sind die zwei öffentlichen Fernsehsender. Die ARD hat ihren Sitz in Berlin und das ZDF in Mainz. Die ARD hat neun landesspezifische Sender und auch regionale Fernseh- und Radioprogramme. Der wichtigste Sender der ARD ist „Das Erste". Man kann also sagen: „Die Tagesschau kommt im Ersten."

Die Tagesschau ist die älteste Nachrichtensendung im deutschen Fernsehen, denn es gibt sie seit 1952. Die Hauptsendung kann man sich täglich von 20 bis 20.15 Uhr anschauen. Es gibt auch einen Live-Stream auf tagesschau.de.

Eine relativ alte, aber noch immer sehr beliebte Sendung ist die Krimiserie Tatort. Seit 1970 kommt diese Serie jeden Sonntag von 20.15 bis 21.45 Uhr im Ersten. Weil diese Serie so beliebt ist, gibt es in Kneipen ein gemeinsames[1] „Tatortschauen".

[1]   here: communal

Die erfolgreichste[2] deutsche Seifenoper ist „Gute Zeiten, schlechte Zeiten" – oder kurz: GZSZ. In GZSZ geht es um[3] eine Gruppe von jungen Leuten und sie läuft seit 1992 auf RTL. In Europa werden sehr viele Seifenopern aus den USA gezeigt. In deutschsprachigen Ländern werden diese synchronisiert.

RTL ist ein privater Fernsehsender in Deutschland. In den deutschsprachigen Ländern gibt es mittlerweile[4] eine große Anzahl an Privatsendern, z.B. SAT. 1, ProSieben und VOX. Die Privatsender finanzieren sich mithilfe von Werbung. Die öffentlich-rechtlichen Fernsehsender wie die ARD und das ZDF werden mit Gebühren[5] finanziert. Wenn man einen Fernseher oder ein Radio hat, muss man monatlich einen Rundfunkbeitrag[6] bezahlen. 2018 sind das 17.50 € pro Monat, aber man zahlt nur einmal 17.50 € pro Haushalt[7].

[2]   most successful
[3]   es geht um – is about
[4]   by now
[5]   die Gebühr – fee
[6]   license fee
[7]   der Haushalt – household

1. Wie heißen die zwei öffentlich-rechtlichen Fernsehsender in Deutschland?

2. Gibt es auch Privatsender in deutschsprachigen Ländern?

3. Was für eine Sendung ist die Tagesschau?

4. Wie lange dauert die Hauptsendung der Tagesschau?

5. Wo kann man die Tagesschau auch sehen?

6. Was für eine Sendung ist Tatort?

7. Was für eine Sendung ist GZSZ?

8. Was muss man machen, wenn man einen Fernseher oder ein Radio hat?

9. *What do you see as similarities and as major differences between German and American TV?*

H. Wie oft?

Work with a partner and ask each other the following questions. You may learn quite a bit about each other!

Wie viele Stunden am Tag…
guckst du fern?
guckst du DVDs?
guckst du YouTube Videos?
guckst du Netflix, Hulu oder Ähnliches?

Guckst du lieber allein oder mit Freunden zusammen? Warum?

Guckst du lieber auf dem Computer, auf dem Tablet oder auf dem Smartphone? Warum?

Was ist deine Lieblingssendung?

I. Guckst du lieber...

Working with a partner, ask which sorts of shows your partner prefers and have him or her name an example. The various types of shows are listed in 10.1A.

Guckst du lieber Fantasy oder Reality?

Ich gucke lieber Fantasy. Ich finde „Once Upon a Time" ganz spannend.

J. Zu viel Fernsehen!

Read Barbara's (Köln, DE) explanation of her TV viewing and answer the questions below.

Ich sehe manchmal Fernsehen, wenn es etwas gibt, was ich gucken möchte. Und das ist dann ein Ereignis. Seit wir hier zu dritt in der Wohnung sind, haben wir auch einen Fernseher und da haben wir auch einmal ein Video zusammen geschaut. Ich schaue hin und wieder[1] auch Nachrichten. Aber ich schaue jetzt nur selten fern, weil ich für mich entdeckt habe, dass ich schlecht ausschalten kann. Ja, die eine Sendung ist zu Ende und ich schaue mir die nächste an und dann geht es mir einfach schlecht. Ich gehe aber gerne ins Kino. Das ist etwas Anderes als Filme im Fernsehen zu sehen.

Heidelberg

---
[1] hin und wieder - *every now and then*

1. Guckt Barbara oft Videos?

2. Findet Barbara Fernsehen gut?

3. Hat Barbara mehrere Fernseher?

4. Welche Sendungen guckt Barbara?

5. Warum sieht Barbara nicht oft fern?

6. Warum geht Barbara gern ins Kino?

K. 20 Fragen

In groups of 3-4, organize a game of *20 Fragen, auf Deutsch natürlich*! Choose one of the genres from 10.1A; then pick a show yourself and write it in the box below. When it's your turn, the others in your group will take turns asking *ja-nein* questions and see if they can guess the show you chose within 20 guesses.

> Läuft die Sendung noch?
> Kommt die Sendung freitags?
> Ist die Sendung auf Netflix zu sehen?
> Spielt [Schauspieler] in der Sendung mit?
> Sind die Kostüme gut?
> Ist das ein Zeichentrickfilm?

L. Tagesschau

Head to the *Tagesschau* website (www.tagesschau.de). Choose a short clip to watch (such as *100 Sekunden*) and fill in the info below.

Subject(s)

Erdfunkstelle Raisting in Oberbayern

Words you understood

What you thought it was about

Any cultural observations

M. Welche Gattung ist das?

Determine which genre the German TV shows below belong to. If you aren't sure, do some research online. Try to use the German Wikipedia site to get the correct genre listing.

Name der Sendung:
Gattung:

Lindenstraße

Tagesthemen

Unser Sandmännchen

Alarm für Cobra 11

In aller Freundschaft

ttt – titel, thesen, temperamente

Deutschland sucht den Superstar

N. Was sieht Monique gern? Read the text about Monique's (Rütenbrock, DE) TV habits and answer the questions below.

Wenn das Thema gut ist, gucke ich dann irgendwelche Dokumentationen oder Reportagen. Das kommt immer ganz darauf an[1], was es ist. Über irgendwelche Katastrophen oder so, sowas[2] gucke ich mir schamloserweise gerne an, ganz neugierig[3] zu gucken, was passiert ist. Und manchmal, das muss ich gestehen[4], das ist wirklich sehr peinlich[5], aber am Samstag laufen immer ganz viele von diesen amerikanischen, blöden, aber sehr leichten College-Sendungen und so weiter, diese ganzen Soaps. Dann einfach, um mich zu entspannen[6], mache ich die Glotze[7] an und gucke drei Stunden in die Glotze, einfach nur, um zu gammeln[8], das ist auch ganz gut. Dazu sind die amerikanischen Serien oder Sitcoms wirklich prädestiniert[9].

1   *it depends*
2   *something like that*
3   *curious*
4   *admit*
5   *embarrassing*
6   *relax*
7   *slang for TV*
8   *be lazy*
9   *perfect for*

1. Was guckt Monique manchmal?

2. Warum schaut sie sich auch Katastrophen im Fernsehen an?

3. Wie nennt Monique die amerikanischen College-Sendungen?

4. *Monique uses „Glotze" for TV, which you can translate to „tube" or also „idiot box". What is Monique suggesting about watching TV here?*

O. Fernsehen unter der Woche Describe what a typical week of TV and video watching looks like for you. If you don't watch a lot of anything, use a larger interval such as a month or interview a friend who does.

Ich sehe fast jeden Tag fern, meistens abends. Um 18 Uhr schaue ich kurz die Nachrichten, so für eine halbe Stunde. Danach gucke ich manchmal noch eine Stunde Comedy-Serien wie *The Big Bang Theory*. Meine Lieblingsserie *Game of Thrones* verpasse ich nie! Sie kommt aber leider nur einmal die Woche. Am Wochenende gucke ich ab und zu interessante Fernsehprogramme über verschiedene Länder in der Welt. Ich hasse Reality-Shows! Spielfilme schaue ich mir meistens bei Netflix oder Hulu an.

Vocabulary 10.1

Nouns:

der Bildschirm, -e	screen
der Dokumentarfilm, -e	documentary film
das Ereignis, -se	event
der Inhalt, -e	content
der Krimi, -s	detective, mystery book/film
die Kultur, -en	culture
das Magazin, -e	current events program
die Nachrichten (pl.)	news
die Seifenoper, -n	soap opera
der Sender, -	broadcaster; channel
die Sendung, -en	program; show
die Serie, -n	series
der Spielfilm, -e	movie broadcast on TV
der Sprecher, -	narrator; newsperson
der Überblick, -e	overview
die Unterhaltung, -en	entertainment
die Werbung, -en	advertising; commercials
der Zeichentrickfilm, -e	animated film

Other:

allerdings	certainly, indeed
bisher	until now
etwa	approximately
prominent	famous
sowie	as well as

Verbs:

ausschalten	to turn off
entdecken	to discover
gehen um	to be about
Es geht um ... (+Akk.)	This is about ...
gucken	to look at; to watch
synchronisieren	to dub
überraschen	to surprise

10.1 Welch- and dies-

Welch- is a question word that inquires about a specific person, thing or concept. Unlike other *w*-question words, *welch-* must take an appropriate ending according to the gender, number and case of the noun that it modifies. For example:

Welchen Film *hast du gestern gesehen?* (masc., acc.)	Which film did you see yesterday?
Welche TV-Show *siehst du am liebsten?* (fem., acc.)	Which TV show do you like best?

Dies- can be seen as the equivalent to *welch-* when used in a statement or as part of a question. *Dies-* is a demonstrative article, which means that it refers to a specific person, thing or concept. It is used to differentiate one thing from another, most often for clarification and emphasis. In spoken German, it is often used when talking about a specific object and actually pointing at it. For example:

Hast du ***diesen Film*** *hier gesehen?* (pointing at movie poster)	Did you see this movie?

Just like *welch-*, *dies-* must take the appropriate ending according to the gender, number and case of the noun it modifies. There are a number of other words that share these endings, such as *jed-* (each), *solch-* (such), *jen-* (that there) and *all-* (all). Together these words are often referred to as ***der*-words** because they take the same endings as the definite articles.

A. Unser kleines Filmfest Ole and Gregor are going over a list of films to show at their German club's annual festival. Circle the words *welch-* and *dies-* in all their forms.

Ole: Und an diesem Freitagabend möchte ich gerne diesen Western hier zeigen: *Der Schuh des Manitu*. An welchen Filmen hast du Interesse?

Gregor: Dieser Film hier ist aber kein Western, sondern eine geschmacklose[1] Parodie. Ich finde diese Gattung[2], also den Western, sowieso langweilig. Findest du nicht auch? Schauen wir lieber diesen Klassiker hier unten auf der Liste an: *Das Boot*.

Ole: Was?! Ausgerechnet[3] dieses Kriegsabenteuer ist eigentlich der langweiligste Film aller Zeiten! Schau mal, ich habe diese Liste gefunden. Welche Komödien davon schlägst du denn vor[4]? *Der bewegte Mann* vielleicht?

[1] *tasteless* [2] *genre* [3] *of all things* [4] *vorschlagen – to suggest*

B. Speisekarte   Ole and and Gregor are trying to decide what to serve at the film festival. Circle the word in each sentence, *welch-* or *dies-*, that makes the most sense.

Gregor: Ich habe **welche** / (**diese**) tollen Kochbücher von meiner Mutter ausgeliehen. Schau mal hier. **Welches / Dieses** Kochrezept[5] für eine Leberpfanne[6] sollen wir benutzen?

Ole: Also, egal, ob wir **welche / dieses** oder jenes wählen, glaube ich nicht, dass viele Studenten Leber essen wollen. Wie steht es mit Currywurst und Pommes[7]?

Gregor: Ich finde **welchen / diesen** Vorschlag einfach blöd. Entscheiden wir uns später. **Welchen / Diesen** Kuchen schlägst du zum Kaffeetrinken vor? Meiner Meinung nach ist eine Schwarzwälder Kirschtorte für **welche / diese** Feier sehr angesagt.

Ole: Denk mal realistisch, Gregor! Das ist einfach zu viel Arbeit!   [5] *recipe*   [6] *a liver dish*   [7] *French fries*

C. Practice with endings   *Welch-* and *dies-* take the same endings as *der*-words. Fill in the endings for both words.

nominative case	masculine	feminine	neuter	plural
welch-	welcher			welche
dies-			dieses	
accusative case	masculine	feminine	neuter	plural
welch-		welche		
dies-	diesen			

D. Music   Ole and Gregor are picking out music for the party. Fill in the the correct forms of *welch-* in the nominative case.

Ole: _____ Musik (f) möchtest du bei der Party spielen? Nein, warte mal. Eigentlich soll die Frage heißen, _____ Concerto (n) oder _____ Minnesang (m) aus dem Mittelalter hast du schon ausgewählt?

Gregor: Das ist nicht fair, Ole! Ich habe doch einen coolen Mix aufgenommen[8]. _____ Musikstils (pl.) sind eigentlich cool genug für dich? Punk Rock Heavy Metal Bands, oder?

Ole: Naja hören wir jetzt deinen „coolen Mix" an. Ich kann mir gut vorstellen, _____ von deinen Lieblingsschlagern[9] (pl.) da drauf sind—selbst meine 80-jährige Großmutter hat diese schrecklichen Lieder nicht gerne! Was sagst du dazu?! Ich meine, _____ Junge (m) hört solche Musik gerne?

[8] *recorded*   [9] *European pop songs similar to easy listening*

E. A crisis   Gregor and Ole still can't agree. Fill in the blanks with the correct form of *dies-* in the accusative case.

Gregor: Hast du dir _____ Film (m) hier überhaupt selbst angeschaut?!

Ole: Findest du nur einen einzigen Film gut? Mensch! Hast du _____ Liste (f) überhaupt durchgelesen?

Gregor: Klar. Und ich werde auf keinen Fall _____ Rezept (n) aus dem Kochbuch machen!

Ole: Was?! Du willst zwei Sachen backen? Man braucht mindestens drei Tage, um _____ zwei Torten (pl.) vorzubereiten!

F. Compromise   Ole and Gregor have come to an agreement. Fill in the blanks with the correct form of *welch-* or *dies-*.

Gregor: Vielleicht zeigen wir am Freitag _____ Satire (f) hier: *Der Schuh des Manitu*. _____ anderen Vorschläge[10] (pl.) hast du für coole Filme?

Ole: Komm. Schauen wir uns am Samstagabend *Das Boot* an. Und weißt du was? Man kann _____ Hauptgericht (n), also die Leberpfanne, ganz leicht zubereiten. Du hast Recht. Aber hast du andere Ideen für den Kuchen? _____ Kuchen (m) können wir vielleicht am schnellsten und einfachsten backen?

Gregor: Meine Mutter macht oft _____ Blitzkuchen (m) hier. Der schmeckt auch.

Ole: Wunderbar! Dann ist ja alles geregelt. Und _____ Outfit (n) trägst du? Smoking[11] oder Lederhosen?

[10] *suggestions*   [11] *tuxedo*

10.2 Lesen

Culture: Reading
Vocabulary: Literary genres
Grammar: Unpreceded adjective endings

A. Was liest du gern? For each type of reading below, write in one title that you have read or that you might read in the near future. If you are not interested in that genre at all, state why not, *auf Deutsch natürlich.*

Biografien & Erinnerungen

Business & Karriere

Comic & Humor

Dramen

Film, Kultur & Comics

Kochen & Lifestyle

Krimis & Thriller

Lyrik

Naturwissenschaften & Technik

Politik & Geschichte

Reise & Sport

Religion & Esoterik

Romane & Erzählungen

Science Fiction, Fantasy & Horror

Zeitungen & Zeitschriften

B. Papier vs. Bildschirm In small groups, discuss the influence of electronic media on your personal reading and writing habits. Decide if you agree with the statements below – write *Ja!* or *Nein!* as appropriate.

GR 10.2

Zum Thema Lesen:

Lesen ist Lesen, egal, ob in einem Buch oder am Computer.

Zeitschriften im Internet sind umweltfreundlicher.

Ein Buch ist klassisch und gehört nicht ins Internet.

Für den „Kindle"-Leser gibt es Tausende von Büchern und Zeitschriften. Das ist revolutionär.

Papier gibt dem Buch Leben. Das kann kein Computer.

Die Interaktive für *Auf geht's!* ist immer aktueller als das Buch. Das ist ein Vorteil der elektronischen Medien.

Zum Thema Schreiben:

Rechtschreibung ist nicht wichtig, weil mein Computer alles korrigiert.

Persönliche Briefe von Hand sind schöner als getippte.

Für die Online-Komponente von *Auf geht's!* müssen wir unsere Antworten tippen. Das ist das 21. Jahrhundert.

Im Lernbuch aber muss man alles per Hand schreiben. Somit lernt man besser Deutsch schreiben.

Meine Handschrift ist schrecklich und deshalb tippe ich alles am Computer.

Ein Blog im Internet ist für alle, aber mein persönliches Tagebuch trage ich in meiner Tasche.

Eulenspiegel

Buchhandlung

Kunst & Literatur
Gesundheit
Spirituelle Wege
Meditative Musik

C. Vorteile   In your opinion, what are the top three advantages to reading books as opposed to watching videos? Select from the list below, and then write one of your own.

☐ Man lernt neue Vokabeln.   ☐ Man kann sich besser konzentrieren.

☐ Man lernt die Sprache besser.   ☐ Man hat weniger Stress.

☐ Man braucht mehr Fantasie.   ☐ Man lernt sich selbst besser kennen.

☐ Man muss aktiv interpretieren.   ☐ Lesen macht einfach mehr Spaß!

☐ Man wird intelligenter.   ☐

D. Vorteile und Nachteile

Working in groups, make a list of advantages to reading paper books versus reading on a screen, and list the three most prominent ones within your group. Then consider possible disadvantages as well, and write three of them below.

Vorteile   Nachteile

E. Worum geht es in diesem Buch?

Take a look at the photo on the right and pick one of the books that are displayed. Then based on the title and also the cover art, try to imagine what this book could be about. The vocabulary below might prove useful.

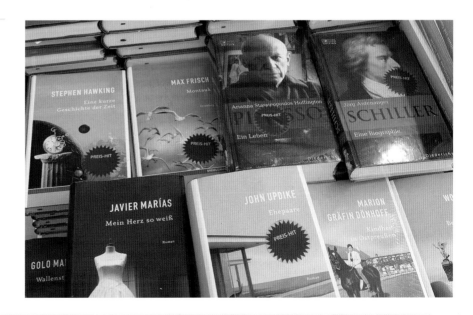

vielleicht – *maybe*   möglicherweise – *possibly*

ich denke – *I think*   ich glaube – *I believe, I am guessing*

der Buchumschlag – *the book cover*   der Titel – *the title*

der Schriftsteller – *the author*   der Vogel, Vögel – bird

die Schneiderpuppe – *tailor's dummy*

Die Geschichte könnte von [+Dativ] handeln. – *The story could be about...*

In diesem Buch geht es um [+Akk.] – *This book is about...*

F. Karl May   Read this text about the German novelist Karl May and answer the questions that follow.

Bad Segeberg

Karl May war ein berühmter Autor von Abenteuerromanen. Im Zeitalter von Videospielen und Internet ist er nicht mehr so beliebt. Aber lange Zeit hat fast jedes deutsche Kind Karl May gelesen und alle kennen seine Helden Winnetou und Old Shatterhand.

Karl May hat von 1842 bis 1912 gelebt. Die meisten von seinen Büchern spielen im „Wilden Westen" oder in den arabischen Ländern. Er schreibt normalerweise in der ersten Person und „ich" ist immer ein Held. Im „Wilden Westen" ist er „Old Shatterhand", denn wenn er einen Mann einmal schlägt, dann ist der Mann K.O. Sein bester Freund ist der Apatschenhäuptling Winnetou. Old Shatterhand ist Christ und Pazifist. Seine Gegner sind Mörder und Lügner, aber wie Superman und Batman tötet Old Shatterhand seine Gegner nur, wenn es absolut keine Alternative gibt. Karl Mays christliche, pazifistische Welt ist aber auch eine brutale Welt mit Marterpfählen[1] und schrecklichen Strafen. Wer nicht schreit, wenn man ihn foltert, ist in Karl Mays Welt ein richtiger Mann.

Karl May hat Amerika nur ein Mal besucht, beschreibt es aber in seinen Büchern sehr detailliert. Old Shatterhand findet überall Freunde, weil er perfekt Englisch und viele Indianersprachen spricht und immer viel über die lokale Kultur weiß. Karl May war ein Idealist und protestierte in seinen Büchern vehement gegen das ungerechte Schicksal der „Indianer".

Jedes Jahr gibt es in Bad Segeberg die Karl-May-Spiele. Es gibt auch viele Filme von Karl Mays Romanen. Viele kennen die Winnetou Filme mit Pierre Brice als Winnetou und deshalb war im Jahr 2001 die Parodie *Der Schuh des Manitu* der erfolgreichste deutsche Film aller Zeiten.

[1]   *stake where people are tortured*

Stimmt das oder stimmt das nicht?

1. Karl Mays Abenteuerromane sind heute genauso populär wie früher.

2. Mays Bücher sind alle in der dritten Person geschrieben.

3. Winnetou ist Deutscher.

4. Old Shatterhand spricht Englisch.

5. Winnetou liest Superman Comichefte.

6. Old Shatterhand schreit nicht, wenn man ihn foltert.

7. Karl May war oft in den USA.

8. Karl May hat gegen die Brutalität der Indianer protestiert.

9. Viele Romane über Winnetou und Old Shatterhand wurden verfilmt.

10. Karl May hat den Film *Der Schuh des Manitu* gedreht.

G. Kinderbücher Look online for information on one of these *Kinder- und Jugendbücher* and write your own 3-sentence description in the box.

Harry Potter und die Heiligtümer des Todes von J.K. Rowling

Das Schicksal ist ein mieser Verräter von John Green

Die unlangweiligste Schule der Welt von Sabrina Kirschner

Ein Sommer in Sommerby von Kirsten Boie

Die Chroniken von Narnia von C.S. Lewis

Oh, wie schön ist Panama von Janosch

In [Titel] von [Autor] geht es um [+Akk.] ...

H. Nur so zum Spaß! Your classes surely demand that you read a lot. In small groups, discuss what you read for fun – *nur so zum Spaß* – when you have time and feel like it. Try to include a very short description of the reading material.

Lesematerialien:

Romane
Novellen
Kurzgeschichten
Erzählungen
Autobiographien
Tagebücher
Zeitungen
Zeitschriften
Online Blogs
Comics

Wenn ich Zeit habe, lese ich gerne mal ein Comic. Mein Lieblingscomic ist *X-Men*. Es gibt Superhelden in diesem Comic. Liest du auch Comics?

Ja, mein Lieblingscomic ist [Titel] von [Autor].

Nein, ich lese lieber Romane, wenn ich Zeit habe. Ich lese alte aber auch gerne neue Romane, wie z.B *Der große Trip*. Dieser Roman ist von Cheryl Strayed. Sie ist eine amerikanische Autorin und dieses Buch ist wirklich so schön, aber auch so traurig.

I. Buchmessen in Deutschland

In Unit 5 you learned about the city of Frankfurt. Here you will read about the two most important book fairs in Germany: *Frankurter und Leipziger Buchmesse*. Read the text and answer the questions that follow.

Jedes Jahr gibt es zwei wichtige Buchmessen[1] in Deutschland: eine in Leipzig und eine in Frankfurt. Die Frankfurter Buchmesse ist die größte Buchmesse der Welt. Es gibt sie seit über 500 Jahren. Die Frankfurter Gegend[2] war schon immer wichtig für das Buch, denn Johannes Gutenberg lebte in Mainz, ca. 40 km westlich von Frankfurt. Auf der Frankfurter Messe gibt es jedes Jahr ein Gastland, das seine Bücher besonders präsentieren darf. Jedes Gastland hat dann einen Pavillon und zeigt kulturelle Besonderheiten. Im Oktober feiert man also in Frankfurt das Buch. Und in Leipzig findet die Buchmesse im März statt. Diese Messe ist 400 Jahre alt und war damals größer als die Frankfurter. Der Unterschied zwischen Frankfurt und Leipzig ist noch heute wichtig: Frankfurt orientiert sich an den Buchhändlern[3] und Verlagen[4]. Leipzig konzentriert sich auf das allgemeine Publikum[5]. Es gibt also eine freundliche Rivalität zwischen Frankfurt und Leipzig.

[1] die Buchmess – *book fair*
[2] *area*
[3] *book sellers*
[4] *publishing houses*
[5] das allgemeine Publikum – *the general public*

1. Wie viele wichtige Buchmessen gibt es in Deutschland?

2. In welchen Städten finden diese statt?

3. Warum ist die Frankfurter Gegend wichtig für das Buch?

4. Wie alt sind diese zwei Buchmessen?

5. Was ist der Schwerpunkt der Leipziger Buchmesse?

6. Wann finden diese zwei Buchmessen statt?

Bonusfragen:

7. Was hat Gutenberg erfunden?

8. In welchem Bundesland liegt Frankfurt und in welchem Bundesland liegt Leipzig?

J. Buchtitel   Write the titles of four books that you have read in English and then write each one's official German-translated title (search on www.amazon.de or a similar site; don't just guess!). If a book has not been translated, why do you think that is? For those with German titles, how to they match up with the English title? Similar? Different? Why?

Buch #1   Buch #2

Buch #3   Buch #4

K. Lesegewohnheiten   Write answers to the following questions in German on a separate sheet of paper. Be ready to discuss your answers in class.

1. Liest du in deiner Freizeit lieber Bücher oder bevorzugst[1] du Zeitschriften und Zeitungen? Warum?

2. Wie wählst[2] du die Bücher aus, die du lesen möchtest? (z.B. Empfehlungen von Freunden, Buchlänge, Design des Buchumschlags, Oprahs Liste, die NYT-Bestsellerliste)

3. Welche Buchgattung liest du am liebsten? Warum?

4. Liest du manchmal ein Buch nicht zu Ende? Warum? (z.B. aus Zeitgründen, aus Langeweile, aus Desinteresse)

5. Nenne drei Bücher, die du schon mehr als ein Mal gelesen hast!

6. Kannst du besser vor dem Fernseher relaxen oder beim Lesen? Warum?

7. „Die Konkurrenz schläft nicht!" und die Konkurrenz für den Büchermarkt wächst durch das Internet, Filme, Satellitenfernsehen und „Google Books". Haben Bücher heutzutage noch eine Überlebenschance?

8. Kennst du ein Buch, das ein interessantes Bild von deiner Heimat bzw. von deinem Land gibt? Wie heißt es? Was passiert in diesem Buch?

---

[1]   bevorzugen – *to prefer*
[2]   wählen – *to choose*

Vocabulary 10.2

Nouns:

die Biographie, -n	biography
die Börse, -n	stock market
das Drama, die Dramen	drama
die Erinnerung, -en	memory; remembrance
die Erzählung, -en	story; short story
das Fachbuch, ¨-er	reference book; how-to book
der Fall, ¨-e	case
die Fantasie, -n	imagination; fantasy
das Geld, -er	money
die Handschrift, -en	handwriting
die Karriere, -n	career
die Lyrik	poetry
der Papst, ¨-e	pope
der Ratgeber, -	self-help; advice
die Rechtschreibung, -en	spelling
die Reportage, -n	investigative journalism
der Roman, -e	novel
die Sammlung, -en	collection
das Tagebuch, ¨-er	diary; journal
die Technik, -en	technology; technique
die Zeitschrift, -en	magazine

Other:

deshalb	therefore; for that reason
mehrmals	several times
umweltfreundlich	environmentally friendly

Verbs:

begründen	to justify, support with arguments
empfehlen [empfiehlt]	to recommend
sich entspannen	to relax
fliehen	to flee
schreien	to scream, yell

10.2 Unpreceded adjectives

Adjectives that are used attributively (to modify a noun) but which have no articles in front of them are called **unpreceded**. Unpreceded adjectives are used commonly with plural nouns. They are also found in announcements, such as advertisements with singular nouns. Unpreceded adjectives have to show the gender and case of the noun they modify. For example:

Neuer Film mit Til Schweiger! (masc., nom.)	New movie with Til Schweiger!
Ich lese nur spannende Bücher. (pl., acc.)	I only read suspenseful books.

The endings for unpreceded adjectives are:

	masculine	feminine	neuter	plural
nom	–er	–e	–es	–e
acc	–en	–e	–es	–e
dat	–em	–er	–em	–en
gen	–en	–er	–en	–er

Here are some examples of sentences that have unpreceded adjectives:

Amerikanisches Bier schmeckt mir nicht.

Deutsche Autos sind meistens sehr zuverlässig.

Guter Rat ist teuer.

Gute Mitarbeiter sind oft schwer zu finden.

Roten Wein macht man aus roten Weintrauben.

Ich möchte Fleisch mit gutem Gewissen genießen.

Man grillt am besten bei gutem Wetter.

A. Ankündigungen   Unpreceded adjectives are used most often for plurals in all cases. Mark (X) the case for each of the plural nouns in bold that have unpreceded adjectives.

	nominative	accusative	dative	genitive
1. Neue Schauspieler überraschen[1] **junge Zuschauer**[2] mit tollen Neufassungen traditioneller Theaterstücke!	☐	☐	☐	☐
2. Neue Schauspieler überraschen junge Zuschauer mit tollen Neufassungen **traditioneller Theaterstücke**!	☐	☐	☐	☐
3. **Neue Schauspieler** überraschen junge Zuschauer mit tollen Neufassungen traditioneller Theaterstücke!	☐	☐	☐	☐
4. Neue Schauspieler überraschen junge Zuschauer mit **tollen Neufassungen** traditioneller Theaterstücke!	☐	☐	☐	☐

[1] to surprise
[2] spectators

B. Case endings   Fill in the chart with the unpreceded adjective endings for plurals in the accusative, dative and gentive cases.

	plural (all genders)		plural (all genders)
nominative	-e	dative	
accusative		genitive	

C. Wie heißt das?   Translate the sentences into English.

1. Neue Schauspieler im Kindertheater!

2. Neue Schauspieler überraschen junge Zuschauer!

3. Neue Schauspieler überraschen junge Zuschauer mit tollen Neufassungen!

4. Neue Schauspieler überraschen junge Zuschauer mit tollen Neufassungen traditioneller Theaterstücke!

D. After the theater   Ole and Gregor are talking about the theater performance they've just seen at the *Kindertheater*. Fill in the blanks with the correct endings for the unpreceded plural adjectives. The cases are indicated.

Ole: Und, hat dir das Theaterstück gefallen?

Gregor: Als erstes würde ich sagen, dass dieser neue Regisseur echt talentiert ___ Schauspieler **(akk.)** ausgesucht hat. Trotz wenig ___ Requisiten[3] **(gen.)** hat alles gut funktioniert. Das Bühnenbild aus verschieden ___ Materialien **(dat.)** war auch beeindruckend[4]. Wie fandest du das Stück?

Ole: Wie ich schon gesagt habe: im Kindertheater München verbringt man immer viele Stunden voll Überraschungen[5] **(gen.)**. Aber ich muss dir Recht geben, denn „unruhig ___ Kinder" **(nom.)** hat leider gestimmt.

Gregor: Echt?! Ich habe da nichts von den Schülern gehört.

Ole: Ja, richtig, nicht von denen, aber von dir! Du bist echt unruhig beim Zuschauen[6]!

[3] props   [4] impressive   [5] surprises   [6] watching (sth.)

10.3 Filme

Culture: Cinema
Vocabulary: Film terms
Grammar: Adjective ending review

A. Gattungen

Like with books and television shows, there are many genres of film. Check your five favorites below.

- [ ] der Abenteuerfilm
- [ ] der Actionfilm
- [ ] der Arthouse-Film
- [ ] der Dokumentarfilm
- [ ] das Drama
- [ ] der Erotikfilm
- [ ] der Familienfilm
- [ ] der Fantasyfilm
- [ ] die Komödie
- [ ] der Horrorfilm
- [ ] der Kriegsfilm
- [ ] der Krimi
- [ ] die Liebeskomödie
- [ ] der Martial-Arts-Film
- [ ] der Musikfilm
- [ ] der Liebesfilm
- [ ] der Science-Fiction-Film
- [ ] der Sportfilm
- [ ] der Thriller
- [ ] der Western

B. Über Filme

Interview a partner with the questions below. Use the list of film types in 10.3A when needed.

Wie viele Filme siehst du im Monat?
Was war der letzte Film, den du gesehen hast?
Welche Filmgattungen siehst du besonders gern?
Nenne einen guten Familienfilm.
Wie findest du [Film]?

Ich finde diesen Film super / toll / gut / schlecht / gar nicht gut.

C. Deutsche Filme

Below are some well-regarded German films (with directors) of the last 20 years. Choose two of them to investigate and describe them briefly in German (50 words each). Remember this is not a "cut & paste" task – the goal is for you to use your best German to summarize them. This means leaving out non-essential descriptions, and the results should be simple and straightforward.

Aus dem Nichts (Fatih Akin)

Toni Erdmann (Maren Ade)

Fack ju Göhte (Bora Dağtekin)

Oh Boy (Jan-Ole Gerster)

Das weiße Band (Michael Haneke)

Baader Meinhof Komplex (Uli Edel)

Das Leben der Anderen (Florian Henckel von Donnersmarck)

Der Untergang (Oliver Hirschbiegel)

Gegen die Wand (Fatih Akin)

Good-Bye, Lenin! (Wolfgang Becker)

Use multiple internet sources – these are two good ones:

ofdb.de – German movie database
www.amazon.de – Summary and review

Kunsthaus Graz, AT

D. Zwanzig Fragen

Write down three movies that are fairly well known. Then play *20 Fragen* in groups of three or four. One of the group members starts with her movie in mind and the others ask *ja-nein* questions until they figure out what movie she is thinking of.

> Ist das ein Krimi?
> Spielt George Clooney in diesem Film?
> Ist der Film älter als 5 Jahre?
> Läuft der Film noch?

E. Yvonnes Lieblingsfilm

Yvonne (Hildesheim, DE) describes her favorite movie. Read her description and answer the questions that follow, including one where you'll match the glossed words to their definitions.

Open Aire Kino, Kassel

Mein Lieblingsfilm ist *Vier Hochzeiten und ein Todesfall*. Mir gefällt dieser Film eigentlich, obwohl gar nicht viel in diesem Film passiert. Es geht um Freundschaft und Liebe und zwischenmenschliche Beziehungen[1] und es ist sehr humorvoll dargestellt[2], driftet aber nie ins Niveaulose oder einfach Überzogene[3] ab, sondern bleibt immer auf einer unterhaltsamen[4], aber sehr tiefen Ebene[5]. Es macht mir Spaß, diesen Film zu gucken. Zu lachen und zu weinen gleichzeitig[6]. Und ich weine immer noch bei der Szene, wo der eine die Beerdigungsrede[7] über seinen besten Freund hält. Da kommen mir auch beim vierten Sehen dieses Films immer noch die Tränen[8].

[1] *relationships*
[2] *portrayed*
[3] *overdone*
[4] *entertaining*
[5] *level*
[6] *simultaneously*
[7] *eulogy*
[8] *tears*

1. Wie heißt dieser Film auf Englisch?

2. Was sind die Themen dieses Films?

3. Warum findet Yvonne diesen Film gut?

F. Was ist der Titel?!

Take a look at the German titles for these US-American movies and try to match them by entering the correct number in each box as best you can.

1. A Wrinkle in Time   ☐ Miss Undercover

2. Deuce Bigalow Male Gigolo   ☐ Love Vegas: Lieber reich als verheiratet

3. Miss Congeniality   ☐ Sie liebt ihn – sie liebt ihn nicht

4. What Happens in Vegas   ☐ Gefangene der Zeit

5. Sliding Doors   ☐ Rent a Man

G. Warum ist ein Film gut? Choose a film you particularly like and give it a rating from 1-5 (with 5 the best) for each of the five elements below. Then describe *auf Deutsch* what you particularly like about the film.

Film:

Rating

Regisseur

Story

Spezialeffekte

Soundtrack

Schauspieler

H. Synchronisation Read about the dubbing of foreign films into German and answer the questions that follow.

Wenn man in den USA einen Film aus dem Ausland sieht, dann muss man sehr wahrscheinlich englische Untertitel lesen. In den deutschsprachigen Ländern werden ausländische Filme synchronisiert. Das heißt, dass die Schauspieler deutsche Sprecher bekommen, die die Wörter neu sprechen. Der Vorteil für die Deutschen ist, dass sie keine Untertitel lesen müssen. Der Nachteil ist allerdings, dass deutschsprachige Kinobesucher die Originalstimmen der ausländischen Schauspieler nicht kennen. Außerdem bekommen die Deutschen somit weniger Gelegenheiten, Englisch oder andere Sprachen zu hören oder Deutsch lesen zu müssen, wenn sie einen Film sehen. In den Niederlanden und Finnland gibt es beispielsweise kaum synchronisierte Filme. Das ist auch ein Grund dafür, warum holländische und finnische Kinder im Durchschnitt besser lesen können als deutsche Kinder und auch Englisch besser verstehen und sprechen. Lesen bildet also, so oder so!

1. Findest du Untertitel für ausländische Filme besser als Synchronisation?

2. Haben Filme in den Niederlanden Untertitel oder werden sie synchronisiert?

3. Welche Nachteile nennt der Text in Hinsicht auf die Synchronisation ausländischer Filme?

4. Welche Vorteile gibt es, wenn Kinder und auch Erwachsene Untertitel lesen müssen?

I. Buchverfilmungen   Alix and Nina describe situations where films were made from books. Read their comments and answer the questions that follow.

Alix (Hildesheim, DE): Ich habe mir neulich „The Great Gatsby" angeguckt. Er hat mir sehr gut gefallen. Ich habe ihn mit meinen beiden jüngeren Schwestern angeguckt; die fanden es zu lang. Sie haben den Film teilweise nicht verstanden, weil sie davor das Buch nicht gelesen haben. Ich glaube, man kann den Film verstehen und toll finden, ohne das Buch gelesen zu haben. Es macht schon Sinn, wenn man weiß, wie Dinge im Buch beschrieben werden, wie sie dann im Film umgesetzt wurden, sehr opulent und um die Musik wurde viel Wirbel[1] gemacht.

---
[1] hype

Nina (Wolfenbüttel, DE): Ja, die „Harry Potter" Filme finde ich eigentlich ganz gut, vor allem wenn man sich das anders vorstellen kann. Als ich die Bücher gelesen habe, habe ich mir vieles anders vorgestellt, als es dann in den Filmen kam. Aber ich finde es interessant zu sehen, wie das andere interpretieren. Und von daher mag ich die Filme auch sehr gerne, weil sie ja auch sehr spannend sind und die haben ja schon viel gemacht, damit es gut aussieht.

For each statement below, mark it as richtig *(r) or* falsch *(f). Then write the number of each one next to the place where you find the information in the interviews above.*

1. Die Schwestern von Alix fanden den Film toll.

2. Alix hat der Film „The Great Gatsby" gut gefallen.

3. Alix meint, man muss das Buch zuerst gelesen haben, um den Film zu verstehen.

4. Alix glaubt, der Film repräsentiert das Buch sehr gut.

5. Nina glaubt, die „Harry Potter" Filme sind nicht wie die Bücher.

6. Nina hat die Bücher lieber als die Filme.

7. Die Filme haben die „Harry Potter" Bücher anders interpretiert als Nina.

Hast du ein Buch gelesen und auch die Verfilmung gesehen? Welches war besser?

J. Möchtest du das sehen?

Take turns asking whether your partner wants to see a film (that you name). Answer by saying either that you have seen it, or that you do or don't want to see it because it's supposed to be good/bad/boring, etc.

Möchtest du *Deadpool* auf Netflix sehen?
Ja, der soll sehr lustig sein!

Möchtest du *Black Panther* im Kino sehen?
Nein, denn den habe ich schon gesehen. Aber der Film ist genial!

K. MPAA vs. FSK Read the description of the German film rating organization and compare it to the Motion Picture Association of America (MPAA) in the United States. You can review their standards at www.mpaa.org.

FSK steht für die „Freiwillige Selbstkontrolle der Filmwirtschaft". Es ist eine unabhängige[1] Organisation, die Filme, DVDs, Werbungen usw. überprüft[2] und Entscheidungen trifft, ob der eine oder der andere Film für Jugendliche freigegeben[3] werden kann oder nicht.

1. Freigegeben ab 0: alle können diese Filme sehen, wo es keine schrecklichen Situationen gibt und Probleme schnell und positiv gelöst werden.

2. Freigegeben ab 6 Jahren: Spannung und Bedrohung[4] dürfen nicht zu lange anhalten[5] und sollen immer positiv gelöst werden.

3. Freigegeben ab 12 Jahren: viele Thriller und Science-Fiction-Filme werden freigegeben, aber nicht Actionfilme mit Gewalt. Filme mit ernsten gesellschaftlichen[6] Themen sind OK und wichtig für die Entwicklung von Teenagers, aber keine Filme, die „antisoziale, destruktive oder gewalttätige" Helden romantisieren.

4. Freigegeben ab 16 Jahren: keine Filme mit glorifizierter Gewalt, mit Diskriminierung einzelner Gruppen, mit der falschen Darstellung des „partnerschaftlichen Rollenverhältnisses der Geschlechter[7]" und mit der Darstellung der Sexualität als „ein reines Instrumentarium der Triebbefriedigung[8]."

5. FSK ab 18: nicht freigegeben für Jugendliche unter 18 Jahren. Gilt für die Filme, wo „schwere Jugendgefährdung vorliegt[9]."

---

[1] *independent*
[2] *überprüfen – to evaluate*
[3] *freigeben – to clear, permit*
[4] *threat*
[5] *to last*

[6] *social*
[7] *"inaccurate portrayal of gender"*
[8] *"a pure instrument of sexual gratification"*
[9] *"serious endangerment of youth is present"*

Analysis: What similarities and differences do you find between the FSK and MPAA rating systems?

L. Ein Vergleich Select five films that have ratings from both the MPAA and the FSK, and give both ratings. Discuss in English why you think the ratings are similar or different, using the description above, and what you find from the MPAA website. End with some observations on cultural differences between the United States and Germany as expressed in the rating systems they use.

Deadpool	MPAA: R	FSK: ab 16 Jahren	
Schindlers Liste	MPAA: R	FSK: ab 12 Jahren	
Lola rennt	MPAA: R	FSK: ab 12 Jahren	
Die Unglaublichen	MPAA: PG	FSK: ab 6 Jahren	
(The Incredibles)			

Recommended sources:
www.mpaa.org
search „FSK Freigaben online" for ratings
www.amazon.com
www.amazon.de (Amazon in Germany)

M. Ins Kino oder auf die Couch?   When we miss a film in the movie theaters, we can often go online to see the latest release just a few weeks after it's been in theaters. In small groups, discuss what you like about going to the movies and what advantages you see in watching a film at home. Check out these ideas to get you started!

	im Kino	auf der Couch
Vorteile	Freunde treffen	alleine
	Popcorn essen	Pinkelpausen[1]
	große Leinwand[2]	billigere Getränke
	toller Sound	man kann laut sein
Nachteile	andere Leute	alter Film
	läutende Handys	kleiner Bildschirm
	teuer	kein gutes Popcorn
	Parkplatzsuche	keine anderen Kinogänger

---

[1] *bathroom/washroom breaks*
[2] *(movie) screen*

N. Ein guter Film   Now write about one of your favorite films. Follow these steps:

1. *Choose a favorite film to write about in German and write a fast draft of your ideas in English. Organize your ideas and hit your key points. Who are the main actors and director? What do you like about this film?*

2. *Go look for some good models of short reviews – start at* ofdb.de *or* www.amazon.de.

3. *Tear up or delete your English draft and now write a draft in German, using models from the* Auf geht's! *text or the ones you found in 2 above. Don't refer to anything in English – stick to German.*

Diesen Film müssen Sie unbedingt sehen! Der Star des Films ist [Name]. Wenn Sie [Filmtitel] gemocht haben, dann werden Sie auch [Filmtitel] mögen. Hier ist eine kurze Zusammenfassung der Handlung: Am Anfang des Films gibt es…

Vocabulary 10.3

Nouns:

das Abenteuer, -	adventure	beispielsweise	for example
der Anfang, ¨-e	beginning; start	doof	dumb
das Ausland	foreign country	deutschsprachig	German-speaking
das Ende, -n	end	neulich	recently
die Figur, -en	character	spannend	exciting; suspenseful
die Gattung, -en	type; genre	witzig	funny
die Gewalt	violence	zuerst	first
der Grund, ¨-e	reason		
die Handlung, -en	story; action	*Verbs:*	
die Komödie, -n	comedy		
der Regisseur, -e	director (male)	aussehen [sieht aus]	to look, appear
der Schauspieler, -	actor (male)	bilden	to form; to educate
die Spannung, -en	tension; suspense	fernsehen [sieht fern]	to watch TV
die Stimme, -n	voice; vote	lösen	to solve
		meinen	to mean, think
Other:		umsetzen	to implement
		schauen	to look, watch
ausländisch	foreign	sich vorstellen	to imagine

10.3 Review of adjective endings

Let's look again at the Adjective Ending Table, found in section 4.4b and on the rear flap of the book, which has not only adjective endings but also the proper forms for determiners (*der, ein, kein*), possessives (*mein, dein, sein*, etc.) and *der*-words like *welch-* and *solch-*.

If you study the table, you will notice some patterns. If there is an article or possessive or *der*-word that has an ending, adjectives that follow will either have an *-e* or *-en* ending. If there is no such word in front of the adjective, the adjective will take endings that have more variety (*-es, -er, -e, -en, -es, -em*). One way to look at it is to see if the first word in a noun phrase (a noun plus all its determiners and adjectives) has 'information' about the noun. Does it indicate the case and gender? If so, the adjective ending is simple, either *-e* or *-en*. If it does NOT have this information, the adjective ending supplies the information.

If this way of looking at things helps you understand the endings better, great. If not, don't worry about it. Simply practice noticing the patterns and copying them from the table when you write. With practice, the normal German patterns will start feeling more familiar to you.

A. Über mich   Circle the correct adjective for each sentence.

1. Ich liebe *gute / gutes* Essen.

2. Ich schaue mir abends gern *alt / alte* Filme an.

3. Ich wohne in einer *kleine / kleinen* Wohnung.

4. Ich trage oft eine *graue / graues* Jacke.

5. Ich liebe meinen *graue / grauen* Schal.

6. Ich esse gern *süße / süßes* Popcorn.

7. Auf der *gemütliche / gemütlichen* Couch sitze ich gern beim Lesen.

8. Ich lese *lange / langes* Bücher gern!

B. Was wir haben   Fill in the correct adjective + ending.

Ich habe…..   ein   (grün) Fahrrad (n).

ein   (weiß) Auto (n).

eine   (grau) Katze (f).

einen   (schwarz) Hund (m).

Hast du….   das   (grün) Fahrrad gesehen?

das   (weiß) Auto gesehen?

die   (grau) Katze gesehen?

den   (schwarz) Hund gesehen?

Nein, warum?   Das   (grün) Fahrrad ist so schnell gefahren!

Das   (weiß) Auto war so dreckig!

Die   (grau) Katze war so schön und frech!

Der   (schwarz) Hund sah so glücklich aus!

C. Love Actually   Fill in the blanks with the correct endings.

1. „Tatäschlich … Liebe" ist ein   (toll) Film.

2. Der   (toll) Film handelt von Liebe und davon, wie kompliziert das Leben ist.

3. Ich finde den   (britisch) Film schön, weil er lustig aber auch ernst ist.

4. Ich schaue mir am Wochenende gerne   (alt) Filme an.

Kinderumzug für St. Nikolaustag   Innsbruck, Österreich

10.4 Feste

A. Feiertage For each word or description below, write in a holiday you associate with it.

Hase und Eier

Feuerwerk

Kerzen und Kranz

Frühling

Winter

1. Januar

Schuhe

Schulferien

9. November

Geschenke /
die Bescherung

Ostern	Silvester
Neujahr	Advent
St. Nikolaus	Weihnachten
Pfingsten	Mauerfall

B. Daten Write in the holiday associated with each of the first six lines. Then write out in German the appropriate dates for the last three blanks.

Heiligabend	den Tag der deutschen Einheit	den 2. Weihnachtstag
den 1. Weihnachtstag	Silvester	den Tag der Arbeit

Am dritten Oktober feiert man

Am ersten Mai feiert man

Am vierundzwanzigsten Dezember feiert man

Am fünfundzwanzigsten Dezember feiert man

Am sechsundzwanzigsten Dezember feiert man

Am einunddreißigsten Dezember feiert man

Wann ist das?

Wann hast du Geburtstag?   am

Wann feiert man in den USA den Unabhängigkeitstag?   am

Wann feiert man in den USA den Tag der Arbeit?   am

C. Mein Lieblingsfest

In small groups, talk about what you associate with *Weihnachten*, whether you celebrate it or not, and if so, how. Feel free to talk about another holiday that you celebrate, if you prefer.

Weihnachten ist für mich das schönste/beste/langweiligste/schrecklichste Fest.

Ich feiere Weihnachten/Chanukka im Kreise der Familie/der besten Freunde/gar nicht.

Für mich ist Weihnachten [adjektiv].

Weihnachten ist wichtig, aber ich feiere lieber Ramadan/Kwanzaa/Ostern/Silvester/Mardi Gras/meinen Geburtstag.

Was machst du an Weihnachten? Gibt es Geschenke? Was isst und trinkst du?

Weihnachtsmarkt, Ulm

D. Dein Geburtstag   Answer the following questions in complete sentences about your most recent birthday.

1. Hast du eine große oder eine kleine Geburtstagsfeier gefeiert? Oder gar keine?

2. Wen hast du eingeladen?

3. Was hast du gemacht?

4. Was hast du gegessen?

5. Was hast du getrunken?

6. Welche Geschenke hast du bekommen?

7. Was war an deinem Geburtstag schön?

8. Wo möchtest du nächstes Jahr deinen Geburtstag feiern?

E. Austausch

Get into pairs and use the questions in 10.4D to find out about your partner's most recent birthday. Then, ask if that is how your partner usually celebrates birthdays.

Hast du immer eine große Geburtstagsfeier? Nein, oft habe ich eine kleine Feier. Lädst du immer deine ganze Familie ein? Ja natürlich!

F. Reinfeiern

Birthdays are important in Germany, particularly the idea of *reinfeiern*. Read about this German practice and discuss the questions with a partner.

In Deutschland feiert man seinen Geburtstag oft im großen Stil mit Kaffee und Kuchen mit der Familie, am späten Morgen vielleicht schon ein Glas Sekt und natürlich das Auspacken der Geschenke von Familie, Freunden und Verwandten. Doch oft beginnt die Geburtstagsfeier schon am Abend zuvor und das heißt „in den Geburtstag reinfeiern". Man lädt seine Freunde zu einer Party ein und beginnt gegen 20 Uhr und feiert bis nach Mitternacht. Auf gar keinen Fall sollte man als Gast früher gehen, denn man muss dem „Geburtstagskind" viel Glück zum Geburtstag wünschen. Viele Deutsche glauben, dass es Unglück bringt, wenn man jemandem vor dem Geburtstag gratuliert. Also auf gar keinen Fall diesen Fehler begehen!

1. Welche deutschen Geburtstagstraditionen werden in diesem Text erwähnt?

2. Was soll man als Gast auf gar keinen Fall machen?

3. Wie nennt man die Person, die Geburtstag hat?

G. Der nächste Geburtstag

GR 10.4

With a partner, talk about your next birthday and what you are planning on doing, using the future tense with *werden*. When your partner runs out of things to say, ask probing questions. Feel free to use the prompts provided.

Beim nächsten Geburtstag werde ich Kaffee und Kuchen haben.
Ich werde auch viele Freunde abends einladen. Wir werden einen Film schauen.

Wirst du deine Eltern einladen?
Ja, natürlich werde ich meine Eltern einladen.

Kaffee und Kuchen
Geschenke bekommen
Freunde einladen
eine Geburtstagstorte haben
ins Restaurant gehen
groß kochen
einen Film sehen
in die Kneipe gehen

H. Wem schenkst du das? To whom would you give these presents? Don't use names; practice possessives and new word endings.

GR 4.2a

deiner besten Freundin	deinem besten Freund
deinem Professor	deiner Professorin
deinem Bruder	deiner Schwester

Wem?

ein Videospiel

warme Socken

eine schöne Krawatte

ein Buch

eine Uhr

eine Flasche Wein

Krampuslauf, Innsbruck, AT

I. Die besten Geschenke Pick two types of gifts below and write a brief description of them, indicating when you received it and who gave it to you.

GR 8.1

das beste Geschenk
das blödeste Geschenk
ein ganz komisches Geschenk

Ich habe zu Weihnachten ein Radio für die Dusche bekommen. Ich war 12 Jahre alt. Meine Mutter hat es mir geschenkt. Es war ein sehr blödes Geschenk.

Geschenk Nr. 1 Geschenk Nr. 2

J. Geschenke What are you planning to give the following people for the next appropriate event (*Weihnachten, Geburtstag,* etc.)? Choose an item from the vocabulary you have learned or encountered in this course and explain briefly why you chose it for that person.

GR 4.2a

1. Meinem besten Freund/Meiner besten Freundin schenke ich   , weil…

2. Meinen Eltern schenke ich   , weil…

3.   schenke ich   , weil…

K. Feiertage Write which holidays you associate with the following actions. Be prepared to explain why.

1. eine lange Autoreise

2. heißes Wetter

3. ganz laute Musik

4. müde sein

5. blöde Geschenke bekommen

6. Zeit mit der Familie verbringen

7. extrem gelangweilt sein

8. mit vielen Menschen zusammen sein

Göttingen

L. Und du? Find a partner and share three of your most interesting associations from the list in 10.4K.

M. Familie Kellner Read how the Kellner family celebrates Christmas and retell it in your own words in three simple German sentences. Use vocabulary from the text as needed but don't borrow any structures; restate it in your own straightforward German.

Familie Kellner (Baden-Baden, DE): Also, Weihnachten sind wir immer alle zu Hause. Meine Schwester kommt auch immer nach Hause, und ich fahre immer nach Hause. Dann tagsüber[1] wird vielleicht noch der Weihnachtsbaum dekoriert, die letzten Geschenke eingepackt. Dann nachmittags gehen wir in die Kirche, so meistens von fünf bis um sieben. Und dann fahren wir nach Hause. Dann schon wieder langsam zu Abend essen. Danach gibt's die Geschenke und schöne Familienfotos

---
[1] *during the day*

werden noch gemacht. Und dann setzen wir uns eigentlich nur noch so auf die Couchsessel und lassen Weihnachtsmusik spielen und essen Weihnachtsbrötchen und trinken ein Glas Wein dazu.

Weihnachtsbrötchen sind ganz spezielle Brötchen, also Kekse, die man eigentlich nur zu Weihnachten bäckt. Es sind auch oft die speziellen Weihnachtsgewürze[2] drin, wie Koriander und Zimt[3].

---
[2] *Christmas spices*
[3] *cinnamon*

N. Weihnachtsfragen   Give your opinion by checking the boxes and completing the sentences below.

Ja   Nein

☐ ☐   Weihnachten will ich im Kreis der Familie verbringen.

☐ ☐   Man soll an Gott glauben, wenn man Weihnachten feiert.

☐ ☐   An Weihnachten geht es hauptsächlich um Geschenke.

☐ ☐   Weihnachten ist eine ruhige Zeit.

☐ ☐   Weihnachten ist eine stressige Zeit.

☐ ☐   An Weihnachten gibt es zu viele Geschenke.

☐ ☐   Weihnachten ist der schönste Feiertag des Jahres.

☐ ☐   Zu Weihnachten gehört immer Fernsehen.

Zu Weihnachten essen viele Leute immer…

Nach Weihnachten sind viele Leute…

Weihnachten ist…

O. Familie Deiß   Compare how you celebrate either Christmas or another similar holiday with the description of the Deiß family below.

Familie Deiß (Frankfurt, DE): Weihnachten ist bei uns in dieser Familie noch sehr, sehr traditionell. Es gibt sehr, sehr viele Geschenke, viel zu viele Geschenke meiner Meinung nach. Sie werden alle eingepackt in Geschenkpapier. Sie werden alle unter den Baum gestellt und sie haben alle ein Schildchen[1], wem das Geschenk gehört. Es gibt bei uns immer echte Kerzen am Weihnachtsbaum. Richtig echte Kerzen. Die gibt es kaum mehr. Die meisten Leute haben elektrische Lichter an ihrem Baum, die angeknipst und ausgeknipst werden können. Aber ich mag auch den Geruch[2] von den Tannennadeln, von dem echten Baum mit den Kerzen. Man muss halt einen Eimer[3] Wasser unter dem Baum haben.

Und zuerst wird mit Sekt angestoßen und dann packen alle ihre Geschenke aus und dann wird zu

[1]   tag
[2]   aroma
[3]   pail

Abend gegessen, meistens Fisch. Das ist auch Tradition, weil man im Laufe des Abends noch so viele Plätzchen und Süßigkeiten isst, dass man als Abendessen was Leichtes hat und keinen großen Braten. Und die zwei Weihnachtstage später, dann trifft man sich viel mit Freunden und Familie und isst große Essen und redet und tauscht Geschenke aus und zeigt sich gegenseitig[4] Geschenke. Das sind dann die zwei ruhigeren Tage. Heiligabend ist immer sehr aufregend und hektisch eigentlich.

[4]   zeigt sich gegenseitig – *show each other*

In meiner Familie feiern wir Weihnachten anders / ähnlich wie die Familie Deiß / gar nicht. Wir…

P. Wie bei uns gefeiert wird   Write an essay describing how you or your family celebrates a major holiday such as *Weihnachten, Chanukka, Ramadan, Kwanzaa,* Chinese New Year or the like. Feel free to borrow structures and vocabulary from the previous section as much as possible, modifying the language to suit your needs.

Vocabulary 10.4

Nouns:

der Baum, ¨-e	tree	
die Bescherung, -en	distribution of presents on Christmas	
der Braten, -	roast	
das Ei, -er	egg	
der Fehler, -	mistake	
der Feiertag, -e	holiday	
das Feuerwerk, -e	fireworks	
das Geschenk, -e	present; gift	
das Glück	luck; happiness	
der Hase, -n	hare	
der Keks, -e	hard cookie	
die Kerze, -n	candle	
der Kranz, ¨-e	wreath	
der Kreis, -e	circle	
das Plätzchen, -	cookie	
die Süßigkeit, -en	sweet; candy	
das Unglück	bad luck; accident	
der Wettlauf, ¨-e	race	

Other:

auf gar keinen Fall	by no means
aufregend	exciting
blöd	stupid
echt	real; really
entspannt	relaxed
meiner Meinung nach	in my opinion

Verbs:

autauschen	to exchange
auspacken	to open; to unpack
einpacken	to wrap; to pack up
schenken	to give as a present
verstecken	to hide

Phrases:

Ich muss öfter Gitarre üben.	I should practice guitar more.
Ich muss mehr Zeit mit Hausaufgaben verbringen.	I should spend more time with my homework.
Ich sollte das Rauchen aufgeben.	I should quit smoking.
Ich sollte gesünder essen.	I should have a healthier diet.
Ich sollte mehr schlafen.	I should get more sleep.
Ich sollte weniger arbeiten.	I should work less.
Ich sollte 10 Kilo abnehmen.	I should lose 10 kilos.

10.4 Future with *werden*

In German, you can indicate that an action will take place in the future by using the present tense with an appropriate adverb such as *morgen, in zwei Wochen* or *nächstes Jahr*: *Nächstes Jahr fliege ich nach Deutschland.*

In addition to using the present tense with some sort of temporal adverb, there is also a "proper" future tense in German which is formed by using the auxiliary *werden* + infinitive.

ich	werde	**wir**	werden
du	wirst	**ihr**	werdet
er–sie–es	wird	**(S)ie**	werden

The reason for having to learn the future tense, instead of only the present tense plus an appropriate adverb, is a stylistic one. When you use *werden* to talk about an event in the future, you can express different ideas. Those ideas may include wishful or hopeful thinking for the future or the present, as well as a sense of determination. It depends greatly on the context in written discourse and the emphasis or intonation in spoken language to determine the exact meaning of the sentence. For example, if you emphasize *werde* in the following sentences, you are saying that you are determined to do something:

*Ich **werde** dieses Buch zu Ende lesen.*	I will finish this book (no matter what).
*Nächstes Jahr **werde** ich nach Deutschland fliegen.*	Next year, I will travel to Germany (for sure).
Ich werde wohl ein bisschen später kommen.	I will probably come a little late (but I will surely come nonetheless).
Irgendwann einmal werde ich nach Deutschland fahren.	One day, I will travel to Germany (and I am determined to make it happen).

Beware of the false friend *wollen*, which always means 'to want (to do something)' and never 'will (do something)'. You would say *Ich werde dieses Buch lesen* in order to express 'I will read this book.' If you were to say *Ich will dieses Buch lesen*, then you are saying 'I want to read this book' and nothing else!

A. Study abroad   Ben and Julie are going over the schedule for the first day of their study abroad program in Lübeck. Circle the verb *werden* in all of its conjugations (*werde, wirst, werden,* etc.).

Julie: Ich habe gerade den Tagesplan[1] bekommen. Du wirst es nicht glauben, aber es geht schon um 7 Uhr los! Ich hoffe, es wird Kaffee geben! Wenn nicht, werde ich morgen früh noch ein Café suchen müssen.

Ben: Echt? Was werden wir wohl so früh machen? Lies mal den Tagesplan vor.

Julie: Zuerst werden wir die Direktorin unseres Programms Professorin Kunze kennenlernen. Danach werden wir mit unseren neuen Professoren frühstücken.

Ben: Also da wirst du dann deinen Kaffee bekommen!

[1] *schedule*

B. Frühstück   Ben and Julie are talking to Professorin Kunze at breakfast. Fill in the correct forms of *werden*.

Prof. Kunze: Ich _____ mittwochs um 14 Uhr einen Kurs über mittelalterliche Gedichte[2] anbieten. Hätten Sie Interesse daran, Herr Jade?

Ben: _____ wir die Texte auf Mittelhochdeutsch lesen? Das kann ich leider nicht.

Prof. Kunze: Das _____ Sie schon schnell lernen. Die Texte sind kurz. Als Hausarbeit am Ende des Kurses _____ die Studenten sogar ihre eigenen Gedichte schreiben. Es _____ auf jeden Fall Spaß machen. Glauben Sie mir!

Ben: Julie, _____ du dann auch diesen Kurs belegen?

Julie: Bestimmt. Und du _____ mir wunderschöne Gedichte schreiben.

[2] *poems*

C. Kursangebote   The professors are describing the courses they'll offer in the fall. Transform the sentences from the present into the future tense.

Prof. Beck:
Ich biete eine Einführung zur Textanalyse an.   *Ich werde eine Einführung zur Textanalyse anbieten.*
Wir arbeiten mit Texten aus verschiedenen Medien[3].
Man muss sich mit Texten auseinandersetzen[4].

Prof. Schulz:
Mein Kurs findet montags um 13 Uhr statt.
Wir lesen Kurzgeschichten aus der Gegenwart[5].

Prof. Hacke:
Die Studenten tauchen in die Welt Kafkas ein[6].

[3] *media* [4] *to grapple with* [5] *present day* [6] *eintauchen – to dive into (sth.)*

D. The meaning of the future   For these sentences that express the future, mark (X) the tense (present or future), and then indicate the most appropriate meaning for the sentence.

	Present tense	Future tense	
	future time expressions	wishful thinking	determination
1. Ich werde diese Hausarbeit zu Ende schreiben!	☐	☐	X
2. Er wird Professor, nachdem er seinen Abschluss[7] an der Uni bekommen hat.	☐	☐	☐
3. Die Professoren stellen sich morgen vor.	☐	☐	☐
4. Was wirst du werden, wenn du einmal groß bist?	☐	☐	☐
5. Egal wie, du wirst morgen früh aufstehen müssen!	☐	☐	☐
6. Diese Kurse fangen in zwei Wochen an.	☐	☐	☐

[7] *diploma*

E. Your schedule   Write four sentences describing what you need to get done in the days and weeks to come. These sentences should express a sense of determination. Use the future tense in at least three different conjugated forms.

der Kurs   die Arbeit   die Hausarbeit   sich mit Freunden treffen   mit einem Professor reden

Unit 10: Unterhaltung

Cultural and Communication Goals

This list shows the communication goals and key cultural concepts presented in Unit 10 *Unterhaltung*. Make sure to look them over and check the knowledge and skills you have developed. The cultural information is found primarily in the Interactive, though much is developed and practiced in the print *Lernbuch* as well.

I can:

☐ talk about what I watch (TV, videos, etc.)

☐ describe shows/films and their genre

☐ talk about my favorite books, films and shows

☐ describe how I celebrate holidays

I can explain:

Fernsehen

☐ *die Nachrichten*

☐ *das Magazin*

☐ *der Krimi*

☐ *der Zeichentrickfilm*

☐ *der Thriller*

☐ Action vs. *Aktion*

☐ *die Show*

☐ *der Sender*

☐ *die Sendung*

☐ *der Sprecher*

☐ Paul Nipkow

☐ first television program in Germany

☐ black-and-white TV introduced in Germany

☐ Willy Brandt and the color television

☐ number of German households with television

☐ daily time Germans and Americans watch TV

☐ *der Rundfunkbeitrag*

☐ *Schwarzsehen*

☐ *Werbungen*

☐ *Werbeblöcke* for private and public stations

☐ popular private television stations in Germany

☐ *Deutsche Welle*

☐ two major German public television stations

☐ German television programs/genres:
*Tatort, Tagesschau, Ein Fall für zwei,
Die Sendung mit der Maus, Zeit im Bild,
Der Kommissar, Sesamstraße*

Lesen

☐ popular newspapers and magazines:
*Frankfurter Allgemeiner Zeitung,
Süddeutsche Zeitung, Stern, Bild, Profil,
Krone, FOCUS, Der Spiegel, Die Zeit,
Die Tageszeitung, Neue Zürcher Zeitung*

☐ *Belletristik*

☐ *Allgemeinwissen*

☐ *das Buchpreisbindungsgesetz*

☐ German authors: Friedrich Schiller, Annette von Droste-Hülshoff, Rainer Maria Rilke, Franz Kafka, Irmgard Keun, Thomas Mann, Günter Grass, Herta Müller

☐ Karl May, performances of his works

Filme

☐ Important German film figures: Lang, Dietrich, Fassbinder, Riefenstahl, Schweiger, Potente, Brühl

Feiertage in Deutschland

☐ national holidays in the *DDR* and *BRD* before the reunification

☐ current national holiday in Germany

☐ German flag being displayed in Germany

☐ *das Bürgerfest*

☐ Swiss national holiday

☐ Austrian national holiday

☐ how Germans celebrate the New Year, traditional meal

☐ Easter in Germany:
where most Germans celebrate,
break children get from school, Easter trees,
decorating eggs, games played, peace marches

☐ three days of Christmas in Germany, Austria, Switzerland

☐ *der Nikolaustag*

☐ *der Weihnachtsmarkt*, typical purchases

☐ *Weihnachtsmärkte* popular foods and drinks

Unit 11 Reisen

Wattwanderung, Büsum, DE

Unit 11 *Reisen*

In Unit 11 you will learn how Germans view vacation and time off of school, including travel destinations and how they spend their time away from work. You will also learn how to talk about international destinations and global travel. Finally, you will learn what Germans think about North America when they travel there and how they react to cultural differences.

Below are the cultural, proficiency and grammatical topics and goals:

Kultur

Ferien vs. *Urlaub*
Kinds of *Urlaub*
German experiences abroad
German experiences in North America

Kommunikation

Travel descriptions
Expressing destinations
Discussing world geography
Describing preferences

Grammatik

11.1 *Als* for past events
11.2 *Nachdem* and *bevor*
11.3 More two-way prepositions
11.4 Relative clauses (receptive)

11.1 Ferien

Culture: *Ferien*
Vocabulary: Travel and trip terms
Grammar: *Als* for past events events

A. Nach oder zu? For each destination, write a German phrase to indicate going there. Use either *nach, in,* or *zu* and the appropriate article (one is provided).

Ich gehe …

Kino	Berge
San Francisco	Park
Apotheke	Berlin
Supermarkt	die Alpen
Campingplatz	Bibliothek
McDonald's	Chile

> Use *zu* and *in* for places and businesses.
> *zur Bäckerei*
> *in die Bäckerei*
> Use *nach* for cities & countries.
> Use *in* for businesses and set phrases.
> *in das = ins*

Bonus Frage: nach oder zu?

Alle Wege führen   Rom.

B. Interview Work with a partner on these travel questions.

Gehst du gern ins Kino?
Warum oder warum nicht?

Wie oft gehst du zum
Supermarkt?

Wann gehst du im Park
spazieren?

Wie oft gehst du in die
Bibliothek?

Möchtest du in den Ferien
nach Deutschland fahren?

Gieselwerder

C. Assoziationen Which associations do you have with *Ferien*? Pick the 5 top associations and rank them 1-5 with 1 being the strongest association. You may add two of your own associations as well.

Familie	Langeweile	ausschlafen	Hobbys
jobben	Fernsehen	Freunde	
Großeltern	Sport	Strand	
Ferienlager	Camping	Natur	
spannend	Urlaub	Ausland	

D. Ferien Barbara and Lexi describe how they spent their school vacations when they were younger. Read their comments and answer the questions that follow.

Barbara (Köln, DE): In den Ferien mussten wir immer zu den Großeltern fahren. Immer. Auch zu Weihnachten und Ostern. Aber für mich war es eine Freude. Meine Geschwister wollten nie, die wurden krank, wenn sie dahin mussten, aber ich war da sehr gern. Meine Geschwister sind nicht so lange geblieben, da war ich dann alleine bei den Großeltern. Und das war sehr schön für mich. Und ich glaube, sie haben dann zu viert, also meine Eltern und meine Schwester und mein Bruder auch kleine Familie gemacht zu Hause. Sie fanden das auch ganz gut.

Es gab für unsere Familie keinen gemeinsamen Urlaub. Ich weiß nicht warum. Meine Eltern haben keinen Urlaub gemacht. Ich weiß nicht, ob sie immer gearbeitet haben. Wir haben in Bayern gewohnt, in einer sehr schönen Gegend, wo andere Urlaub machen. Das ist vielleicht auch ein Grund, warum wir niemals zusammen Urlaub gemacht haben.

Lexi (Frankfurt, DE): Die letzten Jahre waren wir hauptsächlich in Frankreich, weil wir festgestellt haben, dass es in Frankreich unheimlich viel zu sehen gibt. Aber vorher waren wir in Italien, und auch mehrere Jahre hintereinander in Kroatien. Weil es einfach ein unheimlich schönes Land ist, um durchzufahren, und es gab die schönen Inseln, die kroatischen Inseln. Wir haben jeden Sommer eine neue Insel besucht für den Strandurlaub. Und sind ansonsten durch das Land gefahren. Ich glaube, es war hauptsächlich Kroatien, Italien und Frankreich. Einmal waren wir in Spanien. Also, europäische Mittelmeerländer.

Fritzlar

1. Wer hat das in den Ferien gemacht, Lexi oder Barbara?

	Barbara	Lexi
ins Ausland reisen	☐	☐
zu Verwandten fahren	☐	☐
alleine reisen	☐	☐
mit den Eltern reisen	☐	☐
Strandurlaub machen	☐	☐
die Landschaft sehen	☐	☐

2. Waren deine Ferien als Kind eher wie Barbaras oder Lexis? Warum?

3. Findest du Lexis oder Barbaras Ferien schöner? Warum?

E. Helfen macht Freu(n)de

You want to volunteer this summer and have the following three choices. Select the group you would most like to work with and give three reasons *auf Deutsch* for choosing that group.

Das Rote Kreuz: 1863 gründet Henri Dunant das Rote Kreuz in Genf. Das Rote Kreuz ist eine sehr große Hilfsorganisation: allein in Deutschland gibt es 3,5 Millionen Mitglieder. Das Rote Kreuz rettet Menschen, hilft bei Katastrophen, sorgt für Kranke und Schwache und sucht nach Vermissten.

Der WWF: Der WWF (World Wildlife Fund) ist eine der größten unabhängigen Naturschutzorganisationen der Welt. Sie konzentriert ihre Arbeit auf drei Großlebensräume: Meere & Küsten, Binnenland-Feuchtgebiete[1] und Wälder. Der WWF wurde 1961 in der Schweiz gegründet und hat ein globales Netzwerk von 31 nationalen Organisationen. Der WWF schützt die Natur nach dem Prinzip: „Naturschutz für und mit Menschen".

Habitat: Mehr als 2 Milliarden Menschen in der Welt leben in Slums und Baracken ohne fließendes Wasser. Schmutziges Wasser und ein Minimum an Hygiene bedeuten: Krankheiten und Viren töten zu viele junge und alte Menschen. Habitat for Humanity versucht diesen armen Menschen aktiv zu helfen. Diese Organisation arbeitet in über 70 Ländern der Welt mit Freiwilligen[2], Unternehmen, Schulen, Universitäten, Kirchen, Gemeinden und einzelnen Personen zusammen, die helfen können und wollen. Das Motto von Habitat for Humanity Deutschland ist: „Zuhause für Familien".

---
[2] *volunteers*

---
[1] *'moist areas' (i.e., wetlands)*

Meine Organisation:

Warum?

F. Ehrenamtliche Arbeit

Answer these questions about your volunteer experiences.

1. Welche ehrenamtliche Arbeit hast du schon gemacht?

2. Bei welchen Organisationen hast du oder haben deine Familie oder Freunde ehrenamtlich gearbeitet?

3. Was für eine ehrenamtliche Arbeit würdest du gern machen? Mit Kindern arbeiten? Häuser bauen? Müll sammeln?

Grazalema, Spanien

G. Die Ferien Answer these questions in 1-3 sentences each as appropriate. Give some details!

1. Was hast du als Kind in den Ferien gern gemacht? Und als Teenager?

Highway 1, Kalifornien

2. Wie oft bist du verreist, als du ein Kind warst?

3. Hast du als Teenager in den Ferien gejobbt? Was und wo?

4. Was war dein Lieblingsferienort, als du klein warst?

5. Wie oft warst du campen, als du ein Kind warst?

6. Wie oft hast du in den Ferien fern geschaut?

H. Deine Ferien Work with a partner or small group and share your answers from questions from 11.1G above. Make sure to ask a follow-up question for each item!

I. Sommerferien Prepare a one-minute presentation about your typical summer vacation.

GR 11.1

Als ich klein war, bin ich oft ins Ferienlager gefahren. Jetzt aber assoziiere ich Sommerferien mit Jobben. Ich habe letzten Sommer in einem Restaurant und bei 7-Eleven gejobbt. Normalerweise mache ich mit meiner Familie Urlaub, meistens in Oregon. Im Sommer habe ich auch mehr Zeit für Hobbys, vor allem Gitarre spielen.

Holm (Schleswig)

Vocabulary 11.1

Nouns:

die Art, -en	type; kind
der Campingplatz, ¨-e	campground
das Freibad, ¨-er	outdoor pool
die Freude	joy, pleasure
die Gegend, -en	region
das Gepäck, die Gepäckstücke	luggage; baggage
die Gesellschaft, -en	society
die Jugendherberge, -n	youth hostel
das Lager, -	camp
das Land, ¨-er	country (rural)
die Landkarte, -n	map
die Natur, -en	nature
die Sonne, -n	sun
der Stadtplan, ¨-e	city map
der Strand, ¨-e	beach; shore
das Zelt, -e	tent

Other:

unheimlich	very; uncanny

Verbs:

bitten um [+ Akk.]	to ask for
denken an [+ Akk.]	to think about, of
erhalten [erhält]	to receive
feststellen	to establish a fact
sich beschweren über [+ Akk.]	to complain about
sich erinnern an [+ Akk.]	to remember
sich freuen auf [+ Akk.]	to look forward to
sich freuen über [+ Akk.]	to be happy about
sich kümmern um [+ Akk.]	to take care of
sich verlieben in [+ Akk.]	to fall in love with
sprechen über [+ Akk.] [spricht über]	to speak about
warten auf [+ Akk.]	to wait for

11.1 *Als* for past events

In Unit 9, you learned about the question word *wann* and the conjunction *wenn* to talk about information involving time. German has a third word that translates into 'when' in English and that is the conjunction *als*. To briefly recap and to set *als* apart from *wann* and *wenn*, take a look at the examples and explanations below:

Wann fährst du in den Urlaub?	When do you go on vacation?
*Ich fahre in den Urlaub, **wenn** ich Zeit habe.*	I'll go on vacation if/when I have time.
*Meine Familie ist früher immer nach Mexiko gefahren, **wenn** es Sommerferien gab.*	My family used to always go to Mexico when(ever) we were on summer vacation.

Wann is a question word. **Wenn** can be used with both the present tense and the past tense; with the present tense, it suggests a simple 'when'. If *wenn* is used with the past tense, it indicates a repeated event in the past in the sense of 'whenever.'

The conjunction *als* is used to talk about singular past events, from one moment to a period of life (*als Kind*). Therefore, the conjunction *als* is more restricted in its use than *wenn*. Here are a couple of sample sentences:

***Als** ich ein Kind war, reiste ich viel mit meinen Eltern.*	When I was a child, I traveled a lot with my parents.
***Als** ich mit der Uni angefangen habe, hatte ich große Angst.*	When I started at the university, I was really afraid.

To recap:

- *wann:* for questions about and references to specific times

- *als:* for single events or periods in the past

- *wenn:* all other situations

A. Introductions   Professorin Kunze is introducing herself to her students. Circle the conjunctions *als* and *wenn*, as well as the question word *wann* in the dialog below.

Prof. Kunze: Ich komme ursprünglich[1] aus Stuttgart. Als ich noch klein war, ist meine Familie in die Schweiz umgezogen[2]. Wenn ich also an Heimat[3] denke, denke ich an die Schweiz.

Ben: Wann haben Sie angefangen, hier an der Universität in Lübeck zu unterrichten[4]?

Prof. Kunze: Gute Frage. Als ich auf dem Gymnasium war, wusste ich, dass ich Deutsch studieren und später unterrichten wollte. Als ich einen Job suchen musste, gab es einfach nicht so viele Stellen[5] in der Schweiz, aber hier in Deutschland schon. Wenn ich mich richtig daran erinnere, dann habe ich 1976 an der Uni angefangen.

Julie: Und wann haben Sie Mittelhochdeutsch[6] gelernt?

Prof. Kunze: Als ich Studentin an der Uni Stuttgart war.

[1] *originally*
[2] *umziehen – to move*
[3] *home*
[4] *to teach*
[5] *positions; jobs*
[6] *Middle High German*

B. Student introductions   The students are introducing themselves as well. Choose the words that best fit the blanks.

Ben: _____ ich jünger war, habe ich in Iowa gelebt. **(als / wenn)**

Julie: _____ ich an Zuhause denke, denke ich an Texas. **(als / wenn)**

Ben: _____ wusstest du, dass du in Lübeck studieren wolltest? **(wann / wenn)**

Julie: Ich wusste es, _____ ich mit Deutsch angefangen habe. **(als / wann)**

Ben: _____ fliegst du wieder nach Hause? An Weihnachten? **(wann / wenn)**

Julie: _____ es möglich ist, fliege ich für Thanksgiving nach Hause. **(wann / wenn)**

C. Middle High German   Read about Middle High German, filling in the blanks with *als*, *wenn* or *wann*. Use each word only once.

_____ man von Mittelhochdeutsch redet, spricht man von einem älteren Deutsch. _____ hat man Mittelhochdeutsch gesprochen, fragen Sie? _____ man Mittelhochdeutsch gesprochen hat, also zwischen 1050 und 1350, gab es noch keine deutsche Hochsprache[7] wie heute.

[7] *standard language*

D. Ben's poem   Ben has written a poem in German, which he will later translate into Middle High German. Fill in the blanks with *als*, *wenn* or *wann*. Use each word only once in each stanza.

Warum bist du fort[8], liebe Julie? Warum bin ich so allein?

_____ ich an dich denke, Julie, denke ich nur an Sonnenschein.

_____ ich noch alleine war, dachte ich nur an die Schule.

_____ wir zusammen waren, dachte ich nur an Gefühle[9].

_____ kommst du denn mal wieder, mein kleiner Sonnenschein?

_____ du kommst, nie wieder musst du dann alleine sein.

[8] *gone*
[9] *feelings*

E. Middle High German poetry   Read the lines of Middle High German poetry translated into Modern German. Fill in the blanks with either *als*, *wenn* or *wann*. Use each word only once.

Walther von der Vogelweide: Fröhlich lachen in des Maitags Früh',

_____ die kleinen Vögelein[10] wohl singen

From the **Heliand:**   Durch den Wolkenhimmel[11]? Oder _____ willst du wieder kommen?

From the **Meier Helmbrecht:**   _____ ich ihn nach dem Namen fragte,

Des Spiels, das da wohl behagte[12].

[10] *little birds*
[11] *the cloudy sky*
[12] *to please*

11.2 **Urlaub**

Culture: *Urlaub*
Vocabulary: Vacation & travel language
Grammar: *Nachdem* and *bevor*

A. Wo hast du Urlaub gemacht?

For the following destinations, fill in the blanks with the prepositions for traveling there (*fahren*) or spending your vacation there (*Urlaub machen*). Remember that the prepositions will change, and if they are a 2-way preposition, the case will change as well!

Pisa, Italien

Ich fahre **nach** Deutschland.
Ich mache Urlaub **in** Deutschland.

	Ich fahre…	Ich mache Urlaub…
Norwegen		
Kanada		
die Schweiz		
Berlin		
die Türkei		
die Niederlande		
Kreta		

B. Wichtig im Urlaub

Pick the 5 most important things for you for *Urlaub* and rank them 1-5 with 1 being the most important. You may add one or two of your own elements as well.

Strand	Freunde	weg vom Alltag	Hobbys nachgehen
Ruhe	Kultur	ausschlafen	Leute kennenlernen
relaxen	viel trinken	Party machen	neue Kulturen kennenlernen
aktiv sein	gutes Essen	Sport treiben	
Erlebnis	Bildung	gutes Wetter	

C. Warum?

Write one sentence in German for each of your ranked items in B, explaining why you find them important.

D. Zusammenfassen

In small groups, present your answers from 11.2C. Then prepare a summary of your group's answers.

Was ist für dich im Urlaub wichtig?
Für mich ist… / für unsere Gruppe sind… wichtig
Am wichtigsten ist…
Zwei von uns meinen, dass…

Chania, Griechenland

E. Was machst du im Urlaub?

Read these descriptions of a typical *Urlaub* below. In each box below, write three phrases to describe that person's vacation.

Metéora, Griechenland

Monique (Rütenbrock, DE): Also, ich war ein paar Mal in Südfrankreich. Das ist dann halt wirklich so ein Badeurlaub. Dann liegt man den ganzen Tag am Strand. Aber ich habe dann halt noch gesurft zum Teil oder Ausflüge gemacht, ein bisschen gewandert. Wenn ich einfach in Deutschland bleibe, quasi keinen richtigen Urlaub gebucht habe, dann fahre ich häufig zu meiner Tante in die Niederlande. Sie hat einen sehr schönen Garten. Mit ihr fahre ich dann viel Fahrrad oder wir nähen[1] zusammen irgendwelche Klamotten[2]. Sie kann sehr gut nähen. Oder einfach irgendwelche Kulturtrips nach Amsterdam oder alles mögliche. Also, wenn ich schon ins Ausland fahre, dann will ich auch was sehen. Es sei denn nach Südfrankreich, da liegt man nur am Strand.

[1] *to sew*
[2] *clothes*

Martin (Idstein, DE): Ich habe eigentlich mehr Spaß, wenn es ein bisschen so Aktivurlaub ist. Also nicht am Strand rumhängen und nur in der Sonne liegen, sondern eben segeln, tauchen oder ein bisschen die Gegend erkunden[3], die Landschaft ein bisschen fotografieren und so weiter. Und ich fahre gern ans Wasser, weil ich gern schwimme, und das finde ich einfach so ein Stück Lebensqualität, an einem See oder am Meer zu sein und sich da ein bisschen abkühlen[4] und so. Und ich bin eigentlich meistens in den Süden gefahren. Das hat sich aber wahrscheinlich so ergeben, weil meine Eltern früher auch immer Richtung Spanien gefahren sind. Wir haben dort Verwandte besucht, die ausgewandert[5] sind.

[3] *to explore*

[4] sich abkühlen – *to cool off*
[5] auswandern – *to emigrate*

Athen, Griechenland

Barbara (Köln, DE): Viele Dinge sind sehr wichtig. Kontakt mit Menschen, die in anderen Situationen leben und arbeiten, sich ihr Leben anders gestalten. Das gibt es natürlich auch hier, nicht nur im Urlaub, aber im Urlaub ist es noch anders. Da bist du offener und freier, hast Zeit zu gucken. Kultur. Sowohl Reste alter Kulturen, also, was weiß ich, von den Römern oder was es da immer zu sehen gibt. Aber insbesondere auch Theater, Konzerte. Vor allen Dingen, wenn es in einer Sprache ist, die ich nicht verstehe. Ich freue mich auf Theater in Krakau, ich werde nichts verstehen, nur sehen. Das ist wunderbar. Ja, eben nicht das Alte mitzunehmen, sondern sich auf Neues einzulassen. Man hat genug Altes sowieso dabei.

F. Meine Reise

Which person from 11.2E would you like to vacation with the most and why? Write at least three sentences.

Martins Ideen klingen am interessantesten.

Im Urlaub möchte ich auch…

Ich will … sehen.

Granada, Spanien

G. Dein Urlaub

Work with another student in class asking and answering the following questions.

Wessen Urlaub findest du am besten, Moniques, Martins oder Barbaras? Warum?

Liegst du gern am Strand?

Machst du gern Tagesausflüge? Mit dem Fahhrad? Mit dem Auto?

Findest du Segeln und Tauchen interessant?

Schwimmst du gern im Meer?

Gehst du gern ins Theater?

Machst du lieber im Norden oder Süden Urlaub?

H. Urlaub machen

Answer these questions, writing at least two sentences or phrases for each.

1. Was gehört deiner Meinung nach zu einem perfekten Urlaub?

2. Großstadt oder einsame Insel: Wohin willst du lieber?

3. Wie sieht dein Traumurlaub aus? Wohin möchtest du gehen?

I. Reif für die Insel! Read what Johannes (Kassel, DE) has to say about his favorite spot in Germany. Then go online and find out about Sylt to help you answer the questions that follow.

Sylt

Es gibt viele Lieblingsorte. Ich bin sehr gerne in den Bergen, ich bin aber auch sehr gern am Meer, zum Beispiel auf der Insel Sylt, wo die großen Dünen sind auf der einen Seite, und auf der anderen Seite das Wattenmeer ist. Wo das Wasser täglich kommt und wieder abläuft; wo immer ein Wind geht; wo die Rufe der Vögel zu hören sind. Das ist ein Platz, wo ich sehr gerne bin.

1. Was sind Johannes' Lieblingsorte in Deutschland?

2. Wo liegt die Insel Sylt? Beschreib den Standort so genau wie möglich.

3. Was ist der Slogan der Insel Sylt auf der offiziellen Webseite (www.sylt.de)?

4. Kreuz all das an, was Johannes an der Insel Sylt mag:

☐ die Berge auf der Insel Sylt

☐ die unterschiedlichen Landschaften

☐ den Wind und das Meer

☐ die Seen auf der Insel

☐ die beruhigende Natur

5. Ist Sylt auch für dich ein interessantes Reiseziel? Warum/warum nicht?

J. Mein letzter Urlaub

Write a short essay about the last vacation you truly enjoyed. Embellish if you wish, and add a photograph to the essay to make it more vivid – consider these questions to cover some details.

Wo?	Was hast du gesehen?
Wann?	Was hast du gemacht?
Mit wem?	Was hast du gegessen?

Mein letzter Urlaub war genial/ideal!

Vocabulary 11.2

Nouns:

der Alltag	everyday life
der Ausflug, ¨-e	excursion; day trip
die Bewegung, -en	movement; exercise
die Entspannung	relaxation
die Erholung	recovery; rest
das Erlebnis, -se	positive experience
der Flug, ¨-e	flight
die Hitze	heat
das Mittelmeer	the Mediterranean Sea
die Pauschalreise, -n	package tour
der Reiseführer, -	travel guidebook
die Ruhe	silence; quiet
das Salzwasser	salt water
die Sehenswürdigkeit, -en	tourist attraction
die Vollpension, -en	full board
die Zeit, -en	time

Other:

damals	at that time
einsam	lonely
fast	almost
häufig	frequent
hintereinander	one after the other
quasi	all but
verantwortlich	responsible
vor allen Dingen	especially
vorher	previously
wohl	probably

Verbs:

beruhigen	to calm
gestalten	to form
klingen	to sound (like)
sich ergeben [ergibt sich]	to turn out

11.2 *Nachdem* and *bevor*

The subordinating conjunction *nachdem* is unique in that it requires a certain order of tenses. Like other subordinating conjunctions, it pushes the conjugated verb to the end of the clause. Unlike other subordinating conjunctions, the tense in the clause with *nachdem* has to be further in the past than the main clause.

main clause	subordinating clause (with *nachdem*)
present tense	conversational past
narrative past	past perfect tense

Here are a few examples:

> Ich **gehe** in die Stadt, nachdem ich meinen Kaffee **ausgetrunken habe**.
> Er **machte** sich sofort auf den Weg, nachdem sie ihn **angerufen hatte**.

You see the past perfect, a third past tense in German, used in the second example above. This tense is used only infrequently and is not something we are covering in great detail in *Auf geht's!*. It looks very much like the conversational past, but the auxiliary verb (*haben* or *sein*) is in the narrative past rather than present tense. This is very similar to the past perfect tense in English: "I **had** never **been** to Germany before I went there to study."

Here are a few more examples of the sequence of tenses with *nachdem*:

> **Nachdem** ich die High School **abgeschlossen hatte**, **machte** ich eine Weltreise.
> Ich **mache** eine zweite Weltreise, **nachdem** ich den Uniabschluss **bekommen habe**.
> **Nachdem** ich einen Reiseführer über Liechtenstein **gelesen hatte**, **wollte** ich unbedingt
> in dieses Land **fahren**.

A. Visiting Germany   Marco remembers a Germany trip. Circle the subordinating conjunctions *nachdem* and *bevor*.

Marco: Meine Großmutter kam aus Deutschland. Nachdem sie meinen Großvater kennengelernt hatte, zog[1] sie in die USA. Nachdem ich meinen Abschluss an der Highschool gemacht hatte, wollte ich dann unbedingt[2] nach Deutschland, um das Heimatland meiner Oma kennenzulernen. Bevor ich nach Europa ging[3], hatte ich einen deutschen Sprachkurs[4] belegt. Ich hatte meine Großmutter nie richtig verstanden[5], bevor ich nach Deutschland gegangen war. Nachdem ich nun ihr Land besucht habe, verstehe ich mich besser mit ihr.

[1] *moved* [2] *definitely* [3] *went* [4] *language course* [5] *understood*

B. Order of events   For each sentence part, write 1 for the earlier and 2 for the later event.

1. Meine Großmutter zog in die USA   2   , nachdem sie meinen Großvater kennengelernt hatte   1   .
2. Nachdem ich meinen Abschluss an der High-School gemacht hatte _____ , ging ich nach Deutschland _____ .
3. Ich hatte einen Sprachkurs auf Deutsch belegt _____ , bevor ich Deutschland besuchte _____ .
4. Bevor ich nach Deutschland gegangen war _____ , verstand ich meine Großmutter nie richtig gut _____ .
5. Jetzt verstehe ich mich besser mit meiner Oma _____ , nachdem ich ihr Land besucht habe _____ .

C. Tense practice   Identify (X) the tenses of the verbs in the main and dependent clauses of each sentence.

	Narrative past	Past perfect tense
1. Nachdem ich meinen Abschluss an der High-School **gemacht hatt**e,	☐	☐
ging ich nach Deutschland.	☐	☐
2. Bevor ich Deutschland **besuchte**,	☐	☐
hatte ich einen Sprachkurs auf Deutsch **gemacht**.	☐	☐
3. Ich **hatte** meine Großmutter nie richtig gut **verstanden**,	☐	☐
bevor ich nach Deutschland **gegangen war**.	☐	☐

	Present tense	Conversational past
4. Jetzt **verstehe** ich **mich** besser mit meiner Oma,	☐	☐
nachdem ich ihr Land **besucht habe**.	☐	☐
5. Nachdem Marco einen Kaffee **geholt hat**,	☐	☐
berichtet er von seiner Reise.	☐	☐

D. What tense?   Write in the tense indicated in each box, choosing from the options given.

~~present tense~~   conversational past   narrative past   past perfect

dependent clause (nachdem)   **main clause (bevor)**

(e.g., habe gesprochen) →   *present tense*   (e.g., habe; ist; spreche)

(e.g., hatte gesprochen) →   (e.g., hatte; war; sprach)

E. Past perfect tense   Practice building the past perfect tense; add the correct past tense form of *haben* (*hatte-*) to the past participle of *sprechen* (*gesprochen*).

ich	_____ gesprochen	wir	_____ gesprochen
du	_____ gesprochen	ihr	hattet gesprochen
er–sie–es	_____ gesprochen	(S)ie	_____ gesprochen

F. More tense practice   Fill in the blanks with the correct tense and form of the verbs given. Use Exercises C and D for help.

1. Nachdem er sein Abitur gemacht hat, _____ studiert _____ Marco jetzt Germanistik. **(studieren)**
2. Bevor er bei seiner Oma _____ , hatte er Blumen gekauft. **(sein)**
3. Sie _____ einen Kaffee, nachdem er angekommen ist. **(trinken)**
4. Sie _____ auch Kuchen _____ , bevor er ihr die Fotos von Deutschland zeigte[6]. **(essen)**

[6] *showed*

11.3 Weltreisende

Culture: World travel
Vocabulary: Country & continent names
Grammar: Two-way prepositions review

A. Die Welt ist klein   Below are listed some popular destinations for German vacationers outside Europe. Pick the top three of most interest to you for vacation, ranking them each 1-3 (with 1 being the most interesting).

Tunesien	Kenia	Kanada	Japan
Ägypten	Indonesien	Florida	Hawaii
Thailand	Australien	die Türkei	die Dominikanische Republik
Neuseeland	Brasilien	Kuba	Indien
Mexiko	die Malediven	China	Venezuela

B. Ich möchte dorthin   For each destination you ranked above, write one sentence saying why you would like to go there.

GR 6.4

Ich möchte nach Mexiko fliegen, weil ich die Maya-Ruinen sehen will.
Ich möchte in die Türkei, weil das Essen dort toll ist.

China

C. Umfrage   In small groups, tally the most popular vacation destinations from the list in A. Prepare to present your results.

Wohin möchtest du / möchtet ihr reisen? Warum?

Jede(r) in unserer Gruppe will nach…

Keiner in unserer Gruppe will nach…

Für unsere Gruppe ist das beliebteste Reiseziel aus der Liste…

Das zweitbeliebteste Reiseziel ist…

Thailand

D. Ein Land, das mich fasziniert

What new country (aside from Germany) would you most like to visit? Why? What would you like to see and do there. Write several sentences about this, *auf Deutsch natürlich.*

E. Sich austauschen

Review what you wrote in 11.3D and go talk to several students in your class about what country you would like to visit.

Welches Land möchtest du sehen? Warum?

Wirklich? Ich auch!

La Paz, Mexiko

F. Wie die uns sehen

Do you ever wonder what other people might think about your country as a whole? In small groups, discuss how you think people from other nationalities see your country when they come to visit it. Take a look at this list for ideas.

Jamaika

freundliche Menschen

friedlich

aggressiv

ungesund

weltoffen

unterschiedliche Landschaften

große Städte

gutes Essen

G. Italien

Before you start reading the next text, select five associations that you think fit best with your image of Italy.

- [ ] Toskana
- [ ] schlechtes Wetter
- [ ] Pizza
- [ ] Rom
- [ ] viel Sonne
- [ ] Mofas[1]
- [ ] freundliche Menschen
- [ ] große Städte

- [ ] Autobahnen
- [ ] unfreundliche Menschen
- [ ] viel Natur
- [ ] enge Straßen
- [ ] alles ist alt
- [ ] bunt
- [ ] grau
- [ ] viele Touristen

[1] mopeds

H. La Dolce Vita Here is Jeannine's (Koblenz, DE) account of an Italian vacation with her boyfriend, Martin. Read her story and answer the questions that follow.

Florenz, Italien

Einmal fuhren wir mit dem Motorrad nach Italien. Eigentlich wollten wir einen Zwischenstopp mit Übernachtung einlegen, aber plötzlich gab es keine Schlafgelegenheit[1]. Die Hinfahrt hat deshalb dreizehn Stunden gedauert – autsch. Und mit der Ankunft in der Toskana fing es an zu regnen. Eigentlich hat es zwei Wochen lang geregnet. „Total untypisch," sagten uns die Einheimischen[2]. Der Campingplatz von Mailand war plötzlich unauffindbar[3]. Auf dem Zeltplatz von Florenz hat es fast unser Zelt weggeschwemmt[4]. Und auf der Straße nach Siena hat mein Freund in seinen Motorradhelm geschrien. Da sind wir nach Pisa gefahren, wo sich lauter Menschen in lustiger Pose am schiefen Turm fotografieren ließen... kurz bevor der Regen wieder anfing. In Italien soll man schön Urlaub machen können. Wir fahren aber doch lieber nach Schweden, da ist das Wetter besser.

[1] place to sleep
[2] natives
[3] not to be found
[4] swept away

1. Wie sind Jeannine und Martin nach Italien gefahren?

2. Was meinst du: War die Fahrt kurz oder eher lang?

3. Geh ins Internet und schau nach, wo in Italien die Orte liegen, die Jeannine erwähnt. Beschreib kurz, wo die sind. (Tipp: Es sind fünf.)

4. Was ist in diesem Urlaub alles schief gelaufen[5]? Kreuz alle richtigen Antworten an und korrigier die falschen Aussagen!

[5] schief laufen – to go wrong

☐ Es war die ganze Zeit wunderschönes Wetter.

☐ Es gab Schwierigkeiten mit den Übernachtungsmöglichkeiten.

☐ Es regnete fast pausenlos für vierzehn Tage.

☐ Der Campingplatz von Mailand war gut ausgeschildert[6].

☐ Jeannines Freund war frustriert.

☐ In Pisa gibt es nichts Besonderes zu sehen.

☐ Das nächste Mal fahren die beiden nach Schweden.

[6] marked

5. Hattest du auch schon einmal so eine Katastrophe im Urlaub? Was ist passiert?

I. Was schlägst du vor?

Jeannine and Martin had a horrible time in Italy and so have decided to stick with going to Sweden, because they have been there before and like it there. But there are so many other places they could go instead! Maybe even your hometown? Talk to a partner and try to come up with places they would like to go, keeping in mind they like motorcycles. Here are some questions to get you started.

Kenia

Wohin sollen Jeannine und Martin gehen?
Was denkst du, wo ist das Wetter oft sonnig?

Wo wäre es schön, mit dem Motorrad zu fahren? In der Wüste? An der Küste?

Ich glaube Jeannine und Martin sollten nach Texas kommen! Hier scheint permanent die Sonne und das Essen ist fantastisch. Es gibt die besten Tacos! Und im Westen, in der Nähe von Big Bend National Park, kann man toll mit dem Motorrad fahren und die Landschaft ist wunderschön. Und es gibt keine Menschen dort, was auch manchmal schön ist.

J. Mal weg vom Alltag

Write an essay describing a trip you would love to take. What country or countries would you visit? What would you like to see and do there? What cities would you like to go to? Feel free to use info you've already started collecting in 11.3.D, and to model it on related texts in the *Lehrbuch* and the *Auf geht's!* Interactive to help you with phrases.

London, Vereinigtes Königreich

Ich möchte gerne nach Argentinien in den Urlaub fahren. Ich war noch nie in Südamerika. Argentinien ist interessant. Viele Einwohner kommen aus Europa und man spricht dort Spanisch, Italienisch und auch Deutsch. Das Land ist sehr groß. Es gibt Berge, Wälder, das Meer, Wüste, alles. Und es ist sehr schön.

Ich möchte nach Buenos Aires fahren. Die Stadt ist sehr schön und es gibt da viel zu tun. Aber ich möchte auch in den Bergen wandern. Im Westen gibt es die Anden. Sie sind sehr hoch und man kann da gut wandern und auch klettern.

Ich möchte im Dezember fahren. Da ist es Sommer in Argentinien und in den USA ist das Winter. Im Winter möchte ich warmes Wetter haben. Für mich ist Argentinien ein Erlebnisurlaub und Aktivurlaub. Strandurlaub ist nicht so interessant für mich.

Vocabulary 11.3

Nouns:

der Campingurlaub, -e	camping vacation
das Ergebnis, -se	result
das Flugzeug, -e	airplane
die Höhe, -n	height
der Lautsprecher, -	loudspeaker
der Passagier, -e	passenger
die Sicherheit, -en	security; safety
die Übernachtung, -en	overnight stay
die Wärme	warmth

Other:

draußen	outside
frustriert	frustrated
insgesamt	altogether
knapp	barely, just; scarce
plötzlich	sudden
schief	crooked

Verbs:

erwähnen	to mention
scheinen	to seem, appear
übernachten	to stay overnight
sich sonnen	to sunbathe
vorkommen	to happen; to occur

Continents and regions:

Afrika	Africa
die Antarktis	Antarctica
Asien	Asia
Australien	Australia
Europa	Europe
die Karibik	the Caribbean
Mittelamerika	Central America
der Nahe Osten	the Middle East
Nordamerika	North America
Südamerika	South America

11.3 More two-way prepositions

In Unit 6, you learned about two-way prepositions. Such prepositions take either the accusative case or the dative case, depending on whether they refer to movement (usually accusative) or location (usually dative). These two-way prepositions are:

an	at; up to		*über*	over; above
auf	on top of; up; onto		*unter*	under
hinter	behind		*vor*	in front of
in	in; into		*zwischen*	between; in between
neben	next to			

German also has many verbs that take a specific preposition. Since these combinations of verb and preposition are not always logical, they have to simply be memorized. These include, for example:

an:	**denken an + Akk.**	to think of something / someone
	arbeiten an + Dat.	to work on something
auf:	**warten auf + Akk.**	to wait for something / someone
	sich freuen auf + Akk.	to look forward to something / someone
in:	**sich verlieben in + Akk.**	to fall in love with someone
über:	**sprechen über + Akk.**	to talk about something / someone
	sich freuen über + Akk.	to be excited about something / someone
vor:	**Angst haben vor + Dat.**	to be afraid of something / someone

To round things off, we would like to add two more important idiomatic expressions with prepositions (even if not with a two-way preposition). These are:

*Ich bin **zu Hause**.*	I'm at home.
*Ich gehe **nach Hause**.*	I'm going home.

A. Culture shock   Evelyn is talking to Marco about the culture shock she experienced when she first visited the United States. Circle the prepositions.

Marco: Sprichst du gerne über deine Zeit in den USA? Hat es dir gefallen?

Evelyn: Auf jeden Fall denke ich gern an meine Zeit in Amerika zurück. Ich hatte mich nämlich auch in jemanden verliebt und alles war somit toll. Unter uns gesagt[1], hatte ich zuerst einen richtigen Kulturschock. Jetzt aber verstehe ich vieles besser. Am Anfang jedoch hatte ich richtig viel Angst vor den Sachen[2], die man in Filmen über Amerika sieht: Waffen[3] und das Übergewicht[4] zum Beispiel!

[1] *between you and me* [2] *things* [3] *guns* [4] *obesity*

B. Case practice   Mark (X) the cases of the prepositions in the idiomatic phrases below. Look at the usage of the phrases in Exercise A for help.

	accusative	*dative*			*accusative*	*dative*
1. **über** etw. / jmdn. sprechen	☐	☐	4. **unter** uns gesagt	☐	☐
2. **an** etw. / jmdn. denken	☐	☐	5. Angst **vor** etw. / jmdm. haben	☐	**X**
3. sich **in** jmdn. verlieben	☐	☐	6. **zum** Beispiel	☐	☐

C. Culture shock II   Marco and Evelyn continue their discussion about *Kulturschock*. Circle the prepositions.

Marco: Später ging es dir dann aber besser, oder?

Evelyn: Ja. Auf jeden Fall. Am Anfang habe ich nur auf E-Mails aus Deutschland gewartet. Jeden Tag habe ich auch an meiner Magisterarbeit[5] gearbeitet. Deswegen hatte ich kaum Freunde. Glücklicherweise bestand meine Mitbewohnerin auf[6] gemeinsame Unternehmungen[7]. Dabei habe ich viele Leute kennengelernt und auch meinen Freund. Ich hatte mich sofort in ihn verliebt! Im Nachhinein[8] freue ich mich echt über den Nachdruck[9] meiner Mitbewohnerin. Ich freue mich jetzt schon auf unser Wiedersehen im Sommer.

[5] *Master's thesis* [6] bestehen auf – *to insist on*
[7] *shared activities* [8] *in retrospect* [9] *pressure*

D. Case practice II   Mark (X) the cases of the prepositions in the idiomatic phrases below. Look at how the phrases are used in Exercise C for help.

	accusative	*dative*			*accusative*	*dative*
1. **auf** etw. / jmdn. warten	☐	☐	4. sich verlieben **in** jmdn.	☐	**X**
2. **an** etw. arbeiten	☐	☐	5. sich **auf** etw. / jmdn. freuen	☐	☐
3. **auf** etw. bestehen	☐	☐	6. sich **über** etw. freuen	☐	☐

E. Going back   Evelyn is talking about visiting the US again. Fill in the blanks with the correct two-way prepositions.

an   auf   in   über   unter

Marco: Da wir schon _____ die USA sprechen: Willst du irgendwann einmal zurück?

Evelyn: Gerade arbeite ich _____ meiner Doktorarbeit[10]. Aber Cindy, meine Mitbewohnerin aus den USA, besteht _____ meiner Wiederkehr[11]. Ich habe mich so _____ den amerikanischen Lebensstil verliebt. _____ uns gesagt, würde ich sofort in die USA ziehen!

[10] *doctorate* [11] *return*

11.4 Richtung USA

Culture: Reactions to the USA
Vocabulary: Types of vacations
Grammar: Relative clauses

A. Urlaub in den USA   Choose one city or region in the USA for each type of *Urlaub* below and write two sentences on what tourists can do there.

Aktivurlaub   *Bryce Canyon, Utah.* Man kann da sehr gut wandern. Es ist sehr schön, aber es gibt viele Touristen.

Erlebnisurlaub

Badeurlaub

Kultururlaub

Aktivurlaub

B. Wo macht man das?   Talk with others in class about your choices in 11.4A.

Wo kann man in den USA einen Erlebnisurlaub machen?

C. Marinkos Amerikareise   Marinko (*Kroatien*) describes a trip to the USA. Read the text and answer the questions.

Das war eine schöne Zeit. Das war, denke ich mal, vor vier Jahren. Da waren wir dreieinhalb Wochen in Amerika. Wir haben uns ein Auto gemietet. Und da haben wir halt so eine Tour gemacht nach Anaheim, dann Richtung Disneyland und Zion National Park, der Grand Canyon, Sedona und Phoenix, Yuma, nach San Diego und wieder zurück nach San Francisco. Das war eine sehr große Tour und ein sehr großes Erlebnis. Kalifornien hat mir sehr gefallen, also, das Land ist wunderschön. Wir waren auch da zu Besuch bei jemandem. Die Leute sind auch sehr nett, muss man auch sagen. Auf jeden Fall war das sehr schön. Mir hat's sehr gut gefallen. Allein von der Natur her gesehen. Der Grand Canyon ist mir seitdem in Erinnerung geblieben.

Haus im Queen-Anne-Stil, Mississippi

Stimmt das oder nicht?

1. Marinko ist allein gefahren.

2. Marinko war einen Monat in den USA.

3. Marinko war in Utah.

4. Marinko findet die Amerikaner freundlich.

5. Marinko hat ein Auto gemietet.

6. Marinko hat den Grand Canyon leider nicht besucht.

7. Marinko hat Freunde in den USA besucht.

8. Marinko findet die Natur im Südwesten der USA sehr schön.

D. Neuengland entdecken   Read the following travel brochure text on New England and answer the questions that follow.

Wenn man hier in Deutschland an die USA denkt, fällt einem vieles ein: der Wilde Westen, Kalifornien, Disney World, New York City, der Grand Canyon oder vielleicht die Niagarafälle. Es gibt aber noch viel mehr als diese bekannten Ziele zu entdecken.

Neuengland ist der europäischste Teil der USA. Vielleicht deswegen finden viele Europäer es so schön dort. Landschaft, Klima und Vegetation Neuenglands sind fast wie in Europa. Aber Neuengland ist auch eine historische Gegend mit dem Staat Massachusetts, wo vor fast 400 Jahren die Mayflower mit den Pilgervätern an Bord landete. Auch gibt es Boston, wo die berühmte Tea Party stattfand. Neuengland wird auch als die Wiege[1] der USA bezeichnet.

Daneben ist Neuengland auch heute noch die Region der Colleges und Universitäten. Neben den beiden wohl berühmtesten Universitäten Harvard in Massachusetts und Yale in Connecticut, gibt es eine große Anzahl weiterer kleiner und großer Universitäten, die im ganzen Land bekannt sind.

Neuengland ist so groß wie Österreich und Portugal zusammen. Trotzdem ist es ganz klein im Vergleich zu dem ganzen amerikanischen Kontinent. Im Indian Summer haben die Wälder Neuenglands wunderbare Farben, aber auch zu anderen Jahreszeiten ist diese interessante Region unbedingt[2] eine Reise wert.

[1]   *cradle*
[2]   *definitely*

Point Judith Light, Rhode Island

Cape Cod, Massachusetts

1. Was wollen Deutsche sehen, wenn sie nach Amerika kommen?

2. Sind diese Orte für dich auch interessant? Hast du sie schon besucht?

3. Warum mögen viele Deutsche Neuengland?

4. Welche Stadt ist wegen ihrer Geschichte oft beliebt?

5. Was kann man alles in Neuengland sehen?

E. Marinas Amerikareise   Read Marina's (Hildesheim, DE) description of a trip she took to the US; then answer the questions. They will later be used as a basis for discussion.

Wir haben von Chicago sechzehn Staaten durchquert mit einem *recreation vehicle*. Also, wir haben in Chicago angefangen, dann sind wir bis nach Louisiana runtergefahren, New Orleans und dann sind wir durch Texas, New Mexico, Utah bis nach Las Vegas, dann sind wir hoch bis nach Montana gefahren und dann durch Wyoming. Dann sind wir einfach wieder zurück nach Chicago gefahren und von da wieder geflogen. Sechs Wochen waren wir da.

Ich fand die Landschaft beeindruckend[1]. Was mich, ehrlich gesagt, sehr überrascht[2] hat, waren die Leute. Ich war ganz fasziniert von der Freundlichkeit und Offenheit und Hilfsbereitschaft der Amerikaner. Ich hatte vorher ziemlich viele Vorurteile, weil ich gedacht habe, ich gehe lieber nach England eigentlich oder ich mag Engländer lieber, und ich war aber ganz begeistert von den Amerikanern, die wir da kennen gelernt haben.

Wir hatten ständig Pannen mit unserem Wohnwagen, zum Beispiel, und da haben wir ganz nette Leute getroffen. Wir sind dann zur Werkstatt gefahren. In Deutschland muss man Tage warten, bis man überhaupt drankommt[3], und uns ist das öfter passiert, dass wir sofort drangekommen sind. Sie haben das repariert und noch nicht mal Geld dafür haben wollen, sondern sie haben gesagt, sie finden das toll, wenn junge Leute rumreisen, und dass es ihnen ein Vergnügen[4] gewesen ist, uns zu helfen. Sie waren auch sehr hilfsbereit und einfach freundlich.

Arizona

Ich habe einfach jetzt ein gutes Bild von Amerikanern, was vorher nicht der Fall war. Außerdem mochte ich vorher den Akzent überhaupt nicht, die amerikanische Sprache hat mir nicht so gut gefallen, weil ich eher so dieses britische Englisch mochte. Und das ist jetzt aber auch anders. In Louisiana, zum Beispiel, finde ich es ganz toll, wie sie sprechen.

[1]   *impressive*
[2]   überraschen – *to surprise*
[3]   dran kommen – *to have your turn*
[4]   *pleasure*

1. Wie sind Marina und ihre Freunde durch Amerika gereist? Mit welchem Verkehrsmittel? Ist das eine typische Art, Amerika zu sehen?

2. Was haben sie alles gesehen?

3. Wie lange war die Reise?

4. Richtig oder falsch: Vor der Reise fand sie die Engländer netter und britisches Englisch schöner.

5. Richtig oder falsch: Nach der Reise fand sie die Engländer immer noch netter und britisches Englisch immer noch schöner.

6. Den Akzent welcher Region findet sie jetzt schön? Was meinst du? Mögen viele Amerikaner diesen Akzent? Womit verbindet man (stereotypisch) diesen Akzent?

6. Welches Problem hatten sie oft während der Reise?

7. Was sagt Marina über Mechaniker in Deutschland im Vergleich zu Mechaniker in Amerika?

8. Was ist an dieser Aussage über Mechaniker problematisch? Bekommt Marina ein akkurates Bild von Amerika?

Reflection: As we can see in the text, travels can let us get to know a new country, but also often give us a false sense of understanding a place without realizing that we are missing context or are being treated differently precisely because we are tourists – seen in Marina's statement about mechanics not charging for repairs, which of course isn't the norm for Americans. The reality is that getting your car repaired is probably quite similar in the US and Germany, and Marina's experience is an outlier. As they say, the plural of anecdote is not data!

F. Vorurteile abbauen

In your best German, write 6-8 sentences about an experience that helped you change some of your previously held notions about a particular region or group for the better. Keep it simple but clear.

Yosemite, Kalifornien

Ich habe gedacht, dass...	*I thought that...*
Ich war schon einmal in...	*Once I was in...*
Ich habe jemanden kennen gelernt, der...	*I met someone who...*
Ich habe gelernt, dass...	*I learned that...*

Ich komme aus Kalifornien. Ich habe gedacht, die Leute im Mittleren Westen sind nicht sehr intelligent. Nur die Leute an der Westküste und an der Ostküste waren modern. Und sie reden komisch da, habe ich gedacht. Aber ich war mal in Madison und habe da viele Leute kennen gelernt. Die Leute in Madison waren wirklich nett und intelligent. Sie lesen Zeitungen und Bücher. Sie studieren. Sie wissen auch viel über die Welt. Und sie sind viel netter und freundlicher als die Kalifornier. Jetzt habe ich ein positives Bild vom Mittleren Westen.

Vocabulary 11.4

Nouns:		*Verbs:*	
der **Aktivurlaub**, -e	active vacation	**Angst haben vor** [+ **Dat.**]	to be afraid of
der **Badeurlaub**, -e	beach vacation	**arbeiten an** [+ **Dat.**]	to work on
der **Bildungsurlaub**, -e	educational vacation	**auffallen** [fällt auf]	to be noticeable
der **Erlebnisurlaub**, -e	adventure vacation	**baden**	to bathe; to go swimming
die **Freiheit**, -en	freedom	**beten**	to pray
der **Gegensatz**, ¨-e	contrast; opposite	**betreuen**	to look after
der **Kultururlaub**, -e	cultural vacation	**durchqueren**	to cross through
der **Pauschalurlaub**, -e	all-inclusive vacation	**einfallen** [fällt ein]	to occur to
das **Reiseziel**, -e	travel destination	**sich entspannen**	to relax
das **Vorurteil**, -e	prejudice	**entdecken**	to discover
das **Ziel**, -e	destination; goal	**erleben**	to experience
		faulenzen	to do nothing; to take it easy
Other:		**schmecken nach** [+ **Dat.**]	to taste like
angenehm	pleasant	**träumen von** [+ **Dat.**]	to dream about
lustig	fun; funny	**wissen von** [+ **Dat.**] [weiß von]	to know about
wert	worth		

11.4 Relative clauses (receptive)

Pronouns are small words that take the place of nouns. Examples are "I", "she", or "we" in English, or *du, sie,* or *wir* in German. Relative pronouns introduce relative clauses by connecting two sentences about the same noun. The relative clause provides additional information about the noun from the main clause.

For example, let's start with two independent sentences with the same noun: 'That is a professor. I know her.' The first sentence here introduces a noun (professor), and the second refers back to it with a personal pronoun (her). We can combine these sentences into one using a relative pronoun: 'That is a professor who(m) I know.' In fact, in English, you can often omit the relative pronoun completely: 'That is a professor I know.'

German relative pronouns look very much like the definite articles (e.g., *der, die, das*) and use the same system you know of gender, number and case. Unlike English, you have to use a relative pronoun when combining two sentences. You don't have the option of omitting them! Take a look at this chart for the relative pronouns in the nominative case:

	Masculine	**Feminine**	**Neuter**	**Plural**
Nominative case	der	die	das	die

Here are two independent sentences that are combined with a relative pronoun in the nominative case:

> *Die Reise war das Geld wert.* **Sie** *war ein tolles Erlebnis.*

> *Die Reise,* **die** *ein tolles Erlebnis war, war das Geld wert.*

In this example, the nominative feminine pronoun *sie* in the second sentence becomes its relative pronoun equivalent *die*. The verb in the second sentence (*war*) is moved to the end of the relative clause. Notice that the entire relative clause (*die ein tolles Erlebnis war*) is set off by a comma at the beginning and one at the end of the clause.

The important thing to remember with relative pronouns is that they require two pieces of information: the gender and the case of the nouns they relate back to. The gender comes from the noun itself: if a noun is feminine, then the relative pronoun must be feminine as well. And if the noun is plural, then its relative pronoun is also plural.

The case for a relative pronoun is determined by how the noun it represents is functioning in the RELATIVE clause, not the main clause. In the nominative case, the noun is still a subject:

> *Das ist der Dozent,* **der** *viele Kurse unterrichtet.*   That's the lecturer **who** teaches many courses.

Relative pronouns can be in any of the four cases in German. Here is what they all look like in one table:

	Masculine	**Feminine**	**Neuter**	**Plural**
Nominative	der	die	das	die
Accusative	den	die	das	die
Dative	dem	der	dem	denen
Genitive	dessen	deren	dessen	deren

Use the accusative forms for direct objects or after a preposition that requires the accusative:

*Das ist mein Hund. Ich mag **ihn** sehr.*	*Das ist mein Hund, **den** ich sehr mag.*
*Das ist mein Hund. Ich kaufe Hundefutter **für ihn**.*	*Das ist mein Hund, **für den** ich Hundefutter kaufe.*

Relative pronouns for the dative are very much like the dative definite articles (*dem, der, dem*), with the exception of *denen*.

*Das ist mein Vater. Ich schenke **ihm** ein Buch.*	*Das ist mein Vater, **dem** ich ein Buch schenke.*
*Das sind junge Kinder. Ich spiele oft **mit ihnen**.*	*Das sind junge Kinder, **mit denen** ich oft spiele.*

As the genitive case indicates possession, genitive relative pronouns replace possessive articles like *mein*, *ihr*, or *sein*, and they translate to 'whose' in English. With the genitive relative pronouns *dessen* and *deren*, you only need to know the gender of the noun they refer to. You don't have to think about how the noun in the relative clause functions (subject, direct object, or indirect object) because genitive relative pronouns don't change according to case:

*Das ist der Mann, **dessen Hund** hier spielt.*	That's the man whose dog plays here. (subject)
*Das ist der Mann, **dessen Frau** ich beschrieb.*	That's the man whose wife I described. (dir. object)
*Das ist der Mann, **dessen Kindern** ich helfe.*	That's the man whose children I help. (ind. object)

The last type of relative pronoun to familiarize yourself with is *was*. Use this relative pronoun when referring to certain types of sentence elements, such as indefinite pronouns:

alles	everything	**folgendes**	the following	**nichts**	nothing
einiges	some things	**irgendwas**	anything	**vieles**	lots; a lot
etwas	something	**manches**	many a (thing)	**weniges**	few things

In this example, *was* relates to the indefinite pronoun *alles*:

***Alles**, **was** noch von Bedeutung war, wurde zerstört.*	Everything that meant something was destroyed.

The trick here is not to translate from English into German in your head, because the two are fundamentally different. When referring to an indefinite pronoun, use *was*. Save the relative pronoun *das* for actual neuter nouns.

When *das* replaces a noun mentioned previously (that, this, what in English), then *was* will be the relative pronoun:

*Ich kann **vieles** auflisten, **was** ich an dir mag.*	I can list many things that I like about you.
*Ich widerspreche **dem**, **was** die Politiker gesagt haben.*	I disagree with what the politicians said.

The relative pronoun *was* is also used when there is no word or phrase named:

*Ich weiß nicht, **was** du willst.*	I don't know what you want.

A. Relativpronomen   Underline the nominative relative pronoun in each sentence that refers back to the noun in bold.

Der **Bundesstaat** Texas, der im Südwesten der USA liegt, ist größer als viele europäische Länder! Dieser **Bundesstaat**, der viele verschiedene Kulturen beinhaltet, ist ein faszinierender Urlaubsort. Im Süden gibt es zum Beispiel San Antonio, eine **Stadt**, die unglaublich multikulturell und schön ist. Die **Sonne**, die immer scheint, gibt den Bewohnern einen Grund dafür, oft draußen zu sein. Die **Natur**, die man hier findet, besteht aus Seen, Flüssen, Bergen und Wüste. Die **Kakteen**, die überall sind, kann man auch essen. Die **Frühstücktacos**, die man hier findet, sind die besten in ganz Amerika.

B. im Nominativ   Fill in the relative pronoun in the nominative case (*der, die, das*) that best completes each sentence.

1. Der Grand Canyon, _____ in Arizona ist, ist ein beliebtes Reiseziel der Deutschen.

2. Reisende, _____ nach Amerika kommen, wollen oft Neuengland oder den Südwesten sehen.

3. Die Mojave-Wüste, _____ für Europäer ein besonderes Erlebnis ist, sollte man im Sommer lieber nicht besuchen, da es dort sehr heiß wird.

4. In der Stadt New Orleans, _____ am Golf von Mexiko liegt, hört man ab und zu immer noch französisch.

5. Als Tourist muss man vor dem Hollywood-Schild, _____ in Los Angeles ist, ein Selfie machen.

C. im Akkusativ   Fill in the relative pronoun in the accusative case (*den, die, das*) that best completes each sentence.

1. Der Grand Canyon, _____ ich in im Frühling besucht habe, ist wirklich beeindruckend.

2. Chicago ist eine Stadt, _____ viele gut kennen.

3. Der Zug, _____ man von Miami nach New York nehmen kann, fährt durch viele verschiedene Landschaften.

4. Die Küstenlandschaft in Oregon, _____ mir am besten gefällt, ist wunderschön.

5. Der Big Bend Nationalpark ist der Park, _____ ich am besten kenne.

D. im Dativ   Fill in the relative pronouns in the dative case (*dem, der, denen*) that complete each sentence best.

1. Eine Stadt, in _____ Verwandte von mir leben, ist Omaha.

2. Mein Bruder, mit _____ ich als Teenager oft verreist bin, wohnt jetzt in Kalifornien.

3. Der Markt in North Carolina, auf _____ es die schönsten Blumen gibt, ist immer belebt.

4. Meine Freundin, mit _____ ich unglaublich gerne reise, hat schon viel von Amerika gesehen.

E. Was ich über die USA weiß   Now it's your turn! Using the sentences above as a model, write a few sentences about your favorite places in the US, using relative pronouns.

Entspannen am Wörther See   Pörtschach, Österreich

This list shows the communication goals and key cultural concepts presented in Unit 11 *Reisen*. Make sure to look them over and check the knowledge and skills you have developed. The cultural information is found primarily in the Interactive, though much is developed and practiced in the print *Lernbuch* as well.

I can:

- [ ] indicate locations I am traveling to
- [ ] describe my typical summer vacations
- [ ] talk about my volunteer activities (if any)
- [ ] describe my ideal vacations
- [ ] describe my actual vacations
- [ ] describe trips I have taken
- [ ] recognize a relative pronoun when I see one

I can explain:

- [ ] when to use *nach, zu, in* and *auf* to express where I'm going
- [ ] *die Ferien* vs. *der Urlaub*
- [ ] *Sommerferien*, duration, scheduling in different *Bundesländer*
- [ ] breaks that schoolchildren in Germany receive
- [ ] average vacation time for a full-time worker in Germany
- [ ] minimum vacation time for workers in Germany
- [ ] *Sommerurlaub* and *Winterurlaub*
- [ ] budget vacation destination
- [ ] popular countries in Europe for German vacationers
- [ ] associations Germans have with Mallorca in Spain
- [ ] *die Schlager*
- [ ] *Erlebnisurlaub*
- [ ] *Badeurlaub*
- [ ] *Bildungsurlaub*
- [ ] *Kultururlaub*
- [ ] *Aktivurlaub*
- [ ] *Pauschalreise (Vollpension, Halbpension)*

Unit 12 Erinnerungen

Nationalpark Sächsische Schweiz   Sachsen, DE

Unit 12 *Erinnerungen*

In Unit 12 you will learn about the last 100 years of German history, focusing especially on the period following WWII. You will also learn about East Germany (1949-1990) and the lingering differences that still exist in the former East German areas. Finally, you will have time to reflect on your German and cultural learning with *Auf geht's!* and compare it to the experiences of Germans studying abroad.

Below are the cultural, proficiency and grammatical topics and goals:

Kultur	*Grammatik*
NSDAP	12.1 Subjunctive with *würde*
Vergangenheitsbewältigung	12.2 *Hätte / wäre /* modals
Nachkriegszeit	12.3 Subjunctive with *wenn*
DDR	12.4 Passive: *wird* and *wurde*
Cultural learning	

Kommunikation

Describing important events

Describing personal change

Expressing opinions about historical events

12.1 Nach 1945

> Culture: Germany and WWII
> Vocabulary: Descriptions of history
> Grammar: Subjunctive with *würde*

A. Ein turbulentes Jahrhundert

Read the timeline of major European and international events from 1914 until the present. Using your *Allgemeinwissen*, information from *Auf geht's!* and internet resources, write the year that each event took place. Once you have figured out the years, answer the questions.

Franz Ferdinand, der österreichisch-ungarische Thronfolger[1], wird am 28. Juni in Sarajevo erschossen[2] und der 1. Weltkrieg beginnt – *Frage: In welchem Land liegt Sarajewo?*

die USA treten in den Krieg ein[3]; in Russland beginnt die Oktoberrevolution – *Frage: Was endet durch die Oktoberrevolution?*

am 11.11. um 11 Uhr endet der 1. Weltkrieg; Bilanz dieses Krieges: 17 Millionen Tote; Deutschland unterschreibt den Versailler Vertrag – *Frage: Wo ist Versailles?*

Frauen dürfen in Deutschland zum ersten Mal wählen – *Frage: Seit welchem Jahr gibt es das Wahlrecht für Frauen in Amerika?*

die Welt versinkt in einer finanziellen Krise – *Frage: In welcher Stadt ist die deutsche Börse?*

Hitler wird deutscher Reichskanzler am 30. Januar – *Frage: In welchem Land wurde Hitler geboren?*

in Nürnberg werden die sog.[4] Rassengesetze beschlossen; Tausende von deutschen Juden verlieren ihre Menschenrechte – *Frage: In welchem Bundesland ist Nürnberg?*

in der Nacht brennen unzählige Synagogen, sowie Geschäfte und Privathäuser von Juden in der Pogromnacht – *Frage: In welcher Stadt steht Deutschlands größte Synagoge?*

deutsche Soldaten marschieren am 1. September beginnt der 2. Weltkrieg – *Frage: In welches Land marschieren deutsche Soldaten zuerst ein?*

Nazi-Deutschland baut das KZ Auschwitz im heutigen Polen, wo ca. 1,1 Millionen Menschen ermordet werden – *Frage: Wie viele Juden ungefähr wurden zwischen 1933 und 1945 ermordet?*

Deutschland greift Russland am 22. Juni an[5] und die Japaner Pearl Harbor am 7. Dezember – *Frage: Wer hatte damals in Russland die Macht?*

amerikanisches und britisches Militär bombardieren Dresden vom 13. bis 15. Februar; diese alte Barockstadt wird komplett zerstört[6] – *Frage: Wo liegt Dresden?*

Nazi-Deutschland kapituliert bedingungslos[7] und wird durch die Alliierten vom Faschismus befreit[8]; Bilanz dieses Krieges: 72 Millionen Tote (Soldaten und Zivilisten)

die Deutsche Demokratische Republik (DDR) und die Bundesrepublik Deutschland (BRD) werden gegründet – *Frage: Welcher deutsche Staat wurde zuerst in diesem Jahr gegründet?*

die Berliner Mauer wird gebaut – *Frage: Wie viele Kilometer lang war die Mauer um Westberlin herum?*

die Berliner Mauer fällt am 9. November – *Frage: Wie viele Jahre lang stand die Berliner Mauer?*

Berlin wird wieder deutsche Hauptstadt – *Frage: Was war die westdeutsche Hauptstadt vor Berlin?*

mit Angela Merkel wird zum ersten Mal eine Frau Bundeskanzlerin von Deutschland – *Frage: In welchem Land ist Merkel aufgewachsen?*

---

[1] *heir to the throne*
[2] erschossen werden – *to get shot*
[3] eintreten – *to enter*
[4] sog. – *abbreviation for* "sogenannt" – *so-called*
[5] angreifen – *to attack*
[6] wird zerstört – *is being destroyed*
[7] *unconditionally*
[8] wird befreit – *is freed*

B. Eine Scheibe Brot

Frau Löwenstein (Wuppertal, DE) talks about her experiences at the end of WWII. Read the text and answer the questions that follow.

Als der Krieg zu Ende ging, war das sehr interessant. Die Amerikaner durchforsteten die Wälder[1], weil sich manche deutschen Soldaten darin versteckt[2] hielten, die dann weggelaufen waren. Und da kam zum Beispiel einer mal, der hatte furchtbare Angst und fragte bei uns, klingelte und fragte, ob er ein Stück Brot haben könnte. Und wir waren drei Personen, wir hatten nur zwei Stückchen Brot noch für uns selber. Und ein bisschen Mehl. Und ich sagte, wir hätten selber nichts und hatten auch Hunger. Und da sagte meine Mutter: „Wir haben zwei Stück. Da können wir eine Scheibe abgeben." Und wir drei haben uns die andere Scheibe geteilt. Und meine Mutter hat gesagt: „Wir haben noch etwas Mehl. Ich koche uns eine Mehlsuppe."

Das war aber kein sauberes Mehl, das war sogenanntes Aufkehrmehl[3]. Ein Verwandter half in einem Lager mit, wo Mehl abgeladen[4] wurde. Wenn die Säcke hingestellt wurden, da fiel Mehl durch, wenn die Säcke nicht ganz dicht[5] waren. Und dann konnten die Arbeiter sich das Mehl aufkehren und mitnehmen. Und der hat uns

1   *to comb the woods*
2   versrecken – *to hide*
3   aufkehren – *to sweep up*
4   abladen – *to unload*
5   *sealed*

Nürnberg

solches Mehl, eine Tüte voll, mitgebracht. Das war, nachdem wir dem Soldaten eine Scheibe Brot mitgegeben haben. Und ein paar Tage später haben wir eine Brotmarke[6] gefunden für ein Pfund Brot. Das sind Dinge, die man nie vergisst. Wir sind immer wieder beschenkt[7] worden, wenn wir von unserem Bisschen, was wir hatten, abgegeben hatten. So war das.

6   Marke – *(food) stamp*
7   *to give a gift*

1. Vor wem haben sich die deutschen Soldaten im Wald versteckt?

2. Wie ist der deutsche Soldat, der zu den Löwensteins kommt?

3. Essen und besonders Brot ist ein wichtiger Teil von Frau Löwensteins Geschichte. Gab es in der Familie genug Essen?

4. Was hat die Mutter von Frau Löwenstein gekocht?

5. Warum hatte der Verwandte von den Löwensteins Mehl?

6. Was haben die Löwensteins gefunden?

7. Frau Löwenstein glaubt, man soll anderen Menschen etwas geben, auch wenn man selbst nicht viel hat. Warum denkt sie das vielleicht?

C. Krieg im Film

In small groups discuss films about WWII (or other wars, if you wish) that you have seen and comment on how "realistic" you find them to be. Here is a list of film titles and ideas to get you started.

Der Vorleser (2008)

Inglourious Basterds (2009)

Unbroken (2014)

Dunkirk (2017)

Darkest Hour (2011)

Ruin (2018)

Der Film [Titel] ist (un)realistisch; kitschig; zu dramatisch; zu kurz/lang.
Die Charaktere sind überzeugend[1]; übertrieben[2]; wahrheitsgetreu[3].
Die Handlung ist spannend; langweilig.

[1] *convincing*   [2] *exaggerated; over the top*   [3] *true to life*

D. Kriegszeit in Kassel

Frau Kropp (Warburg, DE) remembers her experiences of wartime in Kassel. Read the texts and note in each box at least four associations Frau Kropp has with *Kriegszeit* and *nach dem Krieg*.

1942 bin ich nach Kassel gekommen und ich habe in Kassel alle Angriffe miterlebt. Und habe den Krieg Gott sei Dank ohne Hunger überlebt[1]. Und 1943 in der Bombennacht haben wir alles verloren. Wir haben die Nacht an der Fulda[2] verbracht und am nächsten Morgen kamen die Aufklärer[3] und die haben alles fotografiert, Tote, Lebendige, legten wir alle in eine Reihe. Und dann sind wir zu Verwandten gekommen, nicht weit von Kassel. Die ersten sechs Wochen konnte ich abends nicht alleine auf die Straße gehen, da kriegte ich eine Gänsehaut[4]. Weil die Flieger abends über das Dorf brummten, haben wir immer im Keller geschlafen. Es ist nichts passiert, aber wir hatten immer Angst. Ja, es war nicht so einfach.

Kriegszeit

Und 1945 sind wir zurück nach Kassel gekommen, da haben wir in der Schanzenstraße im letzten Haus gewohnt. Und dann kamen die Amerikaner. Dann mussten wir das Haus verlassen und haben über den Sommer in der Baracke gewohnt. Aber die Amerikaner, die haben uns auch viel gebracht. Der Kommandant war ein Jude, der mochte die Deutschen nicht leiden, aber ein Peter, der stellte[5] uns abends heimlich[6] Büchsen[7] mit Essen und Fleisch vor die Tür und das haben wir uns dann geholt. Ganz heimlich, dass keiner es sah.

nach dem Krieg

[1] überleben – *to survive*
[2] *Fulda River*
[3] *scouts*
[4] *goosebumps*
[5] stellen – *to place, put out*
[6] *secretly*
[7] *cans*

E. Heimkehr

Look at the large photo by Ernst Haas, an acclaimed Austrian photojournalist. Describe the photo in several German sentences, explaining what the people in the photo are doing, what they may be thinking or feeling and what you find effective or interesting about the photo, such as the date the image was taken.

Kriegsheimkehrer   Ernst Haas, 1947   Wien, Österreich

Zug deutscher Kriegsgefangener im Oktober 1944   Aachen, Deutschland

F. Vergangenheitsbewältigung   Answer the following questions about how West Germany approached the notion of working through the fascist past of Nazi Germany (1933-1945).

1. *What do you associate with* Vergangenheitsbewältigung *(overcoming the past)?*

2. *In the case of West Germany,* Vergangenheitsbewältigung *has been an important social and political issue since World War II.*

   Which specific things from Germany's past do you suppose are key issues to be "overcome"?

G. Was ist Vergangenheitsbewältigung?   Answer the following question.

1. *Definition:*   Vergangenheitsbewältigung *is the usual German term for efforts to deal publicly with the Nazi past.* – Thomas McCarthy

2. *Definition:*   Vergangenheitsbewältigung ist *"Guilt Management".* – Thomas Kniesche

3. *Definition:*   Vergangenheitsbewältigung ist *"The Politics of Memory".* – *unknown*

Questions: When and how much do you hear about "dealing with our past" or "facing up to our national guilt and responsibilities" in the North American context? Which things from its past should North Americans deal with?

H. Stolpersteine in Europa

In 1997, the German artist Gunter Demnig (born 1947) installed the first so-called *Stolperstein*, literally meaning "stumbling block", a stone that you trip over or that trips you. Take a look at the photos and also read the text below about this art project across Europe. Then answer the questions.

Bevor du den Text liest, sprich mit einem Kommilitonen über deine Reaktion, wenn du stolperst. Stolpern heißt *„to stumble"* oder *„to trip."* Was macht man automatisch, wenn man stolpert? Wohin schaut man?

Seit 1992 installiert der deutsche Künstler Gunter Demnig seine Stolpersteine in europäischen Städten. 2018 gibt es über 60.000 Steine in 21 europäischen Ländern und es kommen jedes Jahr mehr dazu. Diese Stolpersteine sind ein Denkmal[1] im Kleinen. Jeder Stolperstein erinnert an die letzte Wohnung oder Arbeitsstätte eines Menschen, den die Nationalsozialisten ermordet oder deportiert hatten. Wir können den Namen lesen, das Geburtsdatum, manchmal das Datum der Deportation bzw.[2] der Ermordung und den Ort. Diese Stolpersteine sind ein wichtiger Teil der Erinnerungskultur und der Vergangenheitsbewältigung in Deutschland und Österreich.

---

[1] *memorial*
[2] bzw. *is a common abbreviation in German:* beziehungsweise – *as the case may be*

1. Wie heißt der Künstler, der die Stolpersteine konzipierte?

2. In welchem Jahr wurde der erste Stolperstein gelegt?

3. Wie viele Stolpersteine gibt es mittlerweile?

4. An wen erinnert jeder Stolperstein?

5. Warum sind diese Denkmäler im Kleinen wichtig?

I. Ein Tag der Befreiung

On May 8, 1985, Richard von Weizsäcker, President of West Germany at the time, gave a formative speech to commemorate the end of WWII 40 years earlier. Read the following excerpt from it and answer the questions that follow.

Viele Völker gedenken[1] heute des Tages, an dem der Zweite Weltkrieg in Europa zu Ende ging […] – der 8. Mai 1945 ist ein Datum von entscheidender[2] historischer Bedeutung in Europa. […] Der 8. Mai war ein Tag der Befreiung. Er hat uns alle befreit von dem menschenverachtenden[3] System der nationalsozialistischen Gewaltherrschaft[4]. […] Es geht nicht darum, Vergangenheit zu bewältigen. Das kann man gar nicht. Sie lässt sich ja nicht nachträglich[5] ändern oder ungeschehen[6] machen. Wer aber vor der Vergangenheit die Augen verschließt[7], wird blind für die Gegenwart.

[1] *to commemorate*
[2] *decisive*
[3] verachten – *to despise, hate*
[4] *rule of violence*
[5] *after the fact*
[6] *something that did not happen*
[7] verschließen – *to close*

1. Geschichtlich ist der 8. Mai 1945

☐ das Ende des 2. Weltkrieges für alle Länder.

☐ der Tag der bedingungslosen[8] Kapitulation Deutschlands.

☐ ein Tag wie jeder andere.

[8] *unconditional*

2. Richard von Weizsäcker nennt den 8. Mai 1945

☐ einen Tag, an dem Deutschland triumphierte.

☐ einen Tag der Niederlage[9] für Deutschland.

☐ einen Tag, an dem Deutschland befreit wurde.

[9] *defeat*

3. Was brachte dieser Tag für alle Menschen?

☐ das Ende der nationalsozialistischen Tyrannei.

☐ den Beginn der nationalsozialistischen Tyrannei.

☐ das Ende der Befreiung.

4. Was denkt von Weizsäcker über die Vergangenheit?

☐ Man kann sie bewältigen.

☐ Man kann sie verändern.

☐ Man kann von ihr lernen.

J. Bei uns

Richard von Weizsäcker's 1985 speech reinterpreted May 8, 1945 as a day of liberation rather than defeat in the German conscience, making possible, for Germans, a reconciliation with their own past. Looking at your own country, write an essay on a historical event that you believe your country should rethink as a nation.

aus der Geschichte lernen
die Vergangenheit neu interpretieren
dankbar sein
anderen Menschen vergeben[10]
seinem eigenen Land vergeben

[10] *to forgive, pardon*

Mein Land sollte Thanksgiving/Labor Day/ den Atombombenabwurf überdenken.

Man kann viel aus der Geschichte lernen und sein Land besser verstehen.

Vocabulary 12.1

Nouns:

der Angriff, -e	attack	die Rede, -n	talk; speech
die Arbeitslosigkeit	unemployment	die Reihe, -n	row
die Auseinandersetzung, -en	argument; debate	die Rezeption, -en	reception
die Bedeutung, -en	importance; meaning	die Verantwortung, -en	responsibility
die Befreiung, -en	liberation	das Verbrechen, -	crime
die Bestrafung, -en	penalty; punishment	die Vergangenheit, -en	past
die Bevölkerung, -en	population	das Volk, ¨-er	people; nation
das Bild, -er	picture	der Widerstand, ¨-e	resistance; opposition
die Entschädigung, -en	compensation		
die Erinnerung, -en	memory; remembrance	*Other:*	
der Flieger, -	airplane	heimlich	secret
die Gegenwart	present time		
die Lehre, -n	apprenticeship; teaching	*Verbs:*	
das Mehl	flour	bewältigen	to overcome
die Nachkriegszeit	post-war period	klingeln	to ring (doorbell)
der Panzer, -	tank; armor	veröffentlichen	to publish

12.1 Subjunctive with *würde*

German, just like English, has a number of different tenses: present, past, and future. It also has different moods, namely the indicative and the subjunctive. The indicative mood presents something as an objective fact. For example: *Ich lerne Deutsch* (I am learning German). All the verb forms you have learned so far (except for the imperative) have been in the indicative mood.

In the subjunctive mood, the action or event is not presented as a fact, but instead seen as a possibility or a wish. For example: *Ich würde sofort nach Deutschland fahren, wenn ich genug Geld verdienen würde.* (I would travel to Germany right away, if I earned enough money.) German has a couple of different ways to express the subjunctive mood. The simplest option is a combination of *würden* + infinitive (at the end of the clause) as shown in the sample sentence above.

The forms of *würde* (subjunctive of *werden*) follow the same pattern as *möchte*. Here they are, with examples:

werden (subjunctive)			
ich würde	**wir** würden
du würdest	**ihr** würdet
er-sie-es würde	**(S)ie** würden

Ich würde das nicht tun.
I wouldn't do that.

Wir würden mitmachen.
We would participate.

Sie würde vielleicht mehr Geld verdienen.
She would possibly earn more money.

Würdet ihr auch kommen?
Would you guys come too?

A. Erinnerungen   Tobias' father Siegfried is telling him about growing up during WWII. Circle *würden* in all of its forms, and underline the verb that it modifies.

Tobias: Wie würdest du dein Leben während des 2. Weltkriegs beschreiben[1]?

Siegfried: Ich würde lügen[2], wenn ich nicht zugeben[3] würde, dass meine Kindheit[4] eigentlich sehr schön war. Mein Vater war im Militär und hat gut verdient. Er würde unsere Familie damals bestimmt auch als glücklich bezeichnen[5]. Aus meiner Perspektive, weil ich damals nur ein Kind war, habe ich das Leben richtig unreflektiert betrachtet[6]. Reflektiert würde heißen, dass ich die grausame[7] Realität des Krieges verstanden hätte. Das war nicht der Fall.

[1] *to describe*
[2] *to lie*
[3] *to admit*
[4] *childhood*
[5] *to refer to sth. as sth.*
[6] *to see*
[7] *cruel*

B. Conjugating würden   Mark (X) the conjugated forms of *würden* that correspond to the personal pronouns.

	würdest	würden	würdet	würde
ich	☐	☐	☐	☐
du	☐	☐	☐	☐
er–sie–es	☐	☐	☐	☐
wir	☐	☐	☐	☐
ihr	☐	☐	**X**	☐
(S)ie	☐	☐	☐	☐

C. Wie heißt das?   Translate the bolded parts of the sentences into English.

> *Example*: Etwas aus einer kritischen Perspektive betrachten, **würde heißen**... →
> *To look at something with a critical eye **would mean**...*

1. Wie **würdest du** diese Zeit **beschreiben**?   → *How   this time?*

2. Ich **würde** lügen, wenn ich **nicht zugeben** würde ... →   *be lying, if I did   ...*

3. Er **würde** dich als glücklich **bezeichnen**.   → *He   you as "happy".*

D. Changes   Tobias is asking his father how he would change his life, if he could. Fill in the blanks with the correct forms of *würden*.

Tobias: Wie   du dein Leben ändern, wenn du könntest?

Siegfried: Wenn es möglich wäre,   ich gern mit meinem Vater über diese Zeit reden.

Aber er   das Thema bestimmt ablehnen[8]. Ich schätze[9] mal, wir   uns

nur darüber streiten[10]. Er ist jetzt zu alt und es   deiner Oma auch nicht gefallen.

[8] to dismiss   [9] to guess   [10] to argue

E. Wishful thinking   The subjunctive can also be used to describe unfulfilled hopes and wishes. Write four sentences using the construction *würden + gern* in different conjugations to express such hopes and wishes for you and your family.

> *Example*: Mein Bruder würde gern ein Haus kaufen.

ein Haus kaufen   an der Uni studieren   einen Job finden   Kinder kriegen   reisen

12.2 Der Osten

Culture: *Die DDR*
Vocabulary: Terms for historical narration
Grammar: *Hätte, wäre* and subjunctive of modals

A. Die Berliner Mauer   Write three things you know about the Berlin Wall.

B. Berlin in der Nachkriegszeit   Complete the activities below.

1. *This text describes six important events in the history of Berlin since WWII. In the boxes next to each paragraph, write the year when the event occurred.*

1945   1948   1961   1989   1990   1991

Die Luftbrücke[1]. Die Sowjetunion blockiert alle Straßen von Westdeutschland nach Berlin. Die USA und ihre Alliierten transportieren elf Monate lang per Flugzeug Lebensmittel und andere Sachen nach Westberlin.

Die Hauptstadt. Im Kalten Krieg ist Bonn die Hauptstadt der Bundesrepublik Deutschland (BRD). Bonn liegt in der Nähe von Köln. Berlin ist die Hauptstadt der DDR. Aber jetzt wird Berlin wieder die Hauptstadt der Bundesrepublik Deutschland.

Aufgeteilt. Der Zweite Weltkrieg endet. Berlin und Deutschland werden in vier Zonen aufgeteilt: die britische Zone, die französische Zone, die amerikanische Zone und die sowjetische Zone.

Der Mauerbau. Die Deutsche Demokratische Republik (DDR) baut mit Unterstützung der Sowjetunion eine Mauer um Westberlin. Für die Bürger der DDR wird es schwer oder sogar unmöglich, in den Westen zu reisen. Bürger der BRD dürfen aber die DDR besuchen.

Die Wende. Die Mauer fällt und die Grenzen zur DDR werden geöffnet.

Die Wiedervereinigung[2]. Die BRD und die DDR werden ein Land.

---

[1] *air bridge*
[2] *reunification*

2. *Now go through the text again and underline or highlight every compound word like the examples to the right.*

3. *Translate the following terms into German:*

East Germany:

West Germany:

Capital of West Germany before 1990:

Cold War

> When you see a long German word, try breaking it into pieces. What do you think these mean?
>
> *Flugzeug* (flight + thing)
> *Lebensmittel* (life + means of)

C. Gründung der DDR

Read the following text on the founding of the *DDR* and its eventual downfall. Then answer the questions that follow.

Die Deutsche Demokratische Republik wurde am 7. Oktober 1949 gegründet. Die DDR verstand sich als „sozialistischer Staat der Arbeiter und Bauern", war aber de facto eine Diktatur. Anfangs wollte die DDR ein Land werden, das auf den Idealen der sozialen Gerechtigkeit und Sicherheit basiert. Aber dieser Traum wurde nicht Realität. Am 17. Juni 1953 kam es zum ersten Arbeiteraufstand[1] in Berlin gegen die unfairen Arbeitsbedingungen. Truppen der Sowjetunion beendeten diese Proteste gewalttätig[2], wobei Menschen starben. Mehr und mehr Menschen flohen daraufhin aus Ostdeutschland nach Westdeutschland. Ab 1952 wurde die deutsch-deutsche Grenze streng kontrolliert, nicht aber die Grenze zwischen Ost- und Westberlin. Deswegen baute die DDR am 13. August 1961 eine Mauer um Westberlin.

Ende 1980 gab es immer mehr Proteste und Demonstrationen gegen die politischen Verhältnisse in der DDR. Die Bürger wollten Reisefreiheit und die Abschaffung des Ministeriums für Staatssicherheit. Man muss aber daran denken, dass die Menschen für Reformen demonstrierten und nicht gegen das Ende der DDR.

Am 9. November 1989 teilte die DDR mit, dass es ab sofort Reisefreiheit gebe. Daraufhin gingen Tausende

[1] *worker revolt*
[2] *violently*

Berliner Mauermarkierung

von Berlinern zu den Grenzübergängen in Berlin und somit nach Westberlin. Man sagt also, dass die Berliner Mauer in dieser Nacht fiel.

Am 3. Oktober 1990 folgte der offizielle Beitritt der DDR zur BRD. Im Volksmund spricht man allerdings von der Wiedervereinigung Deutschlands. Aber das Deutschland von heute ist keine Mischung aus DDR und BRD, sondern nur eine große BRD.

Kreuz die richtigen Antworten an und verbessere die falschen Antworten.

☐ Die DDR wurde 1945 gegründet.

☐ Die DDR sollte ein Land der sozialen Gerechtigkeit werden.

☐ Die DDR wurde zu einer de facto Diktatur.

☐ 1949 gab es einen Arbeiteraufstand in Berlin.

☐ Die Grenze zwischen Ost-und Westberlin wurde ab 1952 stark kontrolliert.

☐ Die Berliner Mauer wurde 1949 gebaut.

☐ 1989 demonstrierten die Menschen für das Ende der DDR.

☐ Heute ist Deutschland eine Mischung aus Elementen der DDR und der BRD.

D. Einkaufen

If you were to need a new car, which of the following would be problems for you? Check all that apply!

- ☐ Ich kenne nicht die richtigen Leute.
- ☐ Ich habe kein Geld.
- ☐ Ich habe nicht genug Zeit.
- ☐ Ich weiß nicht, wo man ein Auto kaufen kann.
- ☐ Die Autos sind immer ausverkauft.
- ☐ Die Auswahl ist zu klein.

E. Einkaufen in der DDR

Read the following comments by citizens of the former *DDR*. Summarize in German what they are saying briefly in the boxes and answer the questions that follow.

Christine (Duderstadt, DE): Wenn man etwas kaufen wollte, brauchte man dazu Beziehungen. Ob man eine Million DDR-Mark auf dem Konto hatte oder nur hundert, das machte keinen Unterschied, weil man für das Geld nichts kaufen konnte. Man brauchte Leute, die man kennt, und man muss selbst etwas tun, etwas geben. Wenn man ein Haus baut, braucht man Freunde, sonst geht es nicht, um Material zu kriegen, um die Arbeitskräfte[1] zu kriegen. Das kann man nicht machen, wenn man stinkig[2] ist. Dann hat man keine Freunde. Und im Westen kann man sich es eben leisten[3], wenn man Geld hat, stinkig zu sein.

[1] *workers*
[2] stinkig sein – *to be unpleasant / unfriendly*
[3] sich etw. leisten – *to be able to afford something*

Stephanie (Erfurt, DE): Wenn man eine Schlange gesehen hat, hat man sich hinten angestellt, obwohl man nicht wusste, was es gab. Weil man dachte, es gibt irgendwas, was es sonst nicht gibt. Und auch wenn ich es nicht brauche, ich kann es irgendwie tauschen. Für exotische Sachen wie Bananen und Orangen hat man eine Stunde Schlange gestanden. Und das war rationiert, was heißt: pro Familie ein Kilo Bananen. Und das gab's vielleicht zwei- bis dreimal im Jahr. Das Einkaufen war sehr billig. Es gab nicht so viel Auswahl, aber die Grundnahrungsmittel[4] gab es.

[4] *food staples*

Stimmt das oder nicht?

1. In der DDR musste man viel Geld haben.

2. In der DDR durfte man stinkig sein.

3. Freundschaft war wichtiger als Geld in der DDR.

4. Einige Lebensmittel waren rationiert.

5. Man hat nicht oft Bananen bekommen.

6. Es gab immer genug Essen in der DDR.

F. Reisen Formulate appropriate questions. Then fill in the blanks and circle your answers.

In wie vielen Ländern bist du gewesen?

Ich bin in verschiedenen Ländern gewesen.

Ich bin in verschiedenen Bundesstaaten in den USA gewesen.

Ich reise *gern / ungern*.

Ich würde mehr reisen, wenn ich mehr *Geld / Zeit / Interesse* hätte.

G. Reisefreiheit in der DDR Reisefreiheit in der *DDR*. Read what Frau Köhrmann (Leizig, DE) has to say about traveling as a *DDR* citizen and answer the questions that follow.

Frau Köhrmann (Leipzig, DE): Also, groß reisen konnte man nicht. Nur Richtung Osten. Ich bin also in Prag gewesen. Ich bin in Polen gewesen. In Warschau auch. Aber in den Westen konnte ich nicht fahren. Mein Bruder ist 1959 weggegangen und er hatte eine Frau gehabt. Die Eltern waren damals in Westdeutschland. Und sie erwartete ein Kind und hat die Eltern besucht. Das war noch möglich. Und dann kamen sie nicht wieder und sind da geblieben.

Berlin, 1986

1. Wohin konnten die meisten DDR-Bürger reisen?

2. Wohin konnte Frau Köhrmann nicht reisen?

3. Wohin ist sie gereist?

4. Stimmt es, dass es keine Reisefreiheit gab?

5. Was findest du wichtiger: Reisefreiheit oder eine garantierte Arbeit?

6. *If you were only allowed to travel to about 50% of your home country (i.e., just the east or west, north or south), what impact would that have on your life?*

H. Der Osten heute   Read the text about differences between East and West Germany and answer the questions below.

Rügen

Wenn man an die DDR denkt, denkt man oft an die schlechten Seiten, besonders die Diktatur. Die DDR kontrollierte ihre Bürger politisch. Aber was wir auch wissen müssen, ist einfach das: das Leben in der DDR war für viele Menschen einfach normal. Der Alltag war für die meisten Menschen wie im Westen: frühstücken, zur Arbeit oder Schule gehen, einkaufen, nach Hause kommen, kochen, relaxen, im Sommer ans Meer, Ausflüge mit der Familie oder Freunden, am Wochenende wandern oder im Garten arbeiten.

Und jetzt, nach der Wende? Gibt es noch Unterschiede zwischen Ost und West? Ja.

Wenn man im ehemaligen Osten reist, ist die Freundlichkeit der Menschen noch immer präsent. Und auch die Idee, dass Geld nicht das Wichtigste auf der Welt ist. Das ist sicherlich etwas Gutes.

Und das Negative? Nach dem Krieg sprach man über Vergangenheitsbewältigung nur im Westen. Der Osten sah sich als unschuldig und hat das Thema also nie besprochen. Das Resultat? In den kleineren Städten im Osten gibt es mehr Ausländerfeindlichkeit. Natürlich stimmt das nicht in den Großstädten wie Berlin oder Leipzig, aber auf dem Land schon. Das wird politisch immer mehr zu einem Problem.

1. Was war das Negative an der DDR?

2. Wie sah der Alltag für die meisten Menschen aus?

3. Wie ähnlich war der Alltag in der DDR zu deinem Alltag?

4. Welche zwei positiven Aspekte der DDR gibt es immer noch?

5. Wurde im Osten über Vergangenheitsbewältigung gesprochen? Warum oder warum nicht?

6. Welches Problem gibt es heute im Osten, besonders auf dem Land?

I. Meiner Meinung nach

How important are these things to you? Rate the five most important things to you from the list below, with 1 being *am wichtigsten.*

die Selbstverwirklichung

die Meinungen meiner Eltern

Zusammenhalt mit Freunden

was ich über mich selbst denke

dass ich anderen helfe

dass andere mir helfen, wenn ich Hilfe brauche

allein klarzukommen

was meine Freunde über mich denken

dass ich über Studium und Beruf entscheide

soziale Sicherheit

J. Mentalität

Stephanie (Erfurt, DE) makes some observations on the difference in mentality of people who grew up in East and West Germany. Read the texts and complete the tasks that follow.

Vom Staat war alles vorgegeben[1]. Diese ganze Selbstverwirklichung[2] gab's nicht. Hier fällt mir immer auf, ich muss mich selber verwirklichen. Ich muss was werden. Ich muss das machen, was ich machen möchte. Dieses Denken gab's dort nicht, sondern man hat oft eine Ausbildung vom Staat bekommen. Das war nicht das, was man wollte, aber man hat etwas bekommen. Man hatte eine Sicherheit, aber man hatte nicht die Möglichkeit[3], sich zu verwirklichen.

[1]   *determined*
[2]   *self-actualization*
[3]   *opportunity*

DDR (Ostdeutschland)

Die Leute haben auch besser zusammengehalten[4], weil man wenig hatte. Man musste viel improvisieren und deswegen hat man zusammengehalten. Hier ist man so aufs Individuum bezogen[5]. Und dort ist man aufs Kollektiv bezogen. Und ich musste auch lernen, mit diesem Individuumsdenken klarkommen[6]. Das musste ich auch lernen. Ich hatte mich öfter über andere definiert als über mich selber. Das ist der Hauptunterschied, glaube ich.

[4]   zusammenhalten – *to stick together*
[5]   *focused*
[6]   mit etwas klarkommen – *to deal with*

BRD (Westdeutschland)

1. Wie war das Leben in der DDR im Vergleich zur BRD?

2. Wie wichtig ist das Ich-Gefühl (Individuum) und das Wir-Gefühl (Kollektiv) für dich? Welches ist wichtiger?

K. Im Rückblick

As you have learned, there were both advantages and disadvantages to life in the former *DDR*, and some of these differences still exist in modern German society.

Write an essay in German summarizing everything you have learned about the pros and cons of life in the *DDR*. Refer to the many texts in this *Thema,* as well as the *Auf geht's!* Interactive, both for content and ideas on how to construct your sentences effectively.

Das Leben in der DDR war weder nur schlecht noch nur gut. Es gab dort Vorteile und Nachteile. Es gab genug zu essen, aber es gab nicht sehr viele exotische Lebensmittel. Ein Problem war auch die Reisefreiheit, die im Prinzip nicht existierte.

Vocabulary 12.2

Nouns:

die Apfelsine, -n	orange
die Auswahl, -en	selection, variety
die Auswanderung, -en	emigration
die Erziehung, -en	education; upbringing
die Flucht, -en	flight
das Konto, -s	bank account
die Lebensmittel (pl.)	groceries
der Nachbar, -n	neighbor (male)
der Pfennig, -e	penny
das Pfund, -e	pound
die Reisefreiheit	freedom of travel
die Schlange, -n	queue, line; snake
die Tafel, -n	chalkboard; board
die Wiedervereinigung	reunification

Other:

ausverkauft	sold out
geprägt	marked
kaum	hardly, scarcely
möglich	possible
subventioniert	subsidized
unmöglich	impossible

Verbs:

aufteilen	to divide up
aufwachsen [wächst auf]	to grow up
beenden	to end
empfinden	to feel
erfahren [erfährt]	to experience; to find out
erwischen	to catch (person, train)
fehlen	to lack; to be missing
hungern	to starve
tauschen	to exchange
unterstützen	to support

12.2 *Hätte / wäre /* modals

In spoken German, *würden* + infinitive is used with most verbs, with the exception of *haben* and *sein,* to form the subjunctive. With these verbs, you should use *hätte* and *wäre,* respectively, plus the appropriate ending. Another exception is the modal verbs. At this point, you are most likely familiar with the verb *möchte* to express a polite request, as in *Ich möchte dieses Buch lesen.* (I would like to read this book.) We can now pull back the curtain to reveal that *möchte* has been the subjunctive form of *mögen* all along! Here is a helpful hint to keep in mind when using the modal verbs in the subjunctive mood: if the infinitive has an umlaut, so does the subjunctive:

dürfen → ich dürfte	(I would be allowed to)	*können → ich könnte*	(I could)
mögen → ich möchte	(I would like to)	*müssen → ich müsste*	(I would have to)

The two modal verbs without an umlaut in the infinitive are *sollen* and *wollen.* Their respective subjunctive *ich*-forms are *sollte* and *wollte.*

A. Border crossings   Gabi is reading in her childhood diary about the time she visited her aunt in the former East Germany back in 1985. Circle all of the verbs in the text.

Morgen fahren wir zu Tante Barbara. Und jetzt kommt die große Überraschung[1]! Mutti hat mich gefragt, ob ich ihr beim West-Mark[2]-Reinschmuggeln[3] helfen wollte! Sie sagte, ich sollte einfach das Geld in einem Essenskorb[4] verstecken. Oder noch schlimmer[5]: selber mitbringen, falls Mutti nicht in die DDR einreisen dürfte. Das hätte sie nicht sagen dürfen, denn jetzt habe ich Angst. Ich fragte auch gleich, ob ich Ärger[6] bekommen könnte? Sie meinte, dass alles gut gehen müsste. Ich werde es also schaffen! Mutti sagte, Dieter wäre zu klein für so eine Aktion. Kleine Brüder sind einfach nutzlos! Ich denke immer: Wie schön wäre es, wenn die Mauer nicht mehr existeren würde!

[1] *surprise*
[2] *the currency of West Germany*
[3] *to smuggle in (sth.)*
[4] *food basket*
[5] *worse*
[6] *trouble*

B. Modals in the subjunctive   The subjunctives of modal verbs look almost identical to their past tense forms; the only difference is that if there's an umlaut in the infinitive form of a modal, you keep it in the subjunctive, too. Build the subjunctive mood for modal verbs by following this rule.

Infinitive	Past tense	Subjunctive mood
können	ich konnte	ich könnte
dürfen	du durftest	
mögen	sie mochte	
müssen	er musste	
sollen	sie sollten	
wollen	wir wollten	

C. Wären and hätten   For the verbs *sein* and *haben*, the subjunctive mood = past tense + umlaut + –e. Mark (X) which subjunctive forms of *sein* and *haben* correspond to each subject.

Subjunctive of **sein**

	wärest	wäre	wären	wäret
ich	☐	☐	☐	☐
du	☐	☐	☐	☐
er–sie–es	☐	☐	☐	☐
wir	☐	☐	☐	☐
ihr	☐	☐	☐	X
(S)ie	☐	☐	☐	☐

Subjunctive of **haben**

	hättest	hätte	hätten	hättet
ich	☐	☐	☐	☐
du	☐	☐	☐	☐
er–sie–es	☐	☐	☐	☐
wir	☐	☐	☐	☐
ihr	☐	☐	☐	X
(S)ie	☐	☐	☐	☐

D. Differences   Gabi is describing some of the differences she noticed between the former West and East German cultures during her trip. Choose the best verbs to complete each pair of sentences and write them in the subjunctive.

Meine Tante   wollte   sofort ein Auto kaufen, aber ihr Name wurde nur auf eine Liste gesetzt. Meine Mutter _____ ihr Auto über die Grenze fahren, aber das wurde nicht erlaubt. **(sollen / wollen)** Meine Kusine _____ gern öfter weiße Schokolade gegessen, aber es gab diese kaum in Ostdeutschland. _____ das einfacher gewesen, hätte ich öfter welche geschickt. **(haben / sein)** Wir haben auch Jeans mitgebracht, weil meine Verwandten[10] immer gefragt haben: „_____ ihr für uns Jeans kaufen?" Wenn man an der Grenze kontrolliert wurde, hat man einfach gesagt: „_____ ich bitte diese vier Paar Jeans als Geschenke[11] mitnehmen?" **(können / dürfen)**   [10] *relatives*   [11] *presents*

E. If only things were different   Use the model to write 3 sentences in the subjunctive mood to describe what you "would do, if only…". Do not use the same modal verb or the verbs *sein* and *haben* twice.

Example: Wenn ich **älter** wäre, würde ich **in die Kneipe gehen**.

1. Wenn ich _____ wäre, würde ich _____ .

2. Wenn ich _____ wäre, würde ich _____ .

3. Wenn ich _____ wäre, würde ich _____ .

12.3 Wir in Deutschland

Culture: Americans studying in Germany
Vocabulary: Reflections on cultural differences
Grammar: Subjunctive with *wenn*

A. Ein Besuch in Deutschland

With a partner, discuss your top three reasons to visit Germany.

> Warum möchtest du Deutschland besuchen?
> Weil ich eine neue Kultur kennenlernen möchte.

mehr Deutsch sprechen

selbstständiger werden

mich verwirklichen

Familie besuchen

gutes Bier und tollen Wein trinken

einfach so zum Spaß

meine eigene Kultur besser verstehen

einen Studienplatz finden

B. Studium in Deutschland

Read about three international students from different countries who are studying in Germany. Note keywords for each of the stories and answer the questions that follow.

München

Il Yun (Korea): Die europäische Kultur und die europäischen Wertmaßstäbe[1] haben unsere Gesellschaft in den letzten 100 Jahren stark beeinflusst, vor allem durch Japan und die USA. Aber diese Europäisierung, sogenannte Modernisierung, ist ein bisschen nicht so geeignet[2], glaube ich. Das ist so nicht unsere eigene Kultur. Wir müssen diese Situation überwinden[3]. Ich möchte noch gern tiefer die Kultur und die Gesellschaft in Europa kennenlernen, um unsere eigene zu finden.

Anne Marie (Irland): Ja, ich habe mit 13 angefangen Deutsch zu lernen in der Sekundarschule bei uns in Irland. Und als ich 15 war, habe ich die Möglichkeit gehabt, einen Schüleraustausch zu machen. Dann bin ich nach Schwaben gefahren und habe dort drei Monate verbracht. Ich bin in die Schule gegangen, ich habe bei einer Familie gewohnt und ich muss sagen, dass ich nur tolle Erfahrungen damals gemacht habe. Danach habe ich Deutsch als Hauptfach gewählt und jetzt studiere ich Deutsch. Ich würde sagen, dass der Grund, dass ich jetzt Deutsch überhaupt studiere und überhaupt in Deutschland bin, ist, weil ich so wundervolle Erfahrungen gemacht habe, als ich 15 war.

---

[1] *values*
[2] *appropriate*
[3] überwinden – *to overcome*

Nikos (Griechenland): Ich bin hier vor zwei Jahren als Erasmus-Student gewesen. So habe ich meine ersten Kontakte hier geknüpft. Und natürlich war ich sehr zufrieden mit dem Studiensystem. Das Studiensystem Deutschlands ist sehr flexibel. Organisatorisch und wissenschaftlich auch. Zusätzlich[1] gibt es auch finanzielle Vorteile. Deutschland hat keine Studiengebühren, noch nicht. Und es gibt kulturelle und traditionelle Vorteile. Deutschland hat noch eine sehr gute Tradition, eine sehr tiefe Kultur, die dem Studium helfen können.

---

[1] in addition

	Il Yun	Anne Marie	Nikos
1. Wer möchte in Deutschland studieren, weil es Spaß macht?	☐	☐	☐
2. Wer findet das deutsche Unisystem besser organisiert?	☐	☐	☐
3. Wer möchte die eigene Kultur besser verstehen?	☐	☐	☐
4. Wer war AustauschschülerIn?	☐	☐	☐
5. Wer spricht über finanzielle Gründe?	☐	☐	☐
6. Wer interessiert sich für Geschichte?	☐	☐	☐
7. Was meinst du? Wer wird DeutschlehrerIn?	☐	☐	☐
8. Was meinst du? Wer wird Geschäftsmann/frau?	☐	☐	☐

C. Und du?

Discuss with a partner what you would perceive as the exciting parts about studying in a German-speaking country – for a summer, a semester, a whole year, or maybe for an advanced degree – and what you could imagine being a bit more challenging. Remember that a number of universities offer courses in English in both the sciences and the humanities but not all of them do.

Das klingt besonders toll!

Das ist sicherlich zunächst[2] schwierig.

[2] *at first*

Mittelrhein

419

D. Die Deutschen   Read these comments by foreign students about Germans and summarize them in the boxes provided.

Agnieszka (Polen): Die Deutschen sind auch ein bisschen verschlossen. Das habe ich auch bemerkt. Und die Beziehungen zwischen Familienmitgliedern sind vielleicht nicht so eng wie bei uns. Ich habe hier eine Deutsche kennen gelernt. Sie ist 18 und sie wohnt allein, hat eine eigene Wohnung. Und bei uns geht das nicht.

Berliner Schiffsfahrten

Katja (Russland): Ich habe bemerkt, es gibt einen Unterschied bei den Deutschen, die auch schon mal im Ausland für ein Jahr oder ein Semester waren. Ich habe gefunden, dass sie eigentlich viel aufgeschlossener sind und auch viel hilfsbereiter, weil sie wissen, wie es einem geht, wenn man im Ausland ist – anderes Essen, andere Leute, andere Sprache. Mit solchen Deutschen habe ich sehr, sehr gute Erfahrungen gemacht. Die sind viel aufgeschlossener und auch irgendwie hilfsbereiter. Sie sprechen auch langsamer.

Anne Marie (Irland): Die Deutschen können vielleicht am Anfang etwas kalt sein. Aber wenn man eine richtige Beziehung zu einer Deutschen hat, dann wird es dauern. Mit 15 bin ich nach Deutschland gekommen und die Familie, bei der ich gewohnt habe, bleibt immer noch in Kontakt mit mir. Ich habe dort mein eigenes Zimmer, sie sind echt nett und wie meine zweite Familie hier in Deutschland. Und ich habe auch die gleiche Erfahrung mit Freunden in der Uni gemacht. Die sind vielleicht am Anfang etwas zurückhaltend, aber nach einer Weile klappt es irgendwie.

E. Komm, lass uns in Europa leben!

Over the course of learning about German-speaking countries and Europe in general from *Auf geht's!* and your instructor, you have surely developed a pretty good image of this part of the world. Discuss some of those aspects and facets with a partner. Take a look at those guiding questions but ask anything you want!

Ideen für eure Diskussion:

Welches europäische Land findest du am faszinierendsten?

In welchem Land möchtest du vielleicht einmal leben?

Warum willst du gerade in diesem Land leben?

Was solltest du über dieses Land wissen, bevor du dort hinziehst?

Was denkst du: Was würdest du besonders vermissen im Ausland?

Was würdest du in diesem Land als erstes machen?

F. Willkommen bei uns!

Both the US and Canada attract a great number of tourists every year from all of the German-speaking countries. Write a brief guide for tourists visiting here with the top five things they need to know to have an amazing time! Write your essay in German, unless your instructor specifies otherwise.

In Amerika gibt es so viel zu sehen, aber um das Land zu sehen, muss man ein Auto haben. Das ist also das Wichtigste: ein Auto mieten. Und es muss ein Auto mit einer guten Klimaanlage sein, denn im Sommer wird es in ganz Amerika heiß!

Olympic-Nationalpark, Washington

Vocabulary 12.3

Nouns:

das Austauschprogramm, -e	exchange program
der Bereich, -e	area
die Einführung, -en	introduction
die Erfahrung, -en	experience
der Fortschritt, -e	progress
der Gebrauch, ¨-e	use; tradition
das Gespräch, -e	conversation
das Mitglied, -er	member
die Überraschung, -en	surprise
der Unterschied, -e	difference
die Vielfalt	diversity
die Vorfahren (pl.)	ancestors

Other:

eng	close; tight
kontaktfreudig	social, outgoing
sogenannt	so-called
tief	deep
ungleich	unequal
verrückt	crazy
verschlossen	closed
wahrscheinlich	probably
zufrieden	content; happy

Verbs:

anschauen	to look at
beeinflussen	to influence
bemerken	to notice, remark
einsetzen	to use, employ
klappen	to work out; succeed

12.3 Subjunctive with *wenn*

Since the subjunctive mood expresses an event or act, but only as an assumed possibility or a wish, statements with the subjunctive are often introduced with the subordinating conjunction *wenn*.

Here is a sample sentence for *wenn* with the subjunctive mood:

> *Wenn ich jemals genug Geld hätte, würde ich eine Weltreise machen.*
> If I ever had enough money, I would travel around the world.

You can also express 'if only' wishes using *wenn* and *nur* in German:

> *Wenn ich nur mehr Zeit hätte!*   If only I had more time!
> *Wenn ich nur in Deutschland wäre!*   If only I were in Germany!
> *Wenn ich nur Französisch könnte!*   If only I could speak French!
> *Wenn sie nur kommen würden!*   If only they would come!

A. Umweltschutz   Professor Pfeiffer is lecturing on energy resources. Underline the subjunctive verbs and circle the subordinating conjunction *wenn*.

Heute spreche ich über Energiequellen[1], die man schon früher hätte eliminieren müssen. Wenn wir damals weniger Kohle benutzt hätten, wäre die Luft heute sauberer. Das Gleiche kann man über andere Energiequellen sagen: Wenn wir heutzutage weniger Benzin verbrauchen[2] würden, könnte man in den Städten gesünder leben. Wir sollten über verschiedene Szenarien[3] nachdenken. Zum Beispiel: Mein Benzinverbrauch würde sich halbieren[4], wenn ich ein Hybridauto hätte. Wenn ich eine Solaranlage[5] auf dem Haus hätte, müsste ich weniger Strom[6] bezahlen.

[1] *sources of energy*   [4] *to cut in half*
[2] *to consume; to use*   [5] *solar energy panel*
[3] *scenarios*   [6] *electricity*

B. Word order with *wenn*   Label the order of the words in bold for *wenn*-sentences using the subjunctive mood. Then, write out the correct order following the example provided. Include commas.

Subordinating conjunction **wenn** = **SC**

1st conjugated verb = CV_1 *1st verb infinitive* = I_1
2nd conjugated verb = CV_2 *2nd verb infinitive* = I_2

$$\text{SC} \qquad\qquad\qquad I_1 \quad CV_1 \quad CV_2 \qquad\qquad\qquad I_2$$

1. **Wenn** wir heutzutage weniger Benzin **verbrauchen würden, könnte** man in den Städten gesünder **leben**.

correct word order = $SC–I_1–CV_1 , CV_2–I_2$

2. Mein Benzinverbrauch **würde sich halbieren, wenn** ich ein Hybridauto **hätte**.

correct word order =

3. **Wenn** ich eine Solaranlage auf dem Haus **hätte, müsste** ich weniger Strom **bezahlen**.

correct word order =

C. Wie heißt das?   Translate the part of the sentences in bold into English.

Example: **Wenn wir weniger Benzin verbrauchen würden**, könnte man gesünder leben.
→ ***If we were to use less gasoline****, we could live a healthier life.*

1. Mein Benzinverbrauch würde sich halbieren, **wenn ich ein Hybridauto hätte**.

→ *My gasoline consumption would be cut in half,*   .

2. **Wenn ich eine Solaranlage auf dem Haus hätte**, müsste ich weniger Strom bezahlen.

→   *, I would have to pay less for electricity.*

3. Wenn wir damals weniger Kohle benutzt hätten, **wäre die Luft heute sauberer.**

→ *If we had used less coal in the past,*   .

D. *Wenn***-sentences**   Use the two sentences to create compound *wenn*-sentences with *hätten, wären* and *würden*.

Example: Wir werden mehr Windturbinen bauen. Wir haben guten Alternativstrom.
→ Wenn wir mehr Windturbinen bauen würden, hätten wir guten Alternativstrom.

1. Man hat weniger Parkplätze in der Stadt. Mehr Leute werden mit dem Bus fahren.

2. Ich bin nicht so faul. Ich werde immer mit dem Fahrrad fahren.

3. Das Bahnfahren ist nicht so teuer. Ich habe kein Auto.

E. Your world   Think of ways you could be more environmentally friendly. Write three sentences using the subjunctive mood and *wenn*-constructions. Feel free to use the suggestions.

wiederverwerten[7]   das Hybridauto   Wasser sparen[8]   die Klimaanlage[9]   Sparlampen[10] benutzen

[7] *to recycle* [8] *to save* [9] *air conditioner* [10] *energy-efficient lightbulbs*

12.4 Wir in der Welt

Culture: Germans studying in America
Vocabulary: Reflections on personal transformation
Grammar: Passive: *wird* and *wurde*

A. Wie geht es dir hier? Discuss with a partner a time that you were either a foreigner or felt like a foreigner. Try to react to what your partner says.

Mögliche Fragen:

Wo warst du?

Wann war das?

Warst du allein oder mit jemandem zusammen?

Wie hast du dich gefühlt?

Mögliche Reaktionen:	
Echt?	*Really?*
Das klingt anstrengend.	*That sounds exhausting.*
Was hast du gemacht?	*What did you do?*
Unschön.	*Not so great.*
Das freut mich.	*Happy to hear that.*

B. Anna im Ausland Read Anna's (Göttingen, DE) thoughts on her year in the US and underline or highlight the important phrases in the text.

Chicago, IL

Ja, das war eine interessante Erfahrung, in ein fremdes Land zu gehen. Ich habe mich sehr verändert in der ganzen Zeit. Ich habe neue Gewohnheiten kennengelernt. Ich habe gesehen, dass man anders leben kann. Wenn man nur in seinem Land bleibt, hat man einen ganz eingeschränkten[1] Blick. Und auf einmal bekommt man auch den Blick eines Anderen. Man lernt den Blick eines Anderen auf sein eigenes Land. Ich kann mein Land auch ganz anders sehen, wenn ich im Ausland bin. Und ich glaube, dadurch kann man viele Vorurteile abbauen. Einfach sagen, so wie wir es machen, ist es auch richtig, aber man kann es auch anders richtig machen. Es gibt nicht eine Wahrheit, sondern ganz viele Wahrheiten. Ich denke, ich bin auch viel reifer geworden, viel älter.

[1] *limited*

C. Vorteile Make a list of the advantages (according to Anna) of studying abroad. List some additional advantages.

Vorteile, die Anna nennt

meine eigene Meinung dazu

D. Armin in Amerika   Read the text from Armin (Göttingen, DE) and answer the questions that follow.

Das Jahr in Amerika hat mir sehr, sehr viel gebracht. Es war eine der besten Zeiten meines Lebens. Ich bin viel gereist durch die westlichen Staaten und auch nach Kanada und habe wirklich viel gesehen, viele Leute kennengelernt. Und ich habe sogar auch meine jetzige Ehefrau in Amerika kennengelernt. Sie hat auch an der UCLA studiert durch ein Austauschprogramm aus Rio de Janeiro in Brasilien. Wir haben jetzt vor zwei Monaten geheiratet.

Die wichtigste Sache, die ich über mich selber gelernt habe, war, dass ich sehr viel flexibler werden musste. Ich war früher, bevor ich in den USA war, sehr viel unflexibler. Ich habe viele Sachen zu eng gesehen und hatte einfach Schwierigkeiten mich anzupassen. Jetzt bin ich mit einer Brasilianerin verheiratet, die viele Dinge völlig anders sieht als ich. Und ich denke, noch vor fünf Jahren hätte ich vieles überhaupt nicht verstanden, hätte vieles gar nicht ausgehalten. Ich bin immer sehr ordentlich und versuche überall ein System zu haben. Wenn jemand Anderes dann nicht die gleiche Einstellung zur Ordnung hat, dann wäre das sehr schwierig geworden. Heute bin ich einfach lockerer geworden.

1. Was sagt Armin über seine Zeit in Amerika?

2. In welchen Ländern ist Armin gereist?

3. An welcher Uni hat er studiert?

4. Woher kommt Armins Frau?

5. Wie hat sich Armin in den USA verändert?

6. Warum hat sich Armin verändert?

E. Jens in den USA

Read the text from Jens (Göttingen, DE). Answer the questions together with a partner.

Meine Zeit in den USA war eine ganz besondere Zeit. Denn in einer anderen Kultur zu leben ist doch eine ganz andere Sache, als wenn man nur als Tourist da für zwei oder drei Wochen zu Gast ist. Ich habe mich dort besonders frei gefühlt, weil die Menschen sehr herzlich und sehr offen sind und man im Gegensatz[1] zu Deutschland sehr schnell und sehr warm empfangen wird. Das soll nicht heißen[2], dass die Leute in Deutschland sehr kalt sind. Sie sind auch sehr nett und sehr freundlich. Aber man muss häufig[3] erst das Eis brechen, bevor man diesen warmen Kern[4] in ihnen entdeckt. Und das ist ein wesentlicher[5] Unterschied zu den Amerikanern und das ist auch das, was ich an den Amerikanern sehr schätze.

---

[1] *contrast*
[2] *to imply*
[3] *frequently*
[4] *core, kernel*
[5] *essential*

Rothenburg ob der Tauber

1. Wie nennt Jens seine Zeit in den USA?

2. Wie hat sich Jens in den USA gefühlt?

3. Wie beschreibt Jens die Amerikaner?

4. Wie beschreibt Jens die Deutschen?

5. Sprecht über ein Beispiel für den „warmen Kern" von Deutschen und beachtet dabei die Informationen von der Interactiven.

F. Ein Mauerblümchen blüht auf   Read Stephanie's (Erfurt, DE) text and answer the questions that follow.

Geprägt[1] hat mich am meisten mein erstes Jahr in Amerika, weil ich mich da selber kennengelernt habe und weil ich da tolle Menschen kennengelernt habe. Das hat mich von meinem Wesen[2] her am meisten geprägt. Ich war vorher so ein bisschen ein Mauerblümchen[3]. Ich habe schon immer viel erzählt, aber das war es auch schon. Ich habe viel mehr gelesen. Und dort bin ich richtig aufgeblüht[4]. Das hat mich positiv geprägt. Überhaupt Auslandsaufenthalte[5] prägen. Also kann ich jedem empfehlen, das zu machen.

---

[1] *formed, influenced*
[2] *nature, character*
[3] *wallflower*
[4] aufblühen – *to blossom*
[5] der Aufenthalt – *stay*

Ich denke, man ist wie ein Stück Holz[6]. Wenn man irgendwas macht, dann kriegt man eine Kerbe[7]. Und so kriegt man seine Form. Und wenn man nichts macht, nicht weggeht, nicht in ein anderes Land geht oder zumindest neue Sachen ausprobiert, dann kriegt man keine Kerben und hat keine charakteristische Gestalt. Und deswegen denke ich mir, man muss viele Kerben haben, um so die eigene Persönlichkeit zu haben, gute und schlechte Kerben.

---

[6] *wood*
[7] *chip, notch*

Stephanie vor dem Auslandsaufenthalt	Stephanie nach dem Auslandsaufenthalt

1. Zwei Listen machen:

2. Nenne eine Kerbe (Erfahrung), die dich geformt hat.

G. Zu guter Letzt

How has studying the German-speaking cultures affected your perspectives on one or more of the following? Write in English unless your instructor specifies German.

  your own culture

  your own identity

  the German culture(s)

  foreigners living in your home country

Vocabulary 12.4

Nouns:

der Blick, -e	view	herzlich	cordially
die Einstellung, -en	attitude	jetzig (+ *ending*)	current
der Gast, ¨-e	guest	locker	easy-going
die Gestalt	shape, design	reif	mature; ripe
die Gewohnheit, -en	habit	religiös	religious
das Holz	wood	weltoffen	open to the world
die Offenheit	openness		
der Perfektionismus	perfectionism	*Verbs:*	
die Schwierigkeit, -en	difficulty; trouble	aushalten [hält aus]	to endure
die Wahrheit, -en	truth	empfangen [empfängt]	to receive
die Weite, -n	expanse; distance	geschehen [geschieht]	to happen
		prägen	to stamp; to shape
Other:		schätzen	to estimate, value
ehemalig	former	sich anpassen	to adapt
fremd	strange; foreign	sich verändern	to change
		wünschen	to wish

12.4 Passive: *wird* and *wurde*

The term "passive" is used in English to describe sentences that focus not on the doer (often called the **agent**) but rather on the thing or person something is done unto (called the **patient**). The sentence you just read is in fact passive (The term is used…), because it focuses on the word "passive," not on who is saying it, talking about it, explaining it, etc.

Here is a comparison of the same idea expressed first in the active voice (the "normal" kind of sentence in English) and then a second time in the passive voice:

Active sentence:	English speakers use the term 'passive.'
Passive sentence:	The term 'passive' is used by English speakers.

The first sentence is **active** because English speakers (agents) use this term (patient). The subject of the sentence does the using. The second sentence is **passive** because this term (patient) is being used by English speakers (agent). The subject of the sentence is a thing being used. It's not doing anything; rather, something is being done to it.

What this basically does is allow you to have patients as the subject of the sentence rather than having them as some sort of object (direct, prepositional, etc.). The subject gets more attention, and (importantly) the verb agrees with the subject: "Speakers **use**" vs. "The term **is used**."

You will also note that in the active sentence above, the main verb (to use) is in the present tense, whereas in the passive sentences, you have the verb 'to be' in the present tense (is being), along with the main verb as a past participle, just as in the conversational past tense: I have **used**.

German follows a similar pattern to English, but the verb *werden* replaces the verb 'to be':

*Man **benutzt** das Passiv.*	One uses the passive. (active sentence)
*Das Passiv **wird benutzt**.*	The passive is used. (passive sentence)

Just like in English, the active construction is a normal present tense sentence, while the passive construction has a form of *werden* that is in the present tense and agrees with the subject (*Das Passiv wird…*). The passive sentence also requires a past participle, just as in the example: *Das Passiv wird **benutzt**.*

To form the passive voice in German, you need two different components: the helping verb *werden*, and the participle of the main verb that expresses the action. Let's review the conjugation for *werden*, which is an irregular verb in the present tense. The conjugations for *werden* in the present tense and narrative past are:

werden (present)			
ich werde		**wir** werden	
du wirst		**ihr** werdet	
er-sie-es wird		**(S)ie** werden	

werden (narrative past)			
ich wurde		**wir** wurden	
du wurdest		**ihr** wurdet	
er-sie-es wurde		**(S)ie** wurden	

German has two different prepositions available to indicate the agent: *von* and *durch*. Use *von* if you are talking about a person or being with some sort of will and *durch* for something inanimate:

> *Die Stadt wird **von** Godzilla zerstört.*   The city is being destroyed by Godzilla.
> *Die Stadt wird **durch** einen Tsunami zerstört.*   The city is being destroyed by a tsunami.

Godzilla is actually a good example, because one could say *durch Godzilla*, but that looks at Godzilla then as a force of nature and not a thinking being, which is also a fair interpretation. If you change the form of *werden* from *wird* to *wurde*, you convert the sentence into the past:

> *Die Stadt wurde **von** Godzilla zerstört.*   The city was destroyed by Godzilla.
> *Die Stadt wurde **durch** einen Tsunami zerstört.*   The city was destroyed by a tsunami.

A. Die DDR   Read Christine's description of the *DDR* (from *Thema* 12.2 in the *Lernbuch*) and circle the parts of sentences that are in the passive.

Ich kann mich gut daran erinnern, bevor die Mauer[1] gebaut wurde. Wenn wieder die Schule anfing, am ersten September, dann fehlten[2] wieder vier Leute aus meiner Klasse, die in den Westen rübergegangen sind. Dann wurde alles, was sie da gelassen hatten, versteigert[3].

Und auf einmal wurde diese Mauer gebaut und alle sagten dann, das ist eigentlich der antifaschistische Schutzwall[4] und das müssen sie machen, damit hier nicht alle Leute weglaufen, die wir in der DDR ausgebildet haben. Das wurde uns alles in der Schule dann sehr plausibel erklärt.

[1] *wall*
[2] *(were) missing*
[3] *auctioned off*
[4] *wall of protection*

B. Aktiv oder Passiv?   Circle whether the clauses below are in the active or passive voice.

Ich kann mich gut daran erinnern.	Aktiv	Passiv
Wenn wieder die Schule anfing…	Aktiv	Passiv
…bevor die Mauer gebaut wurden.	Aktiv	Passiv
Dann wurde alles … versteigert.	Aktiv	Passiv
…was sie da gelassen hatten…	Aktiv	Passiv
…und alle sagten dann…	Aktiv	Passiv
…damit hier nicht alle Leute weglaufen	Aktiv	Passiv
Das wurde uns alles … sehr plausibel erklärt.	Aktiv	Passiv

C. Sätze im Passiv   Convert the active sentences below into passive sentences by filling in the blank with the past participle of the verb in bold. Remember to consult the table of irregular verbs on the inside rear cover of your *Lernbuch* or other resources if necessary.

Man **verabschiedet** die Weimarer Verfassung. → Die Weimarer Verfassung wird   .

Deutschland **greift** Polen **an**. → Polen wird   .

Die Alliierten **befreien** Deutschland. → Deutschland wird   .

John F. Kennedy **hält** seine „Ich bin ein Berliner" Rede. → Die „Ich bin ein Berliner" Rede wird   .

Gorbatschow **setzt** Reformen in der Sowjetunion **durch**. → Reformen in der Sowjetunion werden   .

This list shows the communication goals and key cultural concepts presented in Unit 12 *Erinnerungen*. Make sure to look them over and check the knowledge and skills you have developed. The cultural information is found primarily in the Interactive, though much is developed and practiced in the print *Lernbuch* as well.

I can explain:

Der zweite Weltkrieg

- [ ] *die Machtergreifung*
- [ ] NSDAP and the *Wirtschaftsaufstieg*
- [ ] original name for the *Autobahnen*
- [ ] *Einmarsch in Polen*
- [ ] *Kanonen statt Butter* campaign
- [ ] *der totale Krieg*
- [ ] *Bombennächte* and *Luftschutzbunker*
- [ ] *Nazi*
- [ ] *NSDAP*
- [ ] *die Luftwaffe*
- [ ] *KZ*
- [ ] *die Wehrmacht*

Die Nachkriegszeit

- [ ] *die Flucht* in 1945
- [ ] end of WWII
- [ ] *der Zusammenbruch* in Germany
- [ ] where German POWs were sent after the war
- [ ] *Hamsterfahrten*
- [ ] *Entnazifizierung*
- [ ] tensions between Soviets and Allies, division of Germany, the Cold War
- [ ] NATO, *der Warschauer Pakt*

Überwinden

- [ ] *Vergangenheitsbewältigung*
- [ ] historical Austrian view of their relationship to National Socialism
- [ ] postwar focus in Germany
- [ ] student movements in the 1960's, *Achtundsechziger*
- [ ] *der Historikerstreit*
- [ ] discussion of WWII atrocities in the 1990's
- [ ] *Verbrechen* in relation to the Nazi regime
- [ ] *Singularität* of the Holocaust
- [ ] Nuremberg War Trials
- [ ] Spandau Prison
- [ ] *Entschädigung*
- [ ] how Germany and other nations can overcome the past and not repeat history
- [ ] *Stolpersteine*
- [ ] problem of confronting people with issues of past atrocities too much
- [ ] two films made about Hitler's last days
- [ ] Holocaust *Mahnmal / Denkmal*

Die Deutsche Demokratische Republik

- [ ] *der Staatssicherheitsdienst (Stasi)* in the *DDR*
- [ ] private citizens who were *DDR* informants
- [ ] guarantees under the *soziale Sicherheit* system
- [ ] downsides of *soziale Sicherheit* system
- [ ] things some Germans miss about the *DDR*
- [ ] characteristics of the government in the *DDR*